Пембертон

МАРГАРЕТ
ПЕМБЕРТОН

ПОД ЮЖНЫМ СОЛНЦЕМ

ИЗДАТЕЛЬСТВО
МОСКВА
2000

ББК 84 (7США)
П23

Серия основана в 1999 году

Margaret Pemberton
ZADRUGA
1994

Перевод с английского В.И. Матвеева

Серийное оформление А.А. Кудрявцева

В оформлении обложки использована работа, предоставленная агентством FOTObank.

Пембертон М.

П23 Под южным солнцем: Роман/Пер. с англ. В.И. Матвеева. — М.: ООО «Фирма «Издательство АСТ», 2000. — 448 с. — (Собр. соч.).

ISBN 5-237-05264-9

Это — история двух сестер из страны, пылающей в пожаре войны. История опасных приключений, которые подобно водовороту закружили девушек. История ошибок и сомнений, радостей и страданий, страсти и любви, не однажды утраченных и, однако, вновь обретенных. Ибо никакая трагедия не в силах помешать женщинам, которые борются за свое долгожданное счастье. За право быть с теми, кому подарили свои сердца...

МАЙ 1914 — АВГУСТ 1919

Глава 1

Хотя от особняка Василовичей до королевского дворца рукой подать и ранним летним утром в Белграде было довольно прохладно, протокол предписывал сестрам Василовичам преодолеть это расстояние в открытом ландо.

Когда лошади свернули на улицу Князя Милана*, Наталья Василович недовольно сморщила свой хорошенький носик.

— Почему мы должны терпеть название улицы в честь одного из Обреновичей? Почему ее не переименовали, скажем, в честь короля Александра или дяди Петра, или даже Сандро?

Катерина Василович с усмешкой посмотрела на свою младшую семнадцатилетнюю сестру.

— Если менять названия белградских улиц всякий раз, когда на трон вместо Карагеоргиевичей будут всходить Обреновичи, а затем снова Карагеоргиевичи, народ окончательно запутается, — сказала она таким бесстрастным тоном, что Наталья возмутилась.

---

* Князь, впоследствии король Милан I (1854—1901) из династии Обреновичей покинул Сербию после отречения от престола. В 1903 г. на трон вступил Петр I из династии Карагеоргиевичей. — *Здесь и далее примеч. ред.*

— Как ты можешь относиться к этому равнодушно? — воскликнула она. — В твоих жилах течет половина той же крови, что и у дяди Петра, и у Сандро, а ты ведешь себя так, будто принадлежишь только к роду Василовичей.

— Да, я чувствую себя именно так, — сказала Катерина, и ее серо-зеленые глаза слегка потемнели.

— А я нет! — В отличие от сестры глаза Натальи были не сероватого, а золотистого оттенка, и сейчас они вспыхнули огнем.

Катерина перехватила поудобнее перламутровую ручку раскрытого над ней зонтика и нахмурилась, наморщив лоб. То, что сестра унаследовала от прадеда по материнской линии его вспыльчивый, необузданный нрав, было очевидно с раннего детства. И она знала, что их мать, так же как и отец, искренне об этом сожалела.

Пока ландо Василовичей ехало мимо Российской дипломатической миссии, приближаясь к воротам дворца, Катерина думала о том, почему все Карагеоргиевичи такие несдержанные, не считая, конечно, ее матери. Вспыльчивость не была присуща ни ей, ни самой Катерине, но послужила причиной насильственной смерти их прадеда и многочисленных родственников мужского пола.

— Как жаль, что я не могу выйти замуж за Сандро, — с тоской произнесла Наталья, забыв о недавнем раздражении, и переключилась на более злободневную тему. — Разве так уж важно, что мы родственники? Члены королевской семьи всегда сочетались между собой браком, и я была бы замечательной королевой.

— Тетя Зорка тоже была бы великолепной королевой, — сказала Катерина, в то время как гвардейцы в парадной форме открыли высокие ворота и их ландо въехало в дворцовый парк.

Прошло несколько секунд, прежде чем Наталья ответила. Тетя умерла задолго до того, как родились они с Катериной, но их мать, хорошо знавшая Зорку, часто рассказывала о ее необычайной красоте и о том, как страстно та ждала дня, когда ее муж прогонит Обреновичей с сербского трона и вернет корону Карагеоргиевичам. Через четырнадцать лет после смерти жены ему наконец это удалось. Сейчас в Сербии нет королевы и не будет до тех пор, пока Сандро не взойдет на престол и не сделает королевой девушку, на которой женится.

— Да, — медленно произнесла Наталья, — но я сомневаюсь, что Зорка удовлетворилась бы только титулом королевы Сербии. Она хотела быть правительницей всех южных славян: сербов, хорватов, словенцев, черногорцев, боснийцев, герцеговинцев...

Ее лицо приняло такое восторженное выражение, что Катерину внезапно охватило дурное предчувствие. Черногория, как и Сербия, являлась независимым королевством, а не частью Османской империи, но Босния и Герцеговина, перестав быть турецкими владениями, шесть лет назад отошли к Австро-Венгрии и сделались частью огромной империи Габсбургов. В белградских кафе постоянно собирались молодые фанатики, которые строили планы освобождения своих братьев-славян от австрийцев, и Катерина не хотела видеть среди них свою юную, очень впечатлительную, не знающую жизни сестру.

— Ради Бога, перестань забивать себе голову несбыточными мечтами, — сказала она с не свойственной ей резкостью, когда ландо, качнувшись, остановилось. — И не вздумай обсуждать с Сандро проблему объединения южных славян. Мы здесь только для того, чтобы поговорить о его визите в Санкт-Петербург и узнать, какую из царевен прочат ему в жены.

Наталья ничего не ответила. Катерина была двумя годами старше и всегда пыталась ее сдерживать, а она уже давно перестала обращать внимание на замечания сестры. Встав с сиденья, она расправила длинную, до лодыжек, юбку своего платья из желтого парижского шелка и еще раз удивилась тому, насколько все-таки Катерина отличается от нее как по внешнему виду, так и по характеру. Сестра унаследовала отцовские черты. Все Василовичи были высокими и стройными. Мужчины отличались элегантностью, а женщины — грациозностью и умением сохранять спокойствие и хладнокровие в любой ситуации.

Наталья уже не впервые подумала о том, почему какимто таинственным образом и по внешности, и по характеру она не похожа на Василовичей. Когда она говорила, что чувствует себя в большей степени представительницей Карагеоргиевичей, это было абсолютной правдой. Все женщины этого семейства были низкорослыми, с черными вьющимися, как у цыган, волосами и с безрассудным, импульсивным характером.

Ее прадед Георгий прославил свое имя, которое известно вот уже на протяжении последних ста лет. Бывший крестьянин, он стал повстанцем и получил прозвище «Кара», что означает «черный». Карагеоргий поднял сербов на восстание против турок. Перебив турецкий гарнизон и захватив Белград, он провозгласил себя королем Сербии, на какое-то время избавившись от османского владычества, длившегося три с половиной столетия.

— Но характер его подвел, — грустно отвечал отец, когда малышка Наталья расспрашивала его о семье матери. — Прогнав захватчиков, он затеял свару со своими сторонниками, а когда турки попытались вновь захватить Сербию, многие сербы пошли за другим предводителем, Милошем Обреновичем.

— И тогда прадедушка был вынужден покинуть Сербию? — спрашивала девчушка, сжав свои маленькие кулачки при мысли об этом зловредном выскочке Милоше Обреновиче.

— Да, — мягко отвечал отец, обнимая ее за плечи. — Но ты должна помнить, Наталья, что Милош Обренович никогда не смог бы провозгласить себя королем Сербии, будь твой прадед более сдержанным. Из-за своей вспыльчивости он лишился народной поддержки, и его семейство утратило свое неоспоримое право на сербский трон.

Выйдя из ландо вслед за сестрой, Наталья подумала о том, какая из четырех дочерей русского царя должна стать невестой Сандро, а значит, и королевой Сербии. Пожалуй, самая старшая из них, семнадцатилетняя Ольга, подходила для этого как нельзя лучше.

Наталья взглянула на стены заново отстроенного королевского дворца глазами старшей дочери русского царя, и ее охватило чувство стыда.

Что подумает Ольга об этом жалком здании? Известный как Конак*, этот дворец был новым, потому что последний король из династии Обреновичей и его жена были жестоко убиты в его старом здании и, чтобы навсегда стереть память об их насильственной смерти, его разрушили. На его месте воздвигли строение, похожее, скорее, на невзрачный провинциальный замок где-нибудь во Франции. Ольге, привыкшей к огромному Зимнему дворцу в Санкт-Петербурге, а также к великолепию других царских резиденций, Конак должен был показаться просто убогим.

— Мне бы хотелось, чтобы дядя Петр жил в более пышном дворце, — раздраженно сказала Наталья, когда они вошли в довольно скромный вестибюль. — Возможно,

---

* Конак — дворец (*тур.*).

скоро он будет королем не только Сербии, а всех южных славян, и потому должен жить...

— А мне очень хочется, чтобы ты выкинула эту блажь из головы, — сказала Катерина, и охватившая ее ранее тревога усилилась. — Лучше подумай о предстоящем бракосочетании Сандро. Мы обе будем выступать в роли подружек невесты, а на свадьбе будут присутствовать все коронованные особы Европы.

Пока лакей вел их по увешанному зеркалами коридору в главную гостиную, Наталья была озадачена и вместе с тем раздражена отсутствием у Катерины энтузиазма по поводу осуществления давнишней мечты их семейства. Она слегка нахмурилась. Нельзя доверять сестре свои секреты, как она намеревалась сделать ранее. Сандро тоже нельзя доверять. Ее новые друзья были бы против этого.

Лакей раздвинул тяжелые портьеры, и им навстречу выскочил маленький черно-белый щенок спаниеля, который отвлек Наталью от ее мыслей.

— О, какая прелесть! — воскликнула она и взяла собачку на руки. Объединение славян и новые друзья временно отошли на второй план. — Только посмотри на нее, Катерина! Правда, она очень мила?

Катерина немного успокоилась. Со щенком на руках Наталья выглядела совсем маленькой девочкой и тревога, вызванная разговорами сестры в ландо, вдруг показалась ей нелепой.

Посмеявшись про себя над своими домыслами, Катерина прошла через залитую солнцем комнату туда, где стоял вместе с отцом ее дядя, и сделала глубокий реверанс.

Худой и тщедушный, с тронутыми ранней сединой волосами и со щетинистыми, подкрученными вверх усами, Петр Карагеоргиевич не очень-то походил на короля. Только его глаза свидетельствовали о знатном происхождении. Темные и пронзительные, они напоминали о Черном Георгии и внушали уважение.

— Ты приехала послушать последние санкт-петербургские сплетни, не так ли? — ласково спросил он. Слева от него, чуть поодаль, стоял его сын, наследник престола князь Александр в парадном мундире. Он выглядел чрезвычайно довольным собой. За его спиной Катерина заметила свою мать в окружении многочисленных родственников, а дальше — кучку иностранных дипломатов.

— Да, сударь, — сказала она, забавляясь нескрываемым нетерпением, которое проявляли ее родственники, жаждавшие услышать последние новости о давно ожидаемом бракосочетании Сандро с представительницей дома Романовых.

Она услышала, как сзади Наталья с сожалением опустила щенка на пол, приготовившись сделать реверанс. Катерина облегченно вздохнула. Хотя Наталья и жаловалась на несоблюдение этикета в Конаке, сама она вполне могла попытаться присесть перед королем с собакой на руках.

— Этот щенок — подарок царевича, — сказал Сандро, угадав мысли Катерины, когда она к нему подошла. — Он того же помета, что и его собственный спаниель Джой.

Щенок крутился у ее ног, а затем лег на спину, ожидая, когда ему почешут брюшко. Сандро осторожно пощекотал его носком сапога.

Нетерпение было не в характере Катерины, но сейчас она испытывала огромное желание, чтобы ее родственник наконец сообщил, какая же из дочерей русского царя будет его невестой.

— Как там в Санкт-Петербурге? — многозначительно спросила она.

Сандро отвлекся от щенка.

— Как всегда великолепно, — сказал он, улыбаясь.

Катерина старалась казаться невозмутимой. Хотя обычно поведение Сандро отличалось степенностью, как и подобало наследнику престола, в присутствии Натальи он никогда не был серьезным. Несмотря на разницу в возрасте, они были очень близки. Настолько, что если бы их не связывали кровные узы и не было бы политической необходимости в женитьбе Сандро на представительнице дома Романовых, их браку никто бы не удивился.

Они, конечно, были бы прекрасной парой. Сандро был не особенно высок, но хорошо сложен. Мундир выгодно подчеркивал его широкие плечи и, несмотря на близорукость, что его вынуждало носить пенсне в золотой оправе, в его движениях чувствовалась физическая сила и уверенность. Его глаза в обрамлении темных ресниц были почти такими же, как у отца, а когда Сандро улыбался, его лицо приобретало особую привлекательность.

Он насмешливо посмотрел на Катерину.

— Что касается новостей: Елена удивительно быстро освоилась в России, и ее малыш тоже чувствует себя хорошо.

Елена, его сестра, два года назад вышла замуж за великого русского князя Константина, и официальным поводом для поездки Сандро в Санкт-Петербург явились крестины первенца Елены в Казанском соборе.

Катерина невозмутимо улыбнулась, понимая, что Сандро над ней насмехается, но решила не подавать виду. Дневное чаепитие в Конаке раз в неделю было традиционным, на него приглашались все женщины семейства Карагеоргиевичей. Однако обычно ее тетушки и двоюродные бабушки не собирались в таком количестве, и их явно интересовали не только новости о Елене и ее малышке. Если Сандро и был не слишком разговорчивым, когда речь заходила о его поездке в Санкт-Петербург, то только потому, что, вероятно, он не хотел предвосхищать сообщение, которое должно было быть сделано сегодня.

Катерина посмотрела на небольшую группу иностранных дипломатов, и ее уверенность в своем предположении возросла. В высшей степени необычно, что на семейном чаепитии присутствует премьер-министр и, кроме того, представители Французской и Британской дипломатических миссий.

Молодой англичанин обменивался репликами со своим французским коллегой и, почувствовав на себе ее взгляд, слегка повернул голову. Их глаза встретились в молчаливом приветствии, и он вопросительно приподнял бровь. Катерина из осторожности никак не ответила на его немой вопрос, но когда отвела взгляд, продолжая осматривать просторную комнату, на ее лице появилась улыбка. Она очень хорошо знала, о чем Джулиан Филдинг хотел ее спросить. Его интересовало, добились ли дядя и Сандро успеха в заключении союза с русским императором.

Наталья уже беседовала с Сандро снова со щенком на руках, и Катерина направилась к женщинам, собравшимся вокруг ее матери.

Мать отделилась от группы родственниц и подошла к ней.

— Я уже начала беспокоиться, что ты опоздаешь, — сказала она, нежно целуя дочь в щеку. — Совершенно очевидно, что визит Сандро в Петербург был успешным и сегодня должно быть объявлено о результатах поездки. Надеюсь, это заявление не окажется преждевременным.

Катерина снова взглянула на молодых дипломатов, стоящих в дальнем конце отделанной золотом гостиной.

— Преждевременным? — рассеянно спросила она, так как ее мысли были заняты другим. — Как это может быть, мама?

Мать взяла ее под руку, и они начали прохаживаться по комнате.

— Русский царь — большой дипломат, — сухо сказала она. — Он не любит кого-либо огорчать и потому никогда не отвечает прямым отказом. Правда, отец полагает, что император все-таки согласится на брак Ольги с Александром, хотя у нее нет ни малейшего желания выйти за него замуж.

Джулиан Филдинг, слегка сдвинув брови, продолжал беседовать с французским дипломатом. Катерина нехотя отвела от него взгляд.

— Извини, мама. Что ты сказала? Неужели царь не хочет союза с нашим семейством?

— Такой союз уже имеется, — возразила мать, — и царь вовсе не нуждается в браке своей старшей дочери с Александром, чтобы еще больше его укрепить. — Ее лицо выражало явное беспокойство. — Румынский король возлагает большие надежды на брак русской царевны с принцем Каролом, его племянником и наследником, и императорская семья уже приняла решение посетить Румынию в начале следующего месяца, чтобы Карол и Ольга познакомились.

Катерина посмотрела на Сандро и Наталью. Сестра все еще держала на руках щенка, а Сандро смеялся и щекотал спаниеля за ухом. Если он полагал, что неофициально обручен со старшей дочерью царя, а та затем выйдет замуж за принца Карола, Сандро почувствует себя оскорбленным.

— Тебя беспокоит, что Сандро пострадает?

— Нет, — сказала мать. — Меня беспокоит не столько Александр, сколько Сербия.

Катерина пристально посмотрела на нее. Мать редко обсуждала государственные проблемы, считая это компетенцией мужа, и если она заговорила на эту тему в стенах Конака, значит, что-то серьезно ее беспокоило.

— Неужели отказ царя выдать Ольгу за Александра имеет такое уж большое значение? — спросила Катерина, стараясь вникнуть в суть проблемы.

Мать остановилась, не доходя до группы родственниц, так, чтобы ее не могли услышать.

— Да, потому что это может иметь дурные последствия. Твой дядя с трудом сдерживает горячие головы, которые хотят помочь Боснии и Герцеговине освободиться от правления Габсбургов. Пока это ему удается, так как Россия обещала в решительный момент оказать поддержку. Но сейчас еще не время. Впервые в нашей истории благодаря твоему дяде в Сербии наблюдается некоторая стабильность. Нам надо ее укреплять, а не ввязываться в вооруженную борьбу против Австро-Венгерской империи.

Джулиан Филдинг все еще продолжал беседовать с французским дипломатом. Катерина подумала о том, как бы привлечь его внимание, но так, чтобы не показаться назойливой. Внутри у нее все сжалось от волнения. Высокий и широкоплечий, Филдинг был одет с английской элегантной чопорностью. На нем был черный фрак и брюки в тонкую полоску, а единственным украшением являлась цепочка от часов, свисающая из кармана жилета. Потоки яркого солнечного света, проникавшие сквозь высокие окна и открытые двери, окрасили золотом волосы Джулиана, которые были гораздо длиннее, чем у других англичан, каких приходилось видеть Катерине. Густые и упругие, как у древнегреческого бога, они волной спускались поверх накрахмаленного воротничка рубашки.

Большим усилием воли Катерина заставила себя слушать мать. Удивительно, что их беседа коснулась темы, которая совсем недавно вызвала у нее беспокойство. Она подумала, не рассказать ли матери о том, что Наталья слишком озабочена проблемой объединения южных славян. При обычных обстоятельствах это не вызвало бы беспокойства. Однако новая организация, выступающая за решение этой проблемы, готова использовать крайне опасные методы, которые Наталья с присущей ей безрассудностью находила весьма привлекательными.

— Мама, — нерешительно начала она, — новая организация, о которой говорил папа, пытается заручиться поддержкой Карагеоргиевичей?

— «Черная рука» очень хотела бы этого, — резко сказала мать, — но она ее не получит. Главная цель твоего дяди — поддерживать в Сербии стабильность, а не потворствовать бессмысленным и рискованным насильственным действиям.

Катерина так глубоко задумалась, что не заметила, как они приблизились к Джулиану Филдингу и его коллеге.

— Мама... — снова начала она, но было уже поздно.

— Добрый день, мистер Филдинг. Добрый день, месье Квесне, — любезно сказала ее мать. — Как приятно видеть вас на нашем семейном приеме.

Глаза Джулиана Филдинга весело блеснули. Филдинг любил беседовать с членами семьи Василовичей. Алексий и Зита прекрасно говорили по-английски, а их дочери в раннем детстве получали домашние уроки английского и тоже говорили безупречно.

— Для меня большая честь присутствовать здесь, — искренне сказал он, пожимая руку Зиты и слегка над ней склоняясь.

Пока мать обменивалась любезностями с месье Квесне, позволив ему поднести ее руку к губам, Катерина смогла несколько минут побеседовать с Джулианом Филдингом.

— Я полагаю, что вы в таком же неведении, как и все остальные, — сказал он в непринужденной манере, которую она находила довольно привлекательной.

Не было нужды спрашивать, что он имел в виду.

— Думаю, мы скоро обо всем узнаем, — ответила Катерина со сдержанной улыбкой.

При этом она внутренне ликовала. Ее сердце взволнованно билось, так что она ощущала его удары в кончиках пальцев. Чувство радости, охватившее Катерину, когда она вошла в гостиную и увидела Джулиана, просто переполняло ее, и она забеспокоилась, как бы оно не стало слишком очевидным.

— Сообщение, которого все ждут, означает приобретение для Сербии и потерю для Англии, — деликатно заметил он. — Не секрет, что король Георг очень хотел бы, чтобы невеста из дома Романовых вышла за принца Уэльского.

— Даже после того, как Ольга выйдет замуж, остаются еще три великих княгини, — лукаво сказала Катерина; ее обычная застенчивость удивительным образом исчезла.

Губы Филдинга под узкими светлыми усиками расплылись в улыбке.

— Возможно и так, однако наибольшую ценность представляет старшая дочь.

Катерина быстро отвернулась, ее щеки заалели, и она подумала, предполагал ли он, как может быть истолковано ею его замечание.

Когда она осмелилась вновь взглянуть на Джулиана, он уже смотрел через всю комнату на Наталью.

— Кажется, его королевскому величеству вряд ли удастся оставить себе собачку, — сказал он, усмехаясь. — Этот щенок и ваша сестра, по-видимому, очень привязались друг к другу.

Это было действительно так. Наталья уже отошла от Сандро, но щенок продолжал крутиться у ее ног, когда она переходила от одной группы родственниц к другой.

Катерина снисходительно посмотрела на сестру. Никому другому из их семейства так не подошел бы подарок царевича. В свои семнадцать лет Наталья все еще была похожа на обворожительного ребенка. Хотя она убедила мать позволить ей сделать модную прическу, собрав в пучок иссиня-черные волосы на затылке, отдельные пушистые пряди все-таки выбились и непокорно спускались на щеки, а также соблазнительно вились на ее шее. Сейчас она смеялась, разговаривая с кем-то, и ее зеленые кошачьи глаза весело блестели, а жизнерадостность была очень заразительной.

— Сомневаюсь, чтобы король разрешил увезти щенка из дворца, — сказала Катерина с легким сожалением. — Если до Петербурга дойдет молва о том, что подарок царевича кому-то отдан, это будет воспринято как оскорбление.

— Но ведь Наталья — член королевской семьи, — дипломатично заметил Джулиан. Он оглядел гостиную. — Кстати, я не предполагал, что семья Карагеоргиевичей такая многочисленная.

— Семья и родина имеют очень большое значение для славян, — продолжала Катерина очень серьезно. — Мне трудно представить, как должны себя чувствовать дочери русского царя, зная, что, выйдя замуж за иностранцев, они будут вынуждены покинуть свою страну.

— Они к этому готовы, — мягко сказал Джулиан. — Такова судьба всех принцесс.

На другом конце гостиной среди серых и лиловых нарядов тетушек ярким пятном выделялось желтое шелковое платье Натальи.

— А вы с сестрой собираетесь когда-нибудь покинуть Сербию? — спросил он, продолжая смотреть на Наталью, и его глаза слегка потемнели.

Катерина почувствовала шум в ушах от прилива крови. Беседа начинала принимать чрезвычайно интимный характер, и она не была уверена, что сможет ответить так, чтобы голос не выдал ее тайных надежд.

— Возможно... — начала она, стараясь говорить безразличным тоном, — если того потребует брак.

На террасе на столы уже поставили изящную чайную посуду. Отец Катерины подошел к матери и месье Квесне. В центре комнаты король занял позицию перед мраморным камином, очевидно, намереваясь сделать сообщение.

— А Наталья? — продолжал Джулиан. — Она думает так же?

Ответить на этот вопрос было совсем нетрудно. У Натальи на этот счет сложилось вполне определенное мнение. Когда они детьми жили в изгнании в Женеве со своими родителями и дядей, каждый вечер во время молитвы она слышала от сестры, как заклинание: «Вернувшись в Сербию, я больше никогда ее не покину. Никогда, никогда, никогда!»

Катерина слегка улыбнулась.

— Наталья... — начала она и замолчала, так как в это время король откашлялся.

— Это, конечно, не официальное заявление, — сказал он, и все родственники сразу затихли. Дядя стоял, слегка расставив больные ноги — он страдал артритом, — и сцепив руки за спиной. — Оно будет сделано позже, по завершении соответствующих переговоров. — Он немного качнулся назад на каблуках. — Пока данное сообщение касается только семьи, — продолжил он, словно здесь не было специально приглашенных дипломатов, — и то, что мне стало известно, вызывает большую радость. — Он сделал паузу, и в наступившей тишине не слышно было даже шороха юбок или позвякивания браслетов. Дядя не любил много говорить и потому закончил свою речь довольно быстро: — Хочу с удовольствием сообщить, что о помолвке великой княгини Ольги, старшей дочери императора России, и Александра, наследника престола Сербии, будет объявлено в начале следующего года.

В гостиной послышалось взволнованное гудение. Невеста из дома Романовых для сербского престолонаследника! Это была замечательная новость!

— Разумеется, это не для обсуждения вне стен Конака, — сказал король Петр в заключение, отлично зная, что через несколько часов правительства Англии и Франции уже будут оценивать значение этой новости.

Король с явным удовлетворением направился на террасу. Он несомненно торжествовал победу. Все присутствующие это понимали, и скоро весь мир узнает о радостном для Сербии событии.

— Когда мы освободим Боснию и Герцеговину от габсбургского правления, великая княгиня Ольга будет не просто королевой, а царицей всех южных славян, — послышался чей-то голос, когда все потянулись вслед за королем из гостиной. — Вот почему русский царь согласился на этот брак. Он понимает, что влияние его дочери скоро распространится на весь Балканский полуостров.

Это мнение перекликалось с тем, что недавно высказала Наталья.

Устроившись за одним из столов, Катерина подумала, известно ли правительствам Франции и Англии о том, с каким нетерпением ее соотечественники жаждут объединения с братьями-славянами, находящимися под игом Габсбургов, и знают ли они о существовании тайной организации «Черная рука».

Если Джулиану Филдингу ничего об этом не известно, он, конечно, будет ей очень благодарен за такую информацию. Катерина огляделась, пытаясь найти англичанина, и с удовлетворением увидела, что он сидит за одним столом с ее отцом.

— Дай Бог, чтобы он тебе понравился, папа, — прошептала она и быстро оглянулась, услышав шорох роскошного голубого платья своей двоюродной сестры Вицы, которая села рядом с ней.

— Девушки из семьи Василовичей, по-видимому, пользуются абсолютной свободой, — с завистью сказала та. — Вчера днем Макс видел Наталью в кофейне среди студентов.

Катерина похолодела. Затем, немного придя в себя, решительно ответила:

— Мы пользуемся свободой в разумных пределах, Вица, и, разумеется, эта свобода не предполагает посещения кофеен.

— Но ее видели там вчера, — не унималась Вица. — Макс был чрезвычайно обеспокоен. Он полагает, что Наталья поступает слишком необдуманно.

Это было довольно мягко сказано. По мнению Катерины, сестра вела себя просто глупо. Невероятно, преступно глупо!

— Макс ошибся, — сказала она, хотя не сомневалась: никакой ошибки не было. Ее недавние опасения полностью подтверждались. — Наверное, это была не Наталья. Во вторник днем у нее уроки музыки.

Вица насмешливо изогнула бровь.

— А где она берет уроки? Дома или в Консерватории?

— В Консерватории, — холодно ответила Катерина. — И не говори глупости, Вица. Нам хорошо известно, где была Наталья вчера днем. В Консерватории, а не в какой-то кофейне.

Вокруг все бурно обсуждали предстоящую в начале будущего года помолвку. За дальним столом Катерина увидела Наталью, разговаривающую с месье Квесне. Ее глаза блестели, на лице сияла улыбка.

Вица усмехнулась.

— Можешь верить, во что тебе хочется, — язвительно сказала она, — но Макс говорит правду. Он не мог ни с кем спутать Наталью.

Катерина в этом не сомневалась. Она сжала пальцы в кулак, испытывая желание схватить сестру и как следует встряхнуть, чтобы та хоть немного образумилась.

— А Макс узнал кого-нибудь из студентов в кофейне? — спросила она, злясь на себя за то, что продолжает разговор на эту тему, однако не могла удержаться, чтобы не задать вопроса.

— Нет, откуда он может знать кого-то из них? — оскорбилась Вица. — Это ведь студенты, а не офицеры-кавалеристы.

Катерина продолжала наблюдать за Натальей. Та, по-видимому, незаметно для тетушек, сидящих с ней за одним столом, держала на коленях щенка, потому что время от времени тайком опускала под скатерть бутерброды, которые мгновенно там исчезали.

— Впрочем, кажется, Максу известно имя одного из них, боснийца, — добавила Вица.

— И как же его зовут? — спросила Катерина, размышляя, что делать дальше в сложившейся ситуации, как скрыть от родителей происшедшее.

— Принцип, — сказала Вица, теряя интерес к разговору, так как, казалось, Катерину ничуть не взволновала ее новость. — Гаврило Принцип.

Глава 2

— Принцип? Принцип? — рассеянно повторила Наталья с удивленным видом. — Что-то не припомню.

— Ты все помнишь, — раздраженно сказала Катерина. — Ты встречалась с ним, черт побери!

Смеркалось, но было еще тепло, и они сидели в саду при доме. Катерина выбрала это безопасное место, чтобы поговорить с Натальей наедине. В саду их не могли услышать ни родители, ни слуги.

Наталья держала в руке розу, взволнованно обрывая ее лепестки. Она никогда не умела врать и притворяться, хотя понимала, что сейчас ей было бы намного легче, обладай она такими способностями.

— Вица — подлая сплетница, — сердито сказала Наталья. — Какое ей дело до того, куда я хожу и с кем встречаюсь? Кстати, как она сама оказалась в «Золотом осетре»?

Катерина мысленно отметила название кофейни и, стараясь сдерживаться, сказала:

— Тебя там видела не Вица, а Макс.

— Ах, Макс! — Наталья вконец разозлилась. — Мне следовало догадаться. Он никогда меня не любил. Помнишь, когда мы были детьми, он...

— Я не собираюсь предаваться воспоминаниям, Наталья, — твердо сказала Катерина. — Любит ли тебя Макс или нет — это не важно. Главное — он видел тебя в кофейне.

— Ну видел, — неохотно согласилась Наталья. — Что из того? Одному Богу известно, что еще он мог про меня наговорить...

— Разумеется, он не мог оставить это без внимания! — Катерина никогда не теряла хладнокровия, но сейчас была близка к тому, чтобы вспылить. — Тебе всего лишь семнадцать! Мама и папа предоставили нам достаточную свободу, но они не разрешали тебе слоняться по Белгра́ду без присмотра. Почему с тобой не было мисс Бенсон? Гувернантка должна сопровождать тебя на уроки музыки. Если родители узнают, что ты ходила в кофейню, где собираются студенты, они с ума сойдут!

Наталья снова принялась обрывать лепестки розы своими коротко остриженными перламутровыми ногтями. Несмотря на упрямство и своеволие, она горячо любила родителей и не хотела причинять им неприятности.

— Надеюсь, ты ничего не расскажешь папе и маме? — спросила она, сдвинув брови.

— У меня нет желания сообщать им об этом, — искренне сказала Катерина, — но пока ты не объяснишь, почему оказалась в кофейне со студентами, и пока не пообещаешь, что это не повторится, я не могу обещать хранить молчание.

Сестры брели по саду, настолько увлеченные разговором, что не представляли, куда идут. Наталья понимала, что вынуждена рассказать Катерине о своей связи с Гаврило и его друзьями, но сделать это надо так, чтобы не раскрыть слишком много.

— Гаврило и Неджелко тоже в этом году посещали Консерваторию и...

Они остановились у одной из самых любимых их матерью скамеек в розарии. Место было выбрано так, чтобы можно было наслаждаться чудесным ароматом, и Катерина села на скамью, чувствуя, как растет ее тревога. До сих пор она была уверена, что Наталья всего лишь раз зашла в кофейню, но теперь выясняется, что сестра бывала там неоднократно.

— ...мы случайно познакомились, когда они зашли в мой класс...

— Но у тебя ведь индивидуальные занятия! — возразила Катерина, испугавшись при мысли о том, что простолюдины могут так легко общаться с представительницей королевского дома. — А где же был твой учитель?

— Месье Ласаль опоздал. Он часто задерживается. Иногда вообще не приходит.

Катерина побледнела. Она подумала о том, с какой целью Гаврило и Неджелко, молодые боснийцы, находятся в Сербии. Если они хотят поднять восстание в Боснии против Габсбургов, тогда связь с представительницей сербского королевского дома им нужна, чтобы заручиться поддержкой престолонаследника или даже самого короля Петра.

— Скажи, а Гаврило и Неджелко интересуются политикой? — спросила Катерина, уже уверенная в ответе.

— Они ведь студенты, — сказала Наталья уклончиво, — а все студенты так или иначе не стоят в стороне от политической жизни.

Ужасная мысль поразила Катерину, и она испугалась.

— Они ведь участвуют в движении «Молодая Босния», не так ли?

Члены этой революционной молодежной организации были известны своей безрассудностью и жестокостью. Четыре года назад один из них пытался убить правителя Боснии. Удайся ему это, гнев Габсбургов мог бы привести к ответным репрессиям и спровоцировать восстание.

— Нет, — решительно возразила Наталья, чувствуя облегчение оттого, что на этот раз ей не пришлось врать. — Ничего подобного.

Она не сказала, что Гаврило и Неджелко не были членами «Молодой Боснии» только потому, что считали ее недостаточно действенной, и состояли в рядах более активной организации.

Катерина облегченно вздохнула. Слава Богу, сестра никак не связана с боснийскими революционерами-фанатиками и, судя по тому, как она говорила о Принципе и его друге, не влюблена ни в одного из них. Ее пребывание в кофейне «Золотой осетр» не было связано с националистическим экстремизмом или слепым увлечением. Оставалось только потребовать от Натальи обещания никогда больше не ходить ни в эту, ни в другие кофейни, где собирались студенты.

— Это было большой глупостью с твоей стороны, — сказала Катерина, чувствуя себя в эти минуты в большей степени гувернанткой, чем сестрой. — Ты злоупотребила доверием папы, мамы и месье Ласаля... Полагаю, тебе нравится ходить по городу без сопровождения и общаться со сверстниками, но это не должно повториться, Наталья. Это крайне опасно. С тобой может случиться все что угодно.

Наталью так и подмывало спросить, что именно имела в виду Катерина, но она промолчала. Сдерживая свою досаду на сестру из-за отсутствия у той мечты об объединении всех южных славян, Наталья искренне сказала:

— Извини, Катерина. Я не хотела тебя волновать.

— В таком случае постарайся не делать этого впредь, — сурово ответила Катерина, хотя была рада, что все разрешилось.

Наталья тоже была довольна, так как Катерина не потребовала от нее обещания никогда больше не встречаться с Гаврило и Неджелко и не посещать кофейню «Золотой осетр». Сестра просто сказала, что не надо этого делать.

— Ты знаешь, что мама пригласила всех дипломатов из Британской и Французской миссий на Летний бал? — спросила она, сознавая, что в будущем надо быть осторожнее, а сейчас необходимо поскорее сменить тему. — На балу будут также русский посланник и казачьи офицеры. По-моему, казаки очень красивые, ты не находишь?

Снисходительно слушая щебетанье Натальи о Летнем бале и об офицерах, с которыми сестра могла бы невинно кокетничать, Катерина встала. У нее были свои романтические надежды на этот бал. Снова и снова она вспоминала слова Джулиана Филдинга о его предпочтительном отношении к старшим сестрам и размышляла, не было ли это намеком. А если это так?

Ее сердце учащенно забилось. Если бы он сделал предложение, а она его приняла, это означало бы, что ей придется рано или поздно покинуть Сербию. Молодые дипломаты никогда не задерживались подолгу на одном месте. Через год, а может быть, и раньше, Джулиана переведут в Вену, Париж или даже в Санкт-Петербург.

Теперь Наталья уже болтала о собачке Белле. Сандро сказал, что если ее отец не возражает, он отдаст ей щеночка.

— Я спросила у папы об этом сегодня утром, и он ответил, что если Белла не будет путаться у него под ногами и заходить в его кабинет, то я могу ее взять. Как думаешь, она могла бы спать в нашей спальне, Катерина? Она слишком мала, чтобы оставаться одной.

— Конечно, я не возражаю, — сказала Катерина, стараясь не думать о том, что Белла может испортить ее одежду и туфли.

Сейчас ее мысли были заняты тем, насколько трудно ей будет покинуть родной дом. Она жила в очень дружной семье и, конечно, ей придется сильно скучать по родителям и Наталье. Тем не менее Катерина с восторгом думала о Вене, Париже и Санкт-Петербурге, чувствуя, что могла бы легко привыкнуть к жизни в этих городах.

До того, как ее дядя вернулся в Сербию королем десять лет назад, он и многие другие Карагеоргиевичи жили в изгнании в Женеве. Там и родились она и Наталья. И хотя сестра ненавидела Швейцарию, поскольку эта страна находилась слишком далеко от Сербии, которую она никогда не видела, Катерина была там счастлива. Ей нравилась Швейцария своей чистотой и опрятностью, а также благоразумием и уравновешенностью ее жителей. О Санкт-Петербурге этого нельзя было сказать, но она надеялась, что в Вене, Париже и в других европейских столицах, куда могли перевести Джулиана, будет так же, как в Женеве.

Сестры подошли к дому, и Наталья сказала:

— Пойду спрошу у мамы, можно ли мне поехать в Конак и забрать Беллу. Меня может сопровождать мисс Бенсон.

Летний бал у Василовичей обычно устраивали в августе, но в этом году мать решила провести его пораньше.

— По крайней мере в это время розы еще в полном цвету и в лунную ночь выглядят очень романтично, — сказала она, осматривая бальный зал с мраморным полом, где высокие, от пола до потолка окна, выходящие на террасу и в сад, были открыты.

Катерина, чьи мысли были полностью заняты Джулианом Филдингом, с ней согласилась. Она не сомневалась, что сегодня вечером Джулиан будет с ней танцевать и, упомянув о «Черной руке», ей удастся полностью завладеть его вниманием. Возможно, он попросит ее выйти в сад, где они смогут поговорить без помех. А когда закончится обсуждение проблем, представляющих для него профессиональный интерес, может быть, беседа примет более интимный характер?

На ней было бальное платье из белого тюля с сердцевидным вырезом на груди. Лиф, отделанный мелким жемчугом, плотно облегал ее стан, а юбка с небольшим восхитительным шлейфом свободно ниспадала к ногам. Блестящие волосы, отливающие медью, были уложены в высокую прическу с вьющимися локонами и украшены гардениями. Она знала без лишней скромности, что выглядит очень мило, и хотела увидеть в золотисто-карих глазах Джулиана Филдинга подтверждение этому.

— Через несколько минут начнут прибывать гости, мама, — сказала Катерина, испытывая волнение. — Может быть, следует пойти и сказать Наталье, чтобы она спустилась для встречи?

Мать одобрительно кивнула и бросила последний взгляд на бальный зал. В ярком свете люстр сиял золотом роскошный потолок, в нишах стояли большие хрустальные вазы с орхидеями, оркестр занял свое место, лакеи были в полной готовности. Удовлетворенная увиденным, она повернулась на высоких каблуках своих атласных туфель и направилась к парадному входу, где вместе со своей семьей должна была встретить около двухсот гостей.

Катерина приподняла пальчиками шлейф своего платья и поспешила по устланной красным ковром лестнице наверх в комнату, которую делила с Натальей. Когда она выходила отсюда четверть часа назад, Наталья никак не могла решить, что надеть, и они изводили немку-служанку, которая измучилась подавать им то одно, то другое платье из тюля или шелка. Войдя в комнату, Катерина поняла, что сестра так ничего и не выбрала.

— Мама уже ждет нас для встречи гостей! — воскликнула она в ужасе. — У тебя осталось не больше пяти минут!

Наталья, в лифчике и в кружевных штанишках, скорчила гримасу:

— Я хочу надеть сиреневое платье, но Хельга возражает. Она считает, что оно мне не подходит, и отказывается помогать.

Хельга, служившая в их семье уже пятнадцать лет, сказала твердо:

— Это платье не годится для семнадцатилетней девочки. Я говорила об этом раньше и повторяю сейчас.

Катерина посмотрела на платье, разложенное на кровати. Сшитое из парчи, с глубоким декольте, оно было украшено на плече отвратительными фиалками.

— Ты совершенно права, Хельга, — сказала она. — Это платье действительно ужасно, оно для пожилой дамы.

— Хорошо, тогда что вы скажете, если я надену белое? Хотя белый цвет мне надоел.

— Может быть, он и надоел, — флегматично заявила Хельга, — однако очень подходит молодой девушке.

— Тебе следует поторопиться, — сказала Катерина, услышав шум подъезжавших экипажей. — Я больше не могу ждать. Увидимся внизу.

Гости уже заполнили вестибюль, когда она спустилась. Джулиана Филдинга среди них не было, но Катерина и не ждала его так рано.

Наталья вскоре незаметно присоединилась к родителям и сестре. Катерина с облегчением увидела, что Хельга все-таки настояла на своем. Скромное платье Натальи было из белого шелка с приколотыми к корсажу розами, талию подчеркивал розовый пояс.

— Добрый вечер, бабушка Евдохия, — смиренно сказала она, приветствуя родственников. — Добрый вечер, Макс.

Губы Катерины тронула легкая улыбка. Голос Натальи был ласковым и приятным, без какого-либо намека на раздражение, которое проявлялось раньше при упоминании о Максе. Однако когда объявили о прибытии Джулиана Филдинга, Катерина забыла о сестре. Джулиан в вечернем костюме выглядел еще красивее. В нем ощущалась какая-то внутренняя сила. Катерина интуитивно почувствовала, что он из тех редких мужчин, которые, однажды полюбив, будут преданны своей избраннице до конца.

Судя по тому, как ее отец приветствовал англичанина, казалось, что Филдинг тоже ему нравится, и внезапно Катерина поняла, что чувство, которое она испытывала к Джулиану, не просто симпатия. И даже не слепое увлечение. Она по уши в него влюблена. Безгранично и навсегда.

Сейчас он здоровался с ее матерью. Он находился так близко от нее, что Катерина почувствовала свежесть его накрахмаленной рубашки и запах его одеколона. Ее охватило волнение. Что, если она неправильно истолковала внимание, которое он ей уделил недавно? А если с его стороны это была только вежливость и ничего более? Затем она вспомнила его замечание о старшей сестре, и надежда в ней вспыхнула с новой силой. Разумеется, Джулиан не стал бы так говорить, не надейся он, что она примет это на свой счет. И разве стал бы он тайно искать ее глазами на приеме во дворце, если бы не чувствовал к ней влечения, как и она к нему?

Когда Джулиан взял ее руку, Катерина призвала все свое самообладание, чтобы посмотреть ему в глаза.

Он встретил ее взгляд ослепительной улыбкой.

— Надеюсь, моя просьба не будет преждевременной, если я попрошу вас оставить за мной первый танец?

Ее страхи сразу исчезли.

— Вовсе нет, — сказала она, чувствуя, что ее сердце готово разорваться от счастья. — Конечно, первый танец ваш.

В следующие полчаса, когда гости проходили мимо выстроившихся в ряд Василовичей, Катерина улыбалась, отвечая на приветствия; ее лицо светилось, глаза сияли. Джулиан не попросил бы у нее первый танец, не испытывай он к ней особых чувств. Она была слишком взволнована его просьбой, чтобы придать значение его последующей короткой беседе с Натальей, которая часто смеялась. Катерина знала, что сестра относится к нему так же доброжелательно, как и отец.

— Пожалуйста, пожалуйста, пожалуйста, полюби меня, — шептала она.

Все складывалось как нельзя лучше. Джулиан с симпатией относится к Наталье и будет для нее идеальным свояком. Его политическая осведомленность будет способствовать долгим беседам с ее отцом, а ее мать, несомненно, будет довольна его превосходными английскими манерами и благоразумием.

Последовав за родителями в бальный зал, Катерина была уверена, что следующие несколько часов навсегда ей запомнятся.

По традиции балы у Василовичей всегда начинались с вальса, и на этот раз бал открылся «Голубым Дунаем». Когда заиграл оркестр и отец вывел мать на середину зала, Катерина была счастлива. Многие родственники вежливо ее приглашали, и она записывала их имена в свою бальную карточку, но Джулиану она отдала первый вальс. Игнорируя других кавалеров, она вышла с ним на середину и, когда родители завершили первый тур вальса, Джулиан обнял ее и закружил под звуки нестареющего шедевра Штрауса.

В зале было много зеркал и Катерина могла видеть в них себя и Джулиана. Он был высокого роста, широкоплечий. Элегантный фрак прекрасно на нем сидел. Светлые волосы блестели в свете люстр. Она же, в своем белом тюлевом платье, украшенном жемчугом, выглядела почти как невеста. В ее волнистых волосах красовались гардении.

Вокруг Катерины и Джулиана кружились другие пары. Наталья танцевала с пожилым дядюшкой, и когда она, кружась, приблизилась к ним, Джулиан слегка сдвинул брови и удивленно спросил:

— Не кажется ли вам, что кавалер Натальи немного староват для нее?

— Это не поклонник, — сказала Катерина, обеспокоенная его вниманием к сестре. Ей не хотелось, чтобы он считал Наталью уже достаточно взрослой. — Это ее двоюродный дядя и к тому же крестный.

Они вальсировали, проносясь мимо сидящих у стен тетушек, и Катерина заметила, что некоторые из них удивленно смотрели им вслед. Было ли это следствием того, что они представляли собой необычайно красивую пару, или же того, что всем было ясно: они танцуют вместе не просто из светской учтивости, Катерина не знала.

— Я нахожу историю вашего семейства весьма интригующей, — продолжал Джулиан. — Вернуть трон, потеряв его, — это само по себе довольно необычно, но вернуть его дважды — такое бывает чрезвычайно редко.

— Прадед сам пытался вернуть себе престол, — сказала Катерина, довольная, что Джулиан интересуется ее семьей, и была готова рассказать ему все, что ей известно. — Однако Милош Обренович убил его и отправил голову в Стамбул в дар турецкому султану. После этого Обреновичи правили страной в сговоре с турками, пока старший сын прадеда не вернул трон Карагеоргиевичам в 1842 году.

— А через шестнадцать лет вновь его потерял?

Катерине показалось, что в его словах прозвучала легкая насмешка.

— Обреновичи не прекращали плести заговоры, пытаясь его свергнуть, — пояснила она, желая, чтобы Джулиан понял, что вторичная потеря трона была не просто оплошностью Карагеоргиевичей. — Они устроили в стране смуту, стараясь посеять недоверие к королю, и в конечном счете в этом преуспели, однако народ их не поддержал. Одиннадцать лет назад Александр Обренович и его жена были убиты, и парламент пригласил дядю Петра вернуться из изгнания и стать королем.

Это была довольно необычная, кровавая история, которую тем более странно было слушать в этой роскошной обстановке и из уст красавицы, похожей на Мону Лизу.

Легко и осторожно обнимая Катерину, Джулиан размышлял, известна ли ей другая версия истории ее семьи. Прежде чем покинуть Лондон, он внимательно изучил предоставленную ему в Форин оффис* семейную хронику Карагеоргиевичей.

Кровавые варвары, сделал вывод служивший с ним чиновник. Возможно, к нынешнему королю это не относится, но все его предшественники из семейства Карагеоргиевичей и Обреновичей были именно таковыми. Черный Георг не пощадил бы и родную мать ради своей выгоды, а Обреновичи постоянно дрались из-за женщин.

Когда Джулиан прибыл в Белград, советник Британской миссии высказался по этому поводу весьма язвительно.

— Возможно, Лондон решил убедиться в законности власти короля Петра, но сделал это почему-то только по прошествии трех лет после его воцарения. Думаю, вы тоже считаете отвратительным убийство Александра Обреновича, вследствие чего нынешний король обрел трон?

— Но король Петр не несет ответственности за это убийство, не так ли? — спросил Джулиан. — Кажется, он

* Обиходное название Министерства иностранных дел Великобритании.

находился в Женеве, когда Александр и его жена Драга были убиты.

— Да, Петр Карагеоргиевич действительно был там. И, разумеется, он лично не планировал убийства. Это сделал капитан Драгутин Димитриевич. Однако не следует забывать, что вместо того, чтобы его казнить, король произвел Димитриевича в полковники, и сейчас тот возглавляет разведку сербской армии.

Когда затихли последние аккорды «Голубого Дуная», Джулиан подумал, слышала ли когда-нибудь Катерина о том, что ее дядя попустительствовал убийце короля Александра и королевы Драги. Так или иначе, ее семья в былые времена пользовалась дурной славой, и стоит ли связывать себя с ней брачными узами?

Вальс кончился, и Катерина нерешительно сказала:

— Иногда я думаю, достаточно ли знают дипломаты о тех странах, куда их направляют.

Джулиан обвел взглядом зал, и прошла секунда или чуть более, прежде чем обостренная интуиция дипломата подсказала ему ответ.

— Вероятно, нет, — откровенно сказал он и сразу сосредоточился. — Мне очень хотелось бы побольше узнать о вашей стране и о честолюбивых устремлениях сербов.

Щеки Катерины вспыхнули. Она вдруг почувствовала, что не способна предложить Джулиану поговорить на эту тему в более приватной обстановке. Он сам должен это сделать.

— Прошу вас отдать мне танец после ужина, — предусмотрительно сказал он. — И кроме того, вместо застолья предлагаю прогуляться по саду, где нам будет удобнее поговорить.

Катерина утвердительно кивнула и подумала о том, как легко все устроилось. Когда Джулиан подвел ее к отцу, она улыбнулась. Наверное, такая легкость объясняется тем, что они без слов понимали друг друга. Между ними возникло духовное согласие, как у ее родителей.

— Советник Французской миссии — настоящий донжуан, — сказал отец Катерины Джулиану, наблюдая, как упомянутый им господин вывел на середину зала еще одну хорошенькую девицу.

Джулиан, хорошо зная, что следует избегать неосторожных замечаний, пробормотал в ответ:

— Кажется, это его племянница.

— Разумеется. — Алексий Василович ухмыльнулся в свои нафабренные усы. — У некоторых высокопоставленных дипломатов так много племянниц и крестниц, что я просто сбился со счета.

Джулиан подумал о пожилом партнере Натальи и еще раз осмотрел зал, надеясь ее увидеть.

Блестящие волосы, сияющие глаза и ослепительная улыбка Натальи излучали необычайную жизненную силу, и все вокруг оборачивались, провожая ее оценивающими взглядами, когда она направилась к отцу с другого конца зала.

— Папа! — воскликнула она с почти детской радостью. — Ты не поверишь, но французский и русский посланники пригласили меня танцевать.

— С их стороны было бы глупо не сделать этого, — улыбаясь сказал отец. — Однако, надеюсь, у тебя еще остались свободные танцы?

— Совсем немного, — гордо ответила Наталья. — Я не помню, чтобы раньше на балах было так весело, как сегодня.

— Вы могли бы потанцевать со мной, не спрашивая разрешения у вашей матушки? — спросил Джулиан Наталью.

Она благосклонно ему улыбнулась.

— У меня осталось очень мало свободных танцев, мистер Филдинг. Однако, кажется, на следующий танец я не ангажирована.

Катерина с отцом снисходительно наблюдали, как Наталья и Джулиан вышли на середину зала.

— Мне нравится этот молодой человек, — сказал отец. — У него приятные манеры, он не так чопорен, как большинство англичан, но и не слишком фамильярен.

— Он мне тоже нравится, папа, — сказала Катерина, не отрывая глаз от золотистых волос Джулиана, который кружился с Натальей под музыку Легара из оперетты «Веселая вдова». Никогда прежде, какова бы ни была ситуация, Катерина не вела себя так импульсивно и безрассудно, как сейчас. Хотя Джулиан по темпераменту немного походил на славянина, вместе с тем он обладал выдержкой, характерной для истинного англичанина. Это было редкое сочетание, которое особенно привлекало Катерину.

Какое-то время она только мельком видела Джулиана. С ней танцевал Макс Карагеоргиевич, который вел себя достаточно тактично, не упоминая о посещении Натальей «Золотого осетра».

Когда снова начались танцы, Катерина предусмотрительно встала у выхода на террасу, и Джулиан подошел к ней.

— Давайте выйдем в сад, — начал он без предисловий. — Здесь невыносимо жарко. Трудно представить, что было бы, если бы бал состоялся в августе.

Когда заиграл оркестр и центр зала заполнили танцующие пары, они незаметно вышли на террасу. На небе сияла полная луна, освещая серебристым светом сад, наполненный благоуханием роз. Катерина спустилась вместе с Джулианом по узким каменным ступенькам на дорожку, и ее охватило волнение. Он был уверен, что никто из присутствующих на балу не увидит их здесь.

— Я понял, что вы хотели бы поговорить со мной наедине, — сказал он, когда они двинулись по усыпанной гравием дорожке к розарию.

— Да.

Ее губы пересохли, и она едва была способна говорить. Интересно, после того, как они закончат разговор о «Черной руке», сделает ли он ей предложение? Можно ли полагать, что она вернется в бальный зал его невестой?

— В Конаке во время последнего чаепития я подумала, что, возможно, вы недостаточно осведомлены о некоторых сторонах славянского национализма, — сказала она, стараясь как можно дольше побыть с ним наедине. — Например, у нас существует националистическая организация, которая вызывает беспокойство у моего отца и его друзей. Власти пытаются это скрыть, но отец считает, что чем больше людей будут о ней знать, тем меньше вреда она сможет причинить.

Катерина почувствовала, что Джулиан внутренне напрягся.

— Эта организация входит в «Молодую Боснию»? — спросил он, слегка нахмурившись.

— Отец полагает, что на самом деле «Черная рука» гораздо опаснее «Молодой Боснии». Официальное название этой организации «Единство или смерть», но люди называют ее «Черной рукой».

— А цели этих организаций совпадают?

— Их цель — освобождение всех славян, страдающих под властью Габсбургов.

— В этом нет ничего нового, — сухо сказал Джулиан. — На Балканах десятки революционных групп, и у всех одна и та же цель.

— Да, но не все стремятся добиться этой цели силой.

У Джулиана на этот счет было другое мнение, но он не стал возражать. Если новая организация беспокоила Алексия Василовича, значит, британское правительство должно о ней знать.

— Ваш отец не будет возражать, если я попытаюсь поговорить с ним о том, что вы мне рассказали? — задумчиво спросил он.

Катерина немного помолчала, затем медленно произнесла:

— Нет, думаю, не будет. Вы ему нравитесь, и к тому же он всегда говорил, что Сербия должна поддерживать тесные связи с Великобританией.

Джулиан остановился и повернулся к ней лицом. Обычно веселое, оно было сейчас очень серьезным.

— Я рад, что нравлюсь вашему отцу, и рад, что мне представилась возможность поговорить с вами наедине, Катерина. Я давно хотел вас об этом попросить, но до сих пор не было подходящего случая...

Катерина молчала, ее сердце учащенно билось.

— Катерина, я...

Их уединение нарушил Макс Карагеоргиевич. Он тяжело ступал по дорожке с зажженной сигаретой в руке.

— Простите, — бесцеремонно сказал он, приблизившись, — кажется, я помешал вашему романтическому свиданию?

— Нет, — солгала Катерина, страстно желая, чтобы он убрался куда-нибудь подальше. — Мы просто вышли подышать свежим воздухом. Что, по-видимому, сделал и ты.

Макс бросил сигарету на землю.

— Если хотите поужинать, вам следует поторопиться.

— Благодарю за совет, — холодно ответил Джулиан, — но мы не голодны.

— Тогда, возможно, вы нуждаетесь в другом совете, — сказал Макс со своим обычным самодовольством, которое часто приводило его сестру в ярость. — Дядя Алексий ищет Катерину. Он может быть очень недоволен, если застанет ее здесь.

Это была правда, и Катерина и Джулиан это знали.

— Пожалуй, нам лучше вернуться в зал, — сказал с сожалением молодой дипломат. — Мы продолжим нашу беседу позже.

— Да, — согласилась Катерина. Ее голос прозвучал так странно, что Макс внимательно посмотрел на нее и слегка нахмурился.

— Я пойду с вами, — сказал он, ничуть не заботясь о том, что его присутствие было явно нежелательным. — Ты не простудилась ли, Трина? Твой голос звучит подозрительно хрипло. Наверное, тебе следует пораньше покинуть бал и принять лекарство.

Катерина молчала, с трудом сдерживаясь. Своим нелепым появлением он испортил самый чудесный момент в ее жизни, и она вряд ли простит ему это.

Когда они вернулись в зал, Джулиан подвел ее к отцу, а сам отошел.

— Так вот, значит, где ты была. С молодым Филдингом, — сказал отец, когда Джулиан не мог уже его услышать. — А я-то думал, почему он уделяет нашей семье столько внимания? Теперь понятно.

Катерина покраснела.

— Но ты ведь не против, папа?

Тот вскинул брови. Он просто шутил, считая Филдинга поклонником старшей дочери. Но сейчас, осознав, что случайно оказался прав, отец вдруг сделался очень серьезен.

— Я хотел бы, чтобы он поговорил со мной, прежде чем сделать дальнейший шаг, Катерина.

Она нежно прильнула к отцу.

— Он еще ничего мне не сказал, папа.

Отец задумчиво похлопал ее по руке, уверенный, что разговор с Джулианом Филдингом не заставит себя ждать.

Его предчувствие оправдалось. Спустя полчаса Джулиан подошел к нему. До этого он хотел предварительно поговорить с Катериной, чтобы узнать ее мнение, однако несвоевременное появление Макса Карагеоргиевича помешало ему это сделать. Тем не менее Катерина успела сказать, что он нравится ее отцу, и это вселило в него надежду.

Полчаса назад Джулиан находился в гостиной, обставленной в итальянском стиле. Это была самая маленькая комната в доме Василовичей, но ее интерьер в голубых и желтых тонах создавал непринужденную атмосферу даже при задернутых шторах и при свете свечи.

Он опустился на одно колено перед диваном, на котором сидела Наталья. Его единственным чувством был страх получить отказ.

— Я хочу, чтобы вы стали моей женой, — сказал Джулиан срывающимся голосом. — Я люблю вас и всегда буду любить. Только вас. Вечно.

Глава 3

Наталья была потрясена и смотрела на него с изумлением. Она пришла в итальянскую гостиную в сопровождении Джулиана, чтобы немного отдохнуть. К тому же, покидая бал в обществе приятного и веселого молодого человека, Наталья намеревалась всем показать, что является вполне самостоятельной, современной девушкой. Ей даже в голову не могло прийти, что Джулиан воспользуется ситуацией, чтобы признаться ей в любви и сделать предложение.

— Не может быть, — сказала она, решив, что это, вероятно, шутка, типичный пример странного английского юмора. — Вы надо мной смеетесь, не так ли?

— Ни в коем случае, — сказал он слегка дрогнувшим голосом. — Вы могли бы догадаться о моих чувствах, Наталья. Я люблю вас всем сердцем и не представляю себе жизни без вас. Пожалуйста, скажите, что вы тоже ко мне неравнодушны.

— Да, конечно, — искренне призналась Наталья. — Вы очень мне нравитесь, но я не чувствую к вам любви. Я вообще не представляю, что могу кого-то полюбить.

Несмотря на серьезность разговора, Джулиана слегка позабавила ее бесхитростность.

— Это потому, что вам только семнадцать, — сказал он, все еще не теряя надежды. — Я уверен, мы будем счастливы вместе, Наталья. Не сомневаюсь, что со временем ваша симпатия ко мне перерастет в настоящую любовь. Я, конечно, не сербский князь, но принадлежу к старинному, весьма уважаемому роду. Мои предки высадились на побережье Англии вместе с Вильгельмом Завоевателем в 1066 году. Меня ждет блестящее будущее и...

Наталья с ужасом поняла, что Джулиан говорит серьезно.

— Пожалуйста, не надо, — взмолилась она, прерывая его. — Хотя ваше предложение — самое приятное событие в моей жизни. Я ужасно рада и едва могу поверить в то, что вы в самом деле хотите на мне жениться...

Это было действительно так. Немного оправившись от изумления, Наталья почувствовала себя чрезвычайно польщенной. Ведь Джулиана Филдинга нельзя назвать неоперившимся, впечатлительным юнцом. Ему около тридцати, он очень красив, к тому же он зрелый, умудренный опытом дипломат и так горячо ее любит, что хочет жениться. Это просто невероятно. Наталья была вне себя от восторга. Интересно, что скажет ее мать, узнав об этом. И как отнесется к этому Катерина.

Джулиан видел сменяющие друг друга эмоции на лице девушки и проклинал себя за глупость. Ему следовало бы знать, что в семнадцать лет она слишком юна, чтобы воспринять его предложение так, как ему бы хотелось. Свобода, которую Наталье предоставили ее родители, ввела его в заблуждение, и он решил, что сербские девушки взрослеют довольно рано. Конечно, Катерина более зрелая, так как она на два года старше сестры, но он в нее не влюблен. Он страстно любил — помоги ему Бог — это дивное создание, сидящее сейчас перед ним на диване.

Глубоко удрученный, Джулиан поднялся и сказал с не свойственной ему неловкостью:

— Прошу прощения, если я вас шокировал.

— О, пожалуйста, не извиняйтесь! — воскликнула Наталья с искренним сожалением. Несмотря на то что она не была влюблена в Джулиана, его предложение было чудесно, и ей не хотелось, чтобы его омрачили ненужные извинения. — Я навсегда запомню этот вечер, — сказала Наталья с таким беззаботным видом и сентиментальным выражением лица, что Джулиан совсем расстроился. — Эти свечи, запах цветов и музыку...

Из бального зала чуть слышно доносились звуки мазурки.

— Надеюсь, мы останемся друзьями? — спросил Джулиан. Если повезет, он прослужит в Белграде еще год, а за год многое может измениться и Наталья в конце концов его полюбит.

Она встала с дивана и нежно взяла его под руку. До сих пор Наталья не думала о том, что они друзья. Она всегда считала, что он друг Катерины и даже в большей степени друг ее отца.

— Конечно, мы останемся друзьями, — сказала она, очень довольная тем, что с ней уже начали обращаться, как с взрослой.

Когда они уже выходили из комнаты, Наталья оживленно спросила:

— Я уже говорила вам, что принц Александр подарил мне собачку? Она восхитительна. Я обучаю ее сидеть и стоять по команде, и она очень смышленая.

Джулиана меньше всего интересовала собака. Он испытывал невероятное опустошение. Впервые в жизни он так нелепо просчитался. Когда они подошли к залу, он задумался о своем чувстве, размышляя, изменилось ли оно после отказа Натальи.

Все это заняло не более секунды. Теперь он был уверен еще больше, чем прежде, что наступит день, когда эта чудесная девушка станет его женой. Ему двадцать восемь, и он много раз влюблялся, но все это не было настоящей любовью. Никогда прежде он не был так очарован. Наталья, с ее темными блестящими глазами и заразительной веселостью, околдовала его при первой же встрече. С тех пор он делал все возможное, чтобы чаще ее видеть. К счастью, в таком городе, как Белград, это можно было осуществить довольно легко.

Ему искренне нравилась вся семья Василовичей. Алексий Василович, просвещенный либерал, был редким явлением на Балканах. Его жена Зита отличалась острым умом и, как дипломат, разбиралась в текущей политической ситуации. Катерина, спокойная и выдержанная, грацией и красотой напоминала мадонну эпохи Возрождения, и любой мужчина должен был быть благодарен судьбе за такую свояченицу. А Наталья... Наталья просто чудо.

— Я обещала следующий танец месье Квесне и он, наверное, меня ищет, — сказала она, простодушно улыбаясь.

Желая всем сердцем, чтобы Филип Квесне оказался где-нибудь на краю света, Джулиан наблюдал, как Наталья поспешила в танцевальный зал. Он же не испытывал никакого желания искать своих ангажированных партнерш и постарался незаметно пройти к стеклянной двери, ведущей на террасу, чтобы выйти наружу.

Было уже за полночь, в воздухе чувствовалась прохлада. Закурив сигарету, он глубоко затянулся и пошел по лужайке.

Не прерви Макс Карагеоргиевич его беседу с Катериной, возможно, она бы его предупредила, что его предложение не будет иметь успеха. Но если бы даже она это сделала, разве он отказался бы от своего намерения? Он быстро шел к розарию, склонив голову и понурившись. Наверное, нет. Джулиан снова и снова думал о своем предложении и об отказе Натальи, полагая, что все не так уж плохо. По крайней мере теперь она знает о его чувствах и, размышляя над этим, вполне может прийти к выводу, что и ее чувства к нему не просто дружеские, как ей казалось раньше.

Джулиан сел на скамью среди кустов роз, бросил на землю окурок, затоптал его каблуком и закурил другую сигарету. Он больше не считал свой поступок глупым и опрометчивым. В семнадцать лет Наталья не чувствовала себя достаточно взрослой и не представляла, что может в кого-то влюбиться или что кто-то может полюбить ее. Он поколебал это ее убеждение и теперь она поняла, что уже не ребенок, что он ее любит, и скоро, если усердно за ней ухаживать, она ответит ему взаимностью.

Джулиан встал, чувствуя себя намного лучше. Будущее было не таким уж безнадежным. Полный оптимизма, он снова направился в танцевальный зал. Победа всегда тем ценнее, чем труднее борьба. Он был уверен, что завоюет любовь Натальи. Всегда побеждать — такова его жизненная позиция.

Катерина заметила Джулиана, когда он вошел в зал с террасы, и первой ее мыслью было, что он, вероятно, надеялся увидеться с ней в саду.

— Кажется, сейчас мой танец? — сказал подошедший Макс.

— О, Макс, может быть, не стоит? Здесь так душно, и я чувствую ужасную слабость...

Уголком глаза Катерина заметила, что Джулиан приблизился к черногорской княжне Ксении. Та заглянула в свою карточку и с улыбкой приняла приглашение.

Сердце Катерины упало. Теперь у нее не было шансов незаметно подойти к нему, и Джулиан не мог еще раз пригласить ее в сад, чтобы продолжить прерванную беседу.

— Ты не выглядишь нездоровой, — сказал Макс. — Мне кажется, ты чем-то обеспокоена, и я хотел бы знать причину. — Он взял ее за локоть и решительно повел танцевать.

Катерина не стала противиться. В этом не было смысла, так как Джулиан танцевал с Ксенией. Снова звучал вальс, и Катерина, помня, как час назад она танцевала с Джулианом, ощутила большую разницу, хотя па были теми же самыми. Макс был таким же высоким, как и Джулиан, но очень нескладным. Он обнимал ее своими большими руками слишком старательно, от него несло конской сбруей и сливовицей в отличие от Джулиана, от которого всегда приятно пахло.

— Так что тебя беспокоит? — настаивал Макс, когда оркестр уже перешел к заключительной части вальса. — И почему ты вышла в сад с этим англичанином? Разве ты не знаешь, что они все дегенераты?

Катерина презрительно посмотрела на Макса.

— Это мое личное дело, с кем выходить на террасу, — холодно сказала она, отыскивая взглядом среди танцующих эгретку Ксении и густые светлые волосы Джулиана.

С грацией гиппопотама Макс вел ее мимо возвышения для оркестра и продолжал:

— Ты прогуливалась с ним в саду, а не на террасе, и, узнай об этом твой отец, думаю, это было бы и его дело.

Могу себе представить, как он отнесся бы и к тому, что Наталья шляется по кофейням.

— Сестра была всего лишь в одной кофейне, — поправила его Катерина, с отчаянием думая о том, зачем только она приняла его приглашение на вальс. — И можешь не опускаться до шантажа. Наталья уже поняла, что поступила неразумно, и это больше не повторится.

Вальс близился к концу. Джулиана и Ксении нигде не было видно: вероятно, они танцевали в дальнем конце зала.

Темные брови Макса слегка приподнялись.

— Зачем мне кого-то шантажировать? Я только хотел предупредить, чтобы ты не спускала с Натальи глаз. Она ведь во всем похожа на Карагеоргиевичей, и это может однажды привести к большим неприятностям.

— Ты сегодня все время даешь никому не нужные советы, Макс, — сказала Катерина, почувствовав облегчение, когда музыка кончилась. — И больше не приглашай меня. Все остальные танцы у меня расписаны.

Он как-то странно на нее посмотрел, и она быстро отошла, надеясь снова встретиться с Джулианом, прежде чем начнется следующий танец.

Она почти сразу же его увидела. Он находился на противоположной стороне зала и разговаривал с ее родителями. Невероятно, но он раскланялся, очевидно, благодаря их за вечер и прощаясь. Катерина с ужасом подхватила свой шлейф и быстро, насколько позволяли юбки и чувство собственного достоинства, пошла через зал.

Однако было уже поздно. Джулиан пожал руку ее отцу и покинул зал, по-видимому, окончательно.

Катерина стояла, не зная, что делать. Последовать за ним? На какое-то мгновение она едва не поддалась соблазну это сделать, но здравый смысл все-таки возобладал, и она осталась на месте, опустошенно глядя на двери.

Может быть, Джулиан так стремительно покинул бал, потому что потерял надежду поговорить с ней наедине? Или, может, ей только так кажется? Неужели она выдает желаемое за действительное?

К ней подошел ее дальний родственник.

— По-моему, сейчас мой танец, — весело сказал он.

Катерина вдруг ощутила невероятную усталость, но подумала, что если она сейчас откажется танцевать и уйдет, отец может подумать, вспомнив об их недавнем разговоре, что у нее назначена встреча с Джулианом.

Выдавив улыбку, она позволила молодому человеку вывести ее на середину зала, где с тяжелым сердцем поняла, что следующий танец — энергичный котильон.

Никогда прежде Наталья так не радовалась жизни. Ее бальная карточка была испещрена именами кавалеров, и это были не только родственники, приглашавшие ее из вежливости. Ее ангажировали почти все присутствующие дипломаты, и некоторые делали это не раз. Князь Данило из Черногории, прибывший в Белград для переговоров с королем Петром, также приглашал ее танцевать, как и русский великий князь, и удивительно красивый казачий офицер. Но самое потрясающее — сегодня она получила предложение выйти замуж.

Наталья едва могла в это поверить. Все выглядело чрезвычайно серьезно и необыкновенно романтично.

Она ослепительно улыбнулась своему партнеру, который кружил и кружил ее в вальсе. Когда прошло первое потрясение от предложения Джулиана, Наталья подумала: как жаль, что он англичанин, а не славянин. Будь он славянином, она могла бы соблазниться и принять его предложение. Разве это не восхитительно — быть обрученной в семнадцать лет. Катерина сразу изменит свое отношение к ней, а

Вица позеленеет от зависти, когда увидит на ее левой руке великолепное обручальное кольцо с бриллиантами и изумрудами. А может, бриллианты с рубинами будут выглядеть эффектнее? Или лучше — один большой бриллиант?

В самом разгаре танца, когда серебристые туфельки Натальи едва касались пола, она решила, что бриллиантовый солитер намного элегантнее, чем бриллиант с изумрудами или рубинами.

Наталья уже почти чувствовала кольцо на своем пальце, но снова вспомнила, что Джулиан Филдинг не славянин, и будь он даже наследником английского престола, она не могла бы выйти за него. Решение за кого выходить или не выходить замуж было принято ею давно, когда она была еще девчушкой и жила в изгнании в этой ужасной Женеве. Тогда она поклялась, что никогда не свяжет свою судьбу с человеком, который может ее вынудить покинуть горячо любимую родину.

Отбросив с сожалением мысли о бриллиантовом солитере, Наталья подумала о других приятных вещах. Катерина больше не упоминала о «Золотом осетре» и не требовала обещаний никогда туда не ходить. Следовательно, ничто ей не мешает снова встретиться с Гаврило и его друзьями, чтобы поговорить о будущем, что так же волнительно, как и желание рассказать Катерине и Вице о предложении Джулиана Филдинга.

Музыка закончилась бурными аккордами, и ее партнер, запыхавшись, рассмеялся. Наталья тоже засмеялась в ответ. Жизнь прекрасна в семнадцать лет и будет ли она еще прекраснее в восемнадцать? В девятнадцать?

Когда партнер проводил ее до кресел, ей в голову вдруг пришла другая мысль, не столь радостная. Если ее мать и отец узнают о предложении Джулиана Филдинга, они могут прийти к выводу, что все это произошло из-за слишком большой свободы, которую ей предоставляют. У нее могут отнять с таким трудом завоеванную возможность посещать Консерваторию, и ей придется заниматься музыкой дома. Тогда она будет лишена удовольствия сидеть в прокуренных кофейнях со своими друзьями и горячо спорить о существующей в мире несправедливости и путях ее устранения. Стоит ли рисковать? Пожалуй, лучше воздержаться от жгучего желания рассказать Катерине и Вице о предложении Джулиана.

На следующее утро, довольно поздно завтракая в постели, Наталья была слишком занята мыслями о предстоящей днем встрече с Гаврило, чтобы заметить, что Катерина ведет себя необычно тихо. По расписанию урок музыки должен был состояться в три часа, и Наталья подумала, что лучше не напоминать об этом сестре. Она опасалась, что та вдруг потребует от нее обещания вести себя хорошо и никуда не уходить, если месье Ласаль опоздает или вообще не придет.

А он наверняка не придет. Во время последней встречи она ему сообщила, что сегодня день рождения ее бабушки и, следовательно, о занятиях не может быть и речи. Наталья не соврала. Сегодня действительно был день рождения одной из ее бабушек, правда, умершей пять лет назад. Наталья знала, что месье Ласаль будет рад воспользоваться неожиданно освободившимся временем и не подумает ее проверять или сообщать отцу о пропуске ею урока.

— Я собираюсь сегодня подрессировать Беллу, — сказала она, покончив с завтраком и спуская ноги на пол.

Катерина, у которой Белла, резвясь, уже изгрызла две пары туфель и шляпку, не стала отговаривать сестру. Она размышляла, что, возможно, Джулиан Филдинг позвонит им домой позднее и договорится о встрече с ее отцом, чтобы обсудить, может ли организация «Черная рука» повлиять на англо-сербские отношения. Если так, то, вероятно, она сможет увидеться с ним в гостиной или в саду и выяснить наконец, каковы его чувства к ней.

Наталья, радуясь, что Катерина сегодня не слишком разговорчива, начала умываться и одеваться без помощи Хельги. Она выбрала скромное белое в красную полоску платье, которое не должно было выглядеть слишком вызывающе среди бедно одетых студентов в «Золотом осетре», и, расчесав свои пышные вьющиеся волосы, собрала их в простой пучок.

Взглянув на себя в зеркало, Наталья осталась довольна. Пусть она принадлежит к королевской семье, но сейчас по внешнему виду ее можно было принять за дочь какого-нибудь врача или адвоката. А если надеть простые очки, она даже сойдет за студентку.

«Золотой осетр» находился на узкой мощеной улочке в окружении таких же непритязательных заведений. Для Натальи ее первое посещение кофейни в компании Гаврило и Неджелко было необычайно волнующим приключением. Никогда прежде она не встречалась с людьми из низших слоев общества, никогда прежде не ходила по таким шумным узким улочкам.

В кофейне она окунулась в удивительную интригующую атмосферу. Почти все клиенты были молоды. В основном это заведение посещали студенты, и те из них, кто бежал в Сербию из Боснии, Герцеговины или Хорватии, были бедны как церковные мыши. Однако они не жаловались на нищету. Все были уверены, что скоро произойдут великие события, которые резко изменят их жизнь.

Дух товарищества и ощущение своей причастности к приближению светлого будущего чрезвычайно привлекали Наталью. В отличие от поколения своих родителей, которое не шло дальше разговоров об объединении всех южных славян в единое государство, Гаврило и его друзья активно действовали, и это очень нравилось Наталье.

Гаврило больше не встречался с ней в Консерватории и не сопровождал в кофейню. Все это слишком бросалось в глаза. Теперь, когда кучер высаживал ее у ворот Консерватории, она входила в здание и сразу же выходила через незаметную боковую дверь.

Единственное, о чем сожалела Наталья, шагая одна по тенистой площади, так это о том, что рядом не было Беллы. Ей очень хотелось взять с собой собачку, но щенок был еще слишком мал, чтобы бегать по улицам, и, кроме того, если бы Катерина увидела, что она берет с собой Беллу, то сразу бы поняла, что сестра не собирается на занятия музыкой.

Немного нервничая, Наталья приблизилась к кофейне. Здесь с чашкой кофе она могла сидеть весь день, слушая волнующие разговоры о том, что скоро все южные славяне объединятся в могущественную империю под названием Югославия.

Наталья открыла дверь «Золотого осетра» и вдохнула запах кофе, табачного дыма и сливовицы.

— А вот и она! — воскликнул Неджелко Кабринович, увидев вошедшую девушку. — Пододвиньте-ка еще один стул и закажите чашку кофе, — сказал он, обращаясь к своим товарищам.

Она пробралась сквозь толпу к своим друзьям, расположившимся за столиком в углу, и приветливо им улыбнулась, не замечая быстрых многозначительных взглядов, которыми те обменялись, прежде чем она села.

— Рад, что ты смогла сегодня прийти, — сказал Гаврило, вставая. — Я собираюсь уехать на несколько дней вместе с Неджелко и Трифко и мне хотелось известить тебя об этом.

Тщедушный Трифко Грабец слегка кивнул, подтверждая эти слова. Он был очень серьезным, и Наталья всегда испытывала неловкость в его присутствии. Хотя Трифко никогда не выказывал своего отношения к ней, она была уверена, что он не одобрял ее участия в их разговорах.

— Трифко вообще недолюбливает женщин, — сказал однажды Неджелко с улыбкой. — Он считает, что они отвлекают мужчин от главной цели — освобождения Боснии от австрийцев.

— А куда вы едете? — спросила Наталья Гаврило. — Это задание организации? Вас посылают с каким-то поручением?

Он улыбнулся ей мягкой, почти застенчивой улыбкой.

— Это связано... с учебной подготовкой, — сказал он, затем быстро отвернулся и закашлялся.

Наталья нахмурилась. Гаврило и Трифко постоянно кашляли, и в прошлый раз она принесла им таблетки, которые ей удалось найти.

— Вам надо показаться врачу, Гаврило, — сказала она.

— А как он оплатит счет? — спросил Трифко с сарказмом в голосе.

Наталья покраснела. Ей ужасно не нравилось, когда кто-то подчеркивал разницу в общественном положении между ней и ее друзьями. Она очень гордилась тем, что принадлежит к семье Карагеоргиевичей, но иногда в присутствии студентов испытывала неловкость, стесняясь своего благополучия.

— Не обращай внимания на Трифко, — сказал Неджелко с улыбкой. — Лучше расскажи, удалось ли тебе поговорить с князем Александром.

Трифко и Гаврило придвинули свои стулья поближе к столу, внимательно глядя на нее.

Наталья забыла о своем смущении и торжественно заявила:

— Князь Александр с нами всем сердцем, разумом и душой.

— А как насчет дела? — спросил Трифко. — Будет ли он с нами, когда придет время действовать?

— Успокойся, — резко сказал Гаврило и улыбнулся Наталье. — Трифко хочет знать, готов ли князь с нами встретиться?

Наталья заерзала на стуле. Александр сказал, что она может передать своим друзьям-студентам: если они стремятся к объединению всех южных славян, то могут рассчитывать на его поддержку, однако встретиться с ними он не может.

— В кофейне? — спросил он ее с удивлением. — Не смеши меня, Наталья. Подумай только, какое внимание я привлеку, появившись в кофейне.

— Со встречей возникли затруднения, — уклончиво сказала Наталья. — Его могут узнать и тогда...

— Я так и знал! — Трифко раздраженно стукнул кулаком по столу. — Князь Александр не намерен открыто нас поддерживать! Когда дело дойдет до военных действий ради создания объединенного государства южных славян, он и его отец не шевельнут и пальцем, как когда-то Обренович!

— Нет, они не такие, — сказал Гаврило с явным раздражением.

Трифко скрестил руки на груди и поджал губы. Наступила напряженная тишина.

Гаврило снова улыбнулся Наталье, на этот раз с извиняющимся видом.

— Не обращай внимания на Трифко. Он с похмелья и не рад, что ему придется ехать в Боснию.

Наталья продолжала молчать с каменным выражением лица. Трифко и не думал извиняться за свою резкость, а она не имела ни малейшего желания его прощать.

— Проклятые Габсбурги, — воскликнул Неджелко, пытаясь сменить тему разговора. — За их ниспровержение! — Он поднял чашку с кофе, словно это было вино.

Все засмеялись, даже Трифко, и неприязнь Натальи к нему исчезла. Атмосфера вновь стала дружеской.

— Вы сможете повидаться со своими семьями в Боснии? — спросила она.

Улыбка исчезла с лица Неджелко.

— Возможно, Гаврило и Трифко увидятся с родными, — сказал он, — а я вряд ли.

Внезапно Неджелко показался Наталье очень юным и ранимым.

— Почему? — удивленно спросила она. Трудно было представить, как можно, находясь долгие месяцы вдали от своей семьи, не воспользоваться случаем и не встретиться с родственниками.

— Отец Неджелко служит в австрийской тайной полиции, — сухо сказал Трифко.

— Извини. — Потрясенная Наталья широко раскрыла глаза от изумления. — Я не знала...

— Неудивительно. — Неджелко философски пожал своими узкими плечами. — Старый козел...

Гаврило предупреждающе кашлянул.

— ...однажды запер меня на три дня за то, что я ему нагрубил. Бог знает, что бы сделал отец, узнай он о моем участии в деятельности...

Гаврило снова кашлянул, на этот раз еще громче.

— ...славянской националистической организации.

— Я тоже вряд ли увижусь со своим отцом, — мрачно сказал Трифко.

Никто не проронил ни звука. Отец Трифко был православным священником и не общался с сыном с тех пор, как мальчишку выгнали из школы за то, что тот ударил учителя, стремившегося внушить классу симпатии к Австро-Венгрии.

— А я попытаюсь встретиться с семьей, если смогу, — тихо сказал Гаврило странным тоном, — но думаю, мне это не удастся. — Он немного помолчал, затем спросил: — Ты сможешь еще раз увидеться с князем Александром, Наталья? Надо ему передать, что есть вещи, о которых он должен знать. Это можно сделать только с глазу на глаз.

Она кивнула, решив помочь друзьям в их деле.

Разговор продолжался. Гаврило и Трифко были студентами университета и усердно учились, чтобы успешно его окончить. Они говорили о своих занятиях и о различиях между сербской и боснийской системами образования. Когда они заспорили об уровне преподавания греческого языка и латыни в сербских и боснийских школах, Наталья, никогда не имевшая дела с этими предметами, взглянула на часы. Почти половина третьего. Через пять минут кучер будет ее ждать у входа в Консерваторию. Она неохотно встала.

— Мне пора, — сказала она с сожалением. — Я все сделаю, как вы просили. Постараюсь еще раз поговорить с князем Александром.

— И с королем Петром, — неожиданно сказал Трифко. — Он единственный, кто может действительно нас поддержать.

— Хорошо, — сказала Наталья, стараясь придать уверенность своему голосу.

Она еще не сказала Александру, что ее друзья являются членами тайной боевой организации. Однако было бы глупо сообщать об этом Трифко, так как в этом случае ей перестали бы доверять.

Все трое встали вместе с ней.

— Увидимся после возвращения из Боснии, — сказал Неджелко с обычной доброжелательностью.

Трифко просто пожал ей руку, а Гаврило пошел с ней к двери.

— Я не могу проводить вас до Консерватории, — сказал он с искренним сожалением. — Надо еще очень многое обсудить перед отъездом.

— Когда вы уезжаете? — Наталья вдруг вспомнила, что так и не узнала, что же они собираются делать в Боснии. Гаврило говорил, что эта поездка связана с какой-то подготовкой, но подготовкой к чему? Однако сейчас было уже поздно об этом спрашивать.

— Завтра, — сказал он, когда они вышли на улицу. Гаврило снова закашлялся, затем повторил: — Мы уезжаем завтра утром.

— До свидания. — Наталья решила, что в следующий раз, когда они встретятся, она принесет ему побольше таблеток от кашля. — Желаю удачи.

Она пошла по узкой улочке, а он стоял, глядя ей вслед с тревожным выражением на смуглом скуластом лице.

Когда Гаврило вернулся в кофейню, Трифко резко сказал:

— Ты по уши влюблен в эту девчонку, иначе понял бы, что от нее не будет для нас никакой пользы.

Гаврило слегка нахмурился. Он был известен как один из самых преданных членов организации и никогда не увлекался девицами. Сердцеедом в их группе был Неджелко, а не он.

Не подозревая о том, какую роль ему отвел в мыслях Гаврило, Неджелко усмехнулся:

— Трифко прав. Ты явно в нее влюблен. — Он тоже закашлялся. — Вы были бы чертовски необычной парой! Крестьянский сын и дочь королевского родственника! Только представь себе такое бракосочетание. Там будут...

— Заткнись! — Щеки Гаврило зарделись от смущения. — Я всегда рад видеть Наталью, потому что верю: она может быть очень нам полезна. С королевской поддержкой мы многого добьемся.

— А я не верю, что она в состоянии обеспечить нам такую поддержку, — упрямо заявил Трифко. — Мне кажется, она будет для нас скорее помехой, чем полезным сторонником.

— Возможно, Трифко прав. — На обычно веселом лице Неджелко появилось тревожное выражение. — Ты поступил довольно опрометчиво, упомянув при ней о поездке в Боснию. Что, если после завершения нашей миссии она сообразит, что к чему?

— Вряд ли, — резко сказал Гаврило. Он уже понял, что напрасно рассказал Наталье об их намерениях, и ему было неприятно слышать попреки Неджелко. — Мы едем в Боснию за месяц до назначенного срока. Наталья убеждена, что мы вернемся в Белград задолго до того, как все свершится. Она не сможет связать нас с тем, что должно произойти в Сараево.

Глава 4

Прошло три недели, прежде чем Джулиан нашел подходящий предлог для того, чтобы посетить Василовичей. До советника Британской миссии дошли слухи о том, что король Петр решил отречься от престола в пользу своего сына Александра, и поскольку по официальным каналам не было никаких подтверждений, советник решил послать своего сотрудника в дом Василовичей.

— Алексий Василович все наверняка знает, — сказал он Джулиану. — Король ему полностью доверяет. Будь с ним откровенен. Скажи, что нам стало известно о намерении их короля, и британское правительство обеспокоено. В настоящее время любые изменения на политической арене чреваты далеко идущими последствиями. Нам известна позиция Петра Карагеоргиевича, но взгляды его сына пока не столь очевидны, особенно в отношении Австрии.

Обрадовавшись, что у него появился подходящий повод встретиться с отцом Натальи, Джулиан не стал тянуть время. Пять минут спустя он уже шагал по узким знойным улочкам к дому Василовичей.

Алексий его принял вежливо. Он не видел причины, по которой нельзя было бы сказать английскому дипломату правду о намерениях короля Петра, тем более что на этой неделе ожидалось официальное заявление.

— Король Петр не очень хорошо себя чувствует в последнее время, — сказал он, протягивая Джулиану стакан с клековахой — водкой, настоянной на ягодах можжевельника. — Он нуждается в длительном отдыхе, а пока князь Александр будет исполнять его обязанности и править от его имени.

— В качестве регента?

— Да, — подтвердил Алексий и сделал глоток клековахи.

У Джулиана было еще множество вопросов, которые он намеревался задать Алексию, но тот дал понять, что сказал все, что хотел.

Джулиан вертел в руках стакан. О чем он действительно хотел поговорить с Алексием, так это о Наталье. Он размышлял о том, как затронуть эту тему, и решил, что лучше не спешить.

Алексий проводил Джулиана до круглого вестибюля в стиле рококо. Он намеревался известить премьер-министра о своей беседе с английским дипломатом.

Алексию предстояло еще сказать Наталье и Катерине, что они должны сопровождать его во время неофициального визита в Боснию, и он собирался сделать это вечером за ужином. Надо еще раз написать боснийскому губернатору о необходимости усилить бдительность.

— В Боснию? — Наталья посмотрела на него через тесно уставленный кушаньями стол с испугом и удивлением. — Но зачем, папа?

Алексий скомкал салфетку и положил ее рядом со своей тарелкой. Он до сих пор откладывал свое сообщение, потому что предвидел реакцию Натальи и хотел хотя бы ненадолго оттянуть предстоящее.

— Эрцгерцог Франц-Фердинанд собирается в Сараево, чтобы наблюдать за военными маневрами. Никто из Габсбургов не присутствовал на маневрах после императора Франца-Иосифа, который приезжал в Сараево четыре года назад и...

— Нет, папа! — Лицо Натальи побледнело. — Дядя Петр не должен посылать тебя туда в качестве представителя Сербии! Это неразумно!

Внутренне Алексий был с ней согласен. Он сказал почти то же самое премьер-министру, когда тот ему сообщил, что наследник австрийского трона собирается приехать в Сараево и что с политической точки зрения полезно, если там будет присутствовать и представитель Сербии.

— Вполне разумно, Наталья, — сказал Алексий. — Такие визиты открывают возможность для политических переговоров между государствами, имеющими взаимные претензии друг к другу, и...

— Переговоры? — Наталья, чуть не плача, отодвинула от стола свой стул. — Переговоры? Нам следует объявить войну австрийцам, папа, а не договариваться с ними.

Будь Сербия достаточно сильной в военном отношении, возможно, он и согласился бы с дочерью.

— Все страны стараются проявить добрую волю, даже если ее не существует, — сказал Алексий. — Вспомни о многочисленных визитах кайзера в Англию.

Наталью меньше всего волновал кайзер. Сейчас она думала о Гаврило, Неджелко и Трифко и о том, что бы они сказали, узнав, что ее семья тоже будет в Сараево вместе с эрцгерцогом Францем-Фердинандом.

— Я не могу туда ехать, папа, — нерешительно сказала она, чувствуя, как Белла трется о ее ноги. — Я понимаю, что ты должен ехать, но я не могу.

— Мы должны быть там все вместе, — вмешалась мать. — Наш визит носит неофициальный характер, но дядя Петр придает ему очень важное значение.

— Как долго мы там пробудем? — озабоченно спросила Катерина. Она не видела Джулиана со дня Летнего бала и надеялась встретиться с ним в ближайшее время.

— Дня четыре, возможно, пять.

— А когда мы уезжаем?

— В конце этой недели.

Наталья ухватилась за спинку своего стула.

— Пожалуйста, извинись там, папа, за то, что я не смогла приехать. У Вицы ветрянка, и ты можешь сказать, что у меня тоже...

— Нет. — Это было сказано без гнева, но Наталья поняла, что дальнейшие возражения бессмысленны.

Она отвернулась в отчаянии, со слезами на глазах. Если Гаврило узнает о ее поездке, он больше никогда не будет с ней разговаривать. Хуже того, он может подумать, что она доносчица.

Белла продолжала крутиться у ее ног, Наталья взяла ее на руки и крепко прижала к себе. Отец сказал, что их визит неофициальный и, значит, в белградских газетах о нем сообщать не станут. Может быть, ей повезет, и никто в Белграде не узнает об их поездке.

Теперь она не пойдет в «Золотой осетр» в конце недели, как намеревалась. Один из друзей Гаврило сообщил, что он, Неджелко и Трифко вернулись из Боснии и, конечно, у них есть что рассказать. Сидеть с ними в кофейне и скрывать, что она тоже едет в Боснию через несколько дней, было бы просто невыносимо.

Два дня спустя приятель Гаврило, мелкий торговец вразнос, решил проблему, зайдя в дом Василовичей.

— Гаврило завтра не придет в «Золотой осетр», — сказал он, когда Наталья задержала его у двери в кухню. — Он, Неджелко и Трифко сильно простудились, возвращаясь назад.

— Как же так? — спросила она в замешательстве. Была середина июня, и стояла жара.

Парень усмехнулся.

— Им пришлось искупаться в Дрине, — сказал он, поудобнее устраивая на бедре свою корзину.

Наталья нахмурилась. Река Дрина служила границей между Сербией и Боснией. Впервые она задумалась над тем, как ее друзья попали на свою родину и вернулись назад.

— Благодарю, — сказала Наталья, понимая, что нельзя продолжать разговор с торговцем слишком долго, ведь их могли заметить. — Скажи Гаврило, что меня не будет в «Золотом осетре» неделю или две. Увидимся в июле.

Проследив за тем, как парень, водрузив корзину на велосипед, двинулся по улице, она облегченно вздохнула. Теперь не надо беспокоиться о встрече с Гаврило, а когда они увидятся вновь, она будет чувствовать себя гораздо лучше, если, конечно, белградские газеты ничего не напечатают о поездке ее семьи в Боснию.

***

Вечером накануне отъезда в Сараево Наталья постучалась в кабинет отца.

— Мне надо поговорить с тобой, папа, — сказала она, входя.

Он отложил ручку и мягко спросил:

— О завтрашнем дне?

Наталья кивнула и села в кожаное кресло напротив его письменного стола.

— Я не понимаю, почему ты должен выражать почтение этому людоеду эрцгерцогу Францу-Фердинанду...

Алексий подавил улыбку.

— Франц-Фердинанд не людоед, Наталья. Из всех Габсбургов он придерживается необычайно радикальных взглядов.

Алексий говорил с Натальей о политике не так часто, как с Катериной, и поэтому старался сейчас выражать свои мысли как можно проще.

— Когда Фердинанд станет императором, он намерен предпринять решительные шаги, чтобы смягчить недовольство славян Австро-Венгрией.

— Как же ему удастся это сделать? Славяне не хотят жить в ненавистной Габсбургской империи, они хотят...

— Он собирается создать для них отдельное государство.

Наталья смотрела на отца, ничего не понимая.

— Вместо двух государств в империи, австрийского и венгерского, будет три: австрийское, венгерское и славянское. Власть будет поделена поровну между тремя государствами, при этом у них будет единая внешняя политика, вооруженные силы и экономика. Это будет очень похоже на государственное устройство американских Соединенных Штатов, где...

Теперь до Натальи дошло, и она поняла, какие последствия возможны.

— Но это же ужасно! — прошептала она, с трудом веря в то, что говорил отец.

— Почему? Не будет никаких оснований для недовольства. Получив свободу, славяне будут спокойно жить под правлением Габсбургов...

— И не захотят отделяться от империи! — Глаза Натальи потемнели и расширились от ужаса. — Они не станут стремиться объединиться с Сербией в единое государство южных славян!

— Именно так, — сказал Алексий, довольный тем, как быстро дочь схватывает суть вещей. — Больше не будет разговоров о войне ради освобождения, потому что Франц-Фердинанд сам предоставит славянам свободу.

Чудовищность того, что говорил отец, вызвала у Натальи головокружение.

— Но если планы Франца-Фердинанда сбудутся, никогда не будет Югославии! Никогда не будет королевства южных славян со столицей в Белграде во главе с королем Сандро! — воскликнула она, вставая.

Алексий резко вскинул брови. Поскольку он не имел обыкновения говорить с Натальей о политике, ему трудно было представить, какой националисткой она стала.

— Экстремисты мечтают о великой конфедерации, объединяющей разбросанные остатки южных славян, независимо от вероисповедания, но все это несбыточные мечты, дорогая, — сказал он как можно мягче.

— Ты не прав, папа, — упрямо возразила Наталья. — Просто этого будет гораздо труднее достичь, если Франц-Фердинанд станет императором, но я надеюсь, этого никогда не произойдет.

Лицо Алексия исказилось. Наталья имела в виду, что эрцгерцог умрет своей естественной смертью, однако были люди, которые думали иначе и планировали устранить Франца-Фердинанда до того, как тот станет императором.

— Спокойной ночи, милая, — устало сказал Алексий, надеясь, что боснийский губернатор сделал все, как он ему советовал, и привел службу безопасности в полную готовность. — Не забудь, что мы уезжаем завтра утром и надо встать пораньше.

Наталья долго не могла уснуть. Чем больше она думала о предполагаемых реформах эрцгерцога Франца-Фердинанда, тем ужаснее они ей казались. Что, если идея об австро-венгро-славянской федерации понравится сербам? Что будет тогда? Конец Сербии как независимого королевства?

В нескольких шагах от нее Катерина тоже не спала, лежа в темноте. Джулиан больше не появлялся в их доме, не было его и во дворце на традиционном недельном чаепитии. Как бы она того ни хотела, но ей в голову закрались подозрения. Если Джулиан намеревался сделать ей предложение во время Летнего бала, неужели он не нашел больше возможности ее увидеть? Времени у него было достаточно.

Но надежда все-таки взяла верх над ее сомнениями. Когда же он мог встретиться с ней наедине? Не было ни приемов, на которые они оба были бы приглашены, ни торжественных церемоний при дворе. С мыслью о том, что ей вовсе не хочется покидать Белград на этой неделе, Катерина закрыла глаза, безуспешно пытаясь уснуть.

— Мы остановимся в отеле «Босна» в Илидце, — сказал Алексий своей семье, в то время как их поезд мчался на запад. — Это небольшой курортный городок недалеко от Сараево. Там мы познакомимся с эрцгерцогом и герцогиней. Завтра и послезавтра я встречусь с советниками кронпринца, пока тот будет на военных маневрах, а в ваши обязанности входит сопровождать герцогиню во время посещения ею больниц и приютов для сирот.

— Я тоже хотела бы побывать на маневрах, — мрачно сказала Наталья.

Алексий улыбнулся.

— Такие зрелища не для молодых девушек. Тебе будет гораздо приятнее с герцогиней. Она очень привлекательна... и к тому же очень несчастна.

Наталья тотчас заинтересовалась.

— Почему? — спросила она, в то время как их поезд, пыхтя, приближался к боснийской границе. — Этот людоед плохо с ней обращается?

— Я уже говорил тебе, Наталья, эрцгерцог Франц-Фердинанд не людоед.

— Папа назвал ее несчастной, потому что она часто страдает от дурного обращения с ней императора и остальных членов семьи ее мужа, — вмешалась Зита. — Хотя она и знатного происхождения, но тем не менее не королевского. Когда она выходила замуж за эрцгерцога, император настоял, чтобы брак был морганатическим, из чего следовало, что герцогиня не получила права на почести, оказываемые ее супругу. Ей не дозволяется сопровождать его в королевской карете или сидеть рядом в театре в королевской ложе. На обедах и балах ей отводится весьма скромное место, а когда Франц-Фердинанд возглавляет какую-нибудь процессию, София следует за самой последней принцессой королевской крови.

— Это возмутительно! — воскликнула Катерина. — Ведь она жена престолонаследника и с ней должны обращаться соответствующим образом.

— Людоед! — яростно крикнула Наталья.

— Сколько можно повторять, Наталья, — сердито сказал Алексий. — Эрцгерцог не...

— Я говорю не о нем, а об императоре, — сказала Наталья.

На этот раз никто ей не возразил.

— Хуже всего то, что ни один ребенок, рожденный в этом браке, не может претендовать на габсбургский трон. Франц-Фердинанд многим пожертвовал, женившись на Софии, но никогда не пожалел об этом. Друзья в Вене говорят, что он так же ей предан, как и четырнадцать лет назад, когда они поженились.

— Мне кажется это очень романтичным, — мечтательно сказала Катерина, глядя в окно вагона на горы, леса и бурные реки, мелькающие мимо, и думая при этом о Джулиане.

— Совершенно с тобой согласна, — сказала мать, открывая сумочку и доставая оттуда вышивание. — Эта история могла бы лечь в основу чудесного романа.

Всю остальную часть путешествия Наталья представляла герцогиню красавицей и сказочной героиней. Однако действительность не оправдала ее ожиданий.

— Моя дочь Наталья, — сказал отец, представляя ее даме средних лет с великолепными густыми темными волосами и доброй материнской улыбкой.

Затем ее представили эрцгерцогу, который был высок и внушителен, губернатору Боснии генералу Потиореку и придворным.

Когда церемония была завершена и подали напитки в ресторане отеля, герцогиня обратилась к Наталье:

— Сегодня мы получили очень приятное сообщение. Мой старший сын Максимилиан сдал на «отлично» все экзамены в университет.

Наталья была искренне за нее рада. Трудно было не поддаться очарованию герцогини и, поскольку она не принадлежала к роду Габсбургов, Наталья не видела причины избегать общения с ней.

— Немного отдохнув, мы собираемся поехать в Сараево и посетить Восточный базар, — доверительно сказала ей герцогиня. — Хотите к нам присоединиться? Мне очень нравится делать покупки, а вам?

— О, я тоже люблю что-нибудь покупать, — призналась Наталья, решив, что герцогиня очень сходна с ней в привычках. — А на базаре есть, кроме одежды, что-нибудь интересное?

— Думаю, да. Там большой выбор шелковых тканей, чудесных инкрустаций, чеканки, и я хочу купить что-нибудь Максимилиану в награду за его трудолюбие.

Личный секретарь эрцгерцога устроил так, что Франц-Фердинанд и герцогиня должны были ехать в машине с генералом Потиореком, а остальные члены свиты, включая девушек Василовичей, — следовать за ними в другом автомобиле.

Наталье начинало нравиться ее пребывание в Боснии. Ненависть к Францу-Фердинанду постепенно отошла на второй план среди чудесной природы, какую она никогда прежде не видела. К тому же ее очень увлекала перспектива посетить легендарный Восточный базар в Сараево.

Столица Боснии расположена в долине, окруженной горами, и путешествие туда из Илидцы не заняло много времени. Повсюду были развешаны флаги и транспаранты по случаю предстоящего на следующий день официального визита. Когда их «даймлер» пересек по мосту мутную зеленоватую реку и направился к центру города, Наталья почувствовала себя счастливой при мысли, что сегодня вечером в отеле должен состояться грандиозный прием и, несомненно, на нем будут присутствовать молодые красивые офицеры.

Она совсем забыла о своих прежних переживаниях по поводу того, что родители заставили ее принять участие во встрече с ненавистным эрцгерцогом. Никто из ее новых друзей об этом не узнает. Визит становился все более интригующим и волнующим событием в ее жизни, и она решила наслаждаться каждой минутой своего пребывания в Боснии.

Через несколько секунд после того, как автомобили с важными особами остановились, по базару разнесся слух об их прибытии. Со всех сторон к ним устремились любопытные, и не успели гости дойти до ближайшего ларька, как вокруг собралась многочисленная толпа. Офицеры из окружения эрцгерцога медленно прокладывали путь сквозь тесные ряды зевак, и Наталья улыбнулась Катерине, возбужденная шумом и пестротой экзотического Восточного базара. Солнечный луч ее ослепил, она протерла глаза и вдруг увидела его.

Наталья заморгала, и улыбка исчезла с ее лица. Должно быть, она ошиблась. Как и все остальные, он старался увидеть эрцгерцога, а когда она пристально посмотрела на него, все еще не веря своим глазам, он слегка подвинулся, чтобы лучше видеть Франца-Фердинанда через головы стоящих впереди.

Нет, ошибки не было. Солнце больше ей не мешало, а он находился всего в нескольких шагах от нее. Наталью охватил ужас. Что он подумает, увидев ее здесь? Как ему объяснить, что ее семья включена в свиту эрцгерцога по политическим соображениям, хотя никто из них не хотел ехать в Боснию?

Когда свита и эрцгерцог начали с трудом продвигаться в глубь базара, Наталья застыла на месте, молча глядя на Гаврило. Ее первоначальный ужас постепенно ослабел и сменился изумлением. Что, черт возьми, он делает в Сараево? Разносчик сказал, что Гаврило, Неджелко и Трифко вернулись из Боснии неделю назад, сильно простудились и слегли.

Предприимчивый торговец, видя, что она отстала от своих спутников, сунул ей в руки рулон темно-красного шелка и, улыбаясь беззубым ртом, начал уговаривать купить ткань. Наталья не обращала на него внимания, не сводя глаз с Гаврило. Как бы почувствовав ее взгляд, он вдруг резко повернул голову, и Наталья отшатнулась, моля Бога, чтобы он ее не узнал.

Глаза Гаврило расширились, и она увидела в них такой же ужас и удивление, какие только что испытала сама. Он начал пробираться к ней сквозь толпу и, схватив ее за руку, ошеломленно произнес:

— Наталья... ради Бога... что ты здесь делаешь?

Глава 5

Шелк выскользнул из ее рук и, подобно крови, обагрил пыльную землю.

— Я... я... — Она пыталась найти правдоподобное объяснение, но безуспешно. — А ты что здесь делаешь? — спросила она в свою очередь, решив, что нападение — лучшая защита. — Твой друг сказал, что ты покинул Боснию неделю назад и лежишь больной.

Теперь уже Гаврило, путаясь, искал подходящее объяснение.

— Я должен был вернуться в Белград на прошлой неделе вместе с Трифко и Неджелко, но пришлось остаться.

Толпа около них сомкнулась. Свита эрцгерцога уже была довольно далеко в глубине базара.

— Так, значит, ты не болен? — спросила Наталья, в то время как торговец подбирал с земли свой драгоценный шелк.

— Болен? — На мгновение на лице Гаврило отразилось недоумение, затем он сказал: — Нет, я не болен.

В этом не было сомнения. Он выглядел вполне здоровым и необычайно возбужденным. Гаврило беспокойно огляделся по сторонам и быстро сказал:

— Я не должен здесь находиться и буду очень тебе благодарен, если ни одна душа не узнает, что мы с тобой встречались...

Наталья увидела через плечо Гаврило одного из офицеров из охраны эрцгерцога. Он пробирался сквозь толпу и, очевидно, разыскивал ее.

— ...Я не могу сейчас объяснить, но уверен, что ты поймешь, Наталья. Это часть подготовки и...

Наталья ничего не понимала, но была рада, что он не стал выяснять, почему она оказалась в Сараево.

— ...ты должна забыть о нашей встрече. Ты никого не видела. Меня здесь не было.

Она заметила, что офицер смотрит прямо на нее, и беспокойство в его глазах сменилось облегчением.

— В таком случае чем скорее мы закончим разговор, тем лучше, — сказала Наталья, когда свитский офицер начал к ним пробираться. — Поговорим потом, Гаврило. В «Золотом осетре»...

Гаврило продолжал держать ее за руку.

— Ты все поняла, Наталья? — спросил он, пристально глядя на нее своими карими глазами. — Это чрезвычайно важно для твоей же безопасности...

Сейчас для Натальи важнее всего было то, чтобы Гаврило не догадался, почему она в Сараево.

— Мне все понятно, — сказала она, отходя от него и моля Бога, чтобы посланный за ней офицер не окликнул ее в присутствии Гаврило.

Наталья не стала дожидаться, когда он с ней попрощается. Ее рука теперь была свободна, и она, быстро отвернувшись, начала медленно пробираться навстречу австрийскому офицеру.

— Что, черт побери, произошло с тобой на базаре? — спросила Катерина позже в их комнате в отеле. — Ты была рядом со мной и вдруг куда-то исчезла.

— Я застряла в толпе, — сказала Наталья, стараясь быть как можно искреннее. — Там такая ужасная толкучка. Я не могла выбраться.

Наталья притворилась, что увлечена выбором платья для обеда. Встречаясь с Гаврило и его друзьями в «Золотом осетре», она ощущала волнующую дрожь каждый раз, когда ее предупреждали о необходимости хранить тайну. Сейчас ей ужасно хотелось поделиться с Катериной, но она помнила о своем обещании.

— Я выбрала себе сине-лиловое для завтрашнего вечера, — сказала Катерина, глядя на сестру, которая продолжала разглядывать модное платье парижского фасона, одобренное Хельгой. — Завтра предстоит довольно спокойный обед. Не думаю, что папа ожидает от него чего-нибудь особенного. Граф Конрад фон Гетендорф, начальник имперского генерального штаба, тоже будет присутствовать на обеде. Папа говорит, что он отчаянный вояка, предлагавший императору Францу-Иосифу уничтожить Сербию.

Глаза Натальи засверкали патриотическим огнем.

— Пусть только попробует! Это будет подходящий предлог наголову разбить Австрию и освободить Боснию и Герцеговину...

Катерина помрачнела. Вопреки всем ожиданиям ей нравился визит в Боснию и не хотелось портить впечатление напоминаниями о напряженных отношениях между Сербией и Австрией и о трудном положении, в котором оказался отец, представляя сербское правительство на территории, находящейся под габсбургским правлением и в присутствии наследника австрийского трона.

— Давай не будем сейчас говорить об освобождении Боснии, — сказала она, прикрепляя к платью белую розу. — Нас могут услышать и у папы будут неприятности.

— А что, если фон Гетендорф или этот гадкий Франц-Фердинанд заговорят на обеде о Боснии? — воинственно не унималась Наталья. — Мне и тогда молчать?

Катерина похолодела от одной только мысли, что может произойти в случае, если Наталье изменит выдержка.

— Ты должна быть нема как рыба. Думаю, никто не станет касаться этой взрывоопасной темы.

Но Катерина ошиблась. Граф Конрад фон Гетендорф почти сразу же ее затронул.

— Вы должны заставить ваше правительство понять, что Габсбургская империя не потерпит славянского национализма как за пределами страны, так и внутри, — раздраженно сказал он ее отцу, когда подали напитки перед обедом.

Катерина вздрогнула и посмотрела на Наталью, чтобы понять, слышала ли та эти слова. К счастью, Наталья была занята разговором с придворной дамой герцогини, и Катерина приняла участие в их беседе.

Поездка на базар, жара и высокая влажность воздуха утомили Наталью. Она снова задумалась над тем, что делал Гаврило в Сараево. Он говорил, что едет в Боснию для какой-то подготовки, и она решила, что эта подготовка означает отработку тактики повстанческих действий в горах Боснии. Затем она вспомнила, что он когда-то посещал университет в Сараево и, вероятно, у него осталось много друзей в городе. Может быть, он не хотел, чтобы она рассказывала об их встрече, потому что вместо выполнения задания он навещал своих друзей?

Объявили, что обед подан, и эрцгерцог с женой направились в роскошную столовую. Наталья печально вздохнула. Предстоял длинный скучный вечер.

Во время продолжительной трапезы Наталья думала, где сейчас Гаврило. Наверное, в такой же кофейне, как «Золотой осетр». Заказал за весь вечер одну чашку кофе и бурно обсуждает с друзьями корни славянского национализма. Оглядывая комнату с высоким потолком и слушая обрывки скучных разговоров о маневрах и о розах в саду любимой резиденции эрцгерцога, о поместьях и о замках, Наталья страстно желала оказаться в прокуренной кофейне вместе с Гаврило.

Заметив мрачное выражение ее лица, Катерина наклонилась к ней.

— Не унывай, — прошептала она ободряюще. — Надо выдержать еще пару дней. Папе гораздо труднее, чем нам.

На следующее утро эрцгерцог и его окружение снова отправились на маневры, которые проходили в отдаленной горной местности. Единственный, кто не сопровождал эрцгерцога, был Алексий Василович. Несмотря на то что Франц-Фердинанд и граф Гетендорф были удовлетворены неофициальными беседами с представителем правительства Сербии, которая выглядела занозой на теле Габсбургской империи, они считали его присутствие на маневрах австрийской армии нежелательным.

Поскольку Алексий и не ждал приглашения, он отнесся равнодушно к такой дискриминации. В общем, визит проходил намного лучше, чем он предполагал. Несмотря на воинственность фон Гетендорфа, Франц-Фердинанд проявлял в беседах с ним здравый смысл. Если кто-либо и мог решить проблему недовольства славян внутри империи, то только эрцгерцог, и Алексий полагал: чем скорее тот станет императором, тем лучше.

— Слава Богу, сегодня последний день нашего пребывания в Боснии, — сказала Катерина на следующее утро, когда они одевались. — Если ничего не случится, в середине дня мы будем уже в поезде на пути домой.

Наталья сделала глубокий вдох, когда Хельга затягивала ее в корсет, который уменьшал ее и без того тонкую талию.

— Надеюсь, что сегодня не надо ехать в больницу? — спросила она с отвращением. — Почему там всегда отвратительно пахнет? Почему бы хлороформу не придать запах роз?

Катерина улыбнулась.

— Сегодня предстоит небольшой прием в ратуше, визит в Национальный музей, а затем завтрак в резиденции губернатора, — сказала она, к радости Натальи.

— И после этого эрцгерцог со свитой вернется в Вену?

Катерина кивнула.

— А мы в Белград.

— Прекрасно!

Наталья соскучилась по Белле. К тому же волнующее чувство от пребывания в Сараево и знакомства с эрцгерцогом быстро угасло.

— Процессия будет состоять из шести автомобилей для его высочества и сопровождающих его лиц, — сказал личный секретарь эрцгерцога Алексию, — плюс автомобиль для вас и вашей семьи. Мэр и комиссар полиции поедут в головном автомобиле. Эрцгерцог и герцогиня будут следовать за ними вместе с генералом Потиореком и графом Гарраком. В остальных разместятся придворные, члены свиты его высочества и генерала Потиорека, а ваш автомобиль будет замыкать процессию. Сначала эрцгерцог и его окружение проследуют поездом из Илидцы в Сараево, где на вокзале должна состояться официальная встреча. Далее процессия, включающая автомобиль с вами и вашей семьей, двинется от вокзала в городскую ратушу по заранее намеченному маршруту.

Алексий кивнул. Как и Наталья, он не мог дождаться момента, когда сядет в поезд на Белград. Стояла ужасная жара, и, хотя в Илидце дул свежий ветерок, он знал, что в Сараево будет очень душно.

Радуясь, что складной верх автомобиля откинут, Алексий усадил свою семью в ожидающий их «даймлер».

Шофер завел мотор, и автомобиль тронулся, быстро набирая скорость, по извилистой дороге, круто спускающейся в долину.

Все молчали. Алексий думал о докладе, который по возвращении он должен представить премьер-министру. Зита размышляла о герцогине и о том, как нечестно с ней обошлись, лишив ее прав, которыми должна обладать жена наследника трона. Катерина погрузилась в свои мысли. Даже Наталья затихла, любуясь великолепным пейзажем и размышляя, скучает ли без нее Белла.

В городе, окруженном горами, как и предполагал Алексий, было очень жарко. Их автомобиль замыкал процессию эрцгерцога. Из окон свешивались желтые с черным флаги Габсбургов, улицы были украшены развевающимися лентами, на тротуарах стояли кучками зеваки, с любопытством глядя на процессию. Некоторые из них даже рукоплескали престолонаследнику.

— Вон там, за мостом, расположены новые армейские казармы, — сказал Алексий Зите, указывая на невзрачное строение, в то время как их «даймлер» медленно двигался по центральной улице Сараево к зданию ратуши. Слева тянулись магазины и кофейни, где под тентами собрались многочисленные посетители. Справа за узким тротуаром и низким парапетом плескались зеленоватые воды реки Миляски.

Бомба прилетела слева.

Алексий понял, что произошло нечто чрезвычайное, за несколько секунд до того, как раздался взрыв. Послышался слабый хлопок, как будто лопнула шина, и он подумал, что один из впереди идущих автомобилей должен свернуть в сторону и остановиться. Но вместо этого Алексий увидел летящий в воздухе небольшой черный предмет, явно нацеленный на машину эрцгерцога. Затем раздался взрыв, заставивший четыре движущихся перед ними автомобиля резко остановиться.

— Алексий! Ради Бога! Что случилось? — воскликнула Зита с побелевшим лицом, когда их автомобиль вдруг затормозил.

— Одному Богу известно! Кажется, бомба...

— Есть пострадавшие, папа!

Собравшийся люд начал разбегаться, некоторые лежали ничком на тротуаре, истекая кровью. Катерина стала выбираться из автомобиля, намереваясь помочь раненым.

— Оставайся на месте! — крикнул Алексий Наталье, которая последовала было за ней.

— Но, папа...

— Что я сказал!

Наталья откинулась на спинку сиденья, потрясенная и обиженная тем, как резко отец ее оборвал.

— Сиди здесь! — коротко бросил Алексий Зите, а затем, удовлетворенный тем, что его семья не пострадала, выпрыгнул из «даймлера» и побежал по задымленной улице к автомобилю эрцгерцога.

Автомобиль Франца-Фердинанда объехал машину, за которой следовал, и остановился в нескольких метрах перед ней. Алексий с облегчением увидел, что эрцгерцог и герцогиня продолжают сидеть на своих местах, поглядывая назад через откинутый верх. Оба были потрясены и встревожены.

— Мериззи ранен! — крикнул генерал Потиорек. — Где Фишер, черт побери?

Фишер, личный врач эрцгерцога, уже бежал от своей машины к генералу так быстро, как только мог.

— Уберите всех отсюда! — крикнул Алексий взволнованному Потиореку. — Возможна еще одна попытка покушения!

В автомобиле придворная дама пыталась платком остановить кровотечение из раны на затылке Мериззи.

— Автомобиль выведен из строя, — коротко сказал Потиорек, когда Фишер забрался на сиденье. — Поврежден двигатель.

— В таком случае пересадите пострадавших в другие машины, — распорядился Алексий, не думая о том, что его обращение к генералу в таком тоне нарушает протокол. — Мериззи может передвигаться самостоятельно?

Фишер кивнул с побелевшим лицом. Ведь это было покушение на Франца-Фердинанда и это его могли ранить. Если бы эрцгерцог скончался, он, Фишер, вошел бы в историю как человек, который не смог его спасти.

К месту происшествия устремились люди. Австрийский генерал, которого Алексий раньше никогда не видел, осведомленно заявил:

— Карета «скорой помощи» уже в пути. Я позвонил в гарнизонный госпиталь, и сюда едут все хирурги, которых удалось найти.

— Слава Богу, — сказал Алексий, начиная успокаиваться. — Есть ли убитые среди населения?

— Не думаю, — ответил генерал.

Мериззи был предоставлен заботам доктора Фишера, а автомобиль эрцгерцога уже покинул место происшествия.

Алексий нетвердой походкой пошел к своему «даймлеру». Катерина тоже уже вернулась. Подол ее розового шелкового платья был сильно испачкан, на юбке виднелись пятна крови оттого, что она опускалась на колени перед ранеными.

— Есть там убитые? — спросил Алексий через некоторое время, усевшись в автомобиль.

Катерина покачала головой, ее глаза потемнели от горя и потрясения.

— Нет, но более десятка человек тяжело ранены.

«Даймлер» медленно тронулся, следуя за неповрежденными машинами.

— Алексий... — Голос Зиты сделался глухим от страха. — Алексий... что будет, если...

Их глаза встретились.

— Если убийцей окажется серб? — закончил он за нее. — Одному Богу известно, дорогая. Одному Богу...

Наталья молчала. Она чувствовала, что вот-вот упадет в обморок. Вид раненых ее потряс. Раньше она никогда не видела столько крови. К тому же родители предполагают, что она пролита сербом.

— Они его поймали? — спросил Алексий.

Зита кивнула.

— Он очень молод. Мы не разглядели его как следует, потому что, как только парня схватили, его сразу окружила толпа. На вид он почти мальчик.

— Будь он проклят! — злобно сказал Алексий, не сомневаясь, что убийца-серб был фанатиком-националистом. — Слава Богу, что его попытка не удалась. Если бы это случилось...

Он не закончил. Если бы эрцгерцога убили, не осталось бы никакой надежды на благополучное будущее славян внутри империи и мирную жизнь вне ее.

— Слава Богу, — повторил он, внезапно ощутив себя гораздо старше своих сорока восьми лет. — Чем скорее Франц-Фердинанд уедет в Вену, тем лучше.

Когда «даймлер» Василовича подъехал к ратуше, Франц-Фердинанд уже стоял на ступеньках, произнося заранее заготовленную речь, в которой благодарил город за теплый прием.

— Мне особенно приятно слышать заверения в вашей непоколебимой преданности, — обратился он к мэру, стоящему рядом с ним, — и любви к его величеству, нашему милостивейшему императору и королю...

Когда Наталья увидела рядом с ним улыбающуюся герцогиню, она почувствовала к ней необычайную симпатию. Ей не приходилось видеть женщину, которая держалась бы так достойно, только что пережив покушение террориста, чья бомба могла разорвать ее на куски. Герцогиня в белом кружевном платье и в большой белой шляпе была очень женственной и величественной, как всегда, и только легкая бледность выдавала ее потрясение.

— ...Я сердечно благодарю вас, господин мэр, за громкие овации, которыми население приветствовало меня и мою жену. В них я вижу выражение удовлетворения тем, что попытка покушения потерпела неудачу.

Несмотря на то что эрцгерцог принадлежал к семейству Габсбургов, Наталья им восхищалась. В своей голубой, плотно застегнутой фельдмаршальской форме, с зелеными павлиньими перьями на тирольской шляпе он выглядел великолепно.

Франц-Фердинанд закончил свою речь, и маленькая девочка, приблизившись к герцогине, протянула ей розы. Герцогиня немного наклонилась, чтобы принять букет, и Наталья с ужасом увидела на ее шее свежую царапину.

Неужели это след от осколка бомбы? Значит, София была близка к смерти?

— Герцогиня сейчас пойдет наверх, чтобы принять делегацию городских женщин-мусульманок, — прошептала Зита. — Нам же надлежит оставаться в вестибюле ратуши. Может быть, нас даже угостят чаем. Никогда в жизни я не хотела так пить.

Когда герцогиню проводили наверх, эрцгерцог и его окружение, включая Алексия, исчезли в одной из нижних комнат.

— Я все думаю, как себя чувствует подполковник Мериззи? — спросила встревоженная Катерина, когда принесли стулья и напитки. — И всем ли раненым оказана надлежащая помощь?

На эти вопросы невозможно было ответить. Зита молчала, сознавая, как усложнится политическая ситуация, если покушавшийся на эрцгерцога действительно окажется сербом. Наталья также хранила молчание, стараясь не думать о случившемся. Мысль о том, что покушение явилось проявлением славянского национализма, вселяла в нее безотчетный ужас. Была ли та страшная сцена, свидетельницей которой она стала, отвратительной реальностью, стоявшей за ее встречами с друзьями Гаврило в «Золотом осетре»? А если так, значит, Гаврило, Неджелко и Трифко причастны к покушению? А она сама?

— Это не мог быть серб, — прошептала она. — Должно быть, это какой-то сумасшедший. Наверняка сумасшедший.

— Звонили из госпиталя, — сказал отец час спустя, присоединившись к ним. — Рана у Мериззи несерьезная. Эрцгерцог намеревается его навестить в госпитале перед поездкой в музей.

— Боже милостивый! — Зита испуганно посмотрела на мужа. — Он все-таки решил не менять программу пребывания?

Алексий устало кивнул:

— Да. Единственным изменением будет маршрут. Вместо того чтобы двигаться по узким улочкам старого города, мы поедем по центральному проспекту.

Зита глубоко вздохнула. В это время на лестнице появилась герцогиня и начала спускаться вниз, а эрцгерцог, закончив совещание, тоже вышел из комнаты со своим окружением, так что Зита не успела выразить свои мрачные сомнения. Поджав губы, она ждала, когда эрцгерцог и герцогиня со своей свитой выйдут из ратуши, а затем последовала за Алексием к ожидающему их «даймлеру».

Автомобили, за исключением поврежденного, отъехали от ратуши в том же порядке, в каком прибыли: автомобиль мэра возглавлял процессию, а «даймлер» Василовича замыкал ее.

Невероятно, но улицы были все еще полны народу и, когда появилась процессия, раздались бурные аплодисменты.

— Мне сообщили, что террорист пытался прыгнуть в реку, прежде чем его схватили, — мрачно сказал Алексий, когда они подъехали к месту, где была брошена бомба. — Для него было бы лучше покончить с собой.

Автомобиль мэра выехал на самую оживленную улицу Франца-Иосифа, где располагались многочисленные магазины.

Автомобиль эрцгерцога тоже начал сворачивать и притормозил.

В тот момент, когда машина эрцгерцога почти не двигалась, а следующие за ней автомобили замедлили ход, чтобы дать ей возможность развернуться, прозвучали выстрелы.

Эта минута навсегда осталась в памяти всех присутствующих.

Когда Алексий и приближенные выскочили из своих автомобилей, генерал Потиорек крикнул шоферу эрцгерцога, чтобы тот скорее гнал машину к резиденции губернатора.

Среди криков и возни людей, пытающихся задержать террориста, Катерина неподвижно застыла на заднем сиденье «даймлера», ошеломленно наблюдая, как герцогиня припала головой к мужу и ее роскошная белая шляпа скатилась на пыльную мостовую.

— Этот ублюдок от нас не уйдет! — услышала Наталья чей-то крик.

— У него пистолет!

Слышались и другие крики, в то время как яростная борьба продолжалась.

Террорист, в безупречной одежде, неуместной при данных обстоятельствах, сопротивлялся как дьявол. С того места, где сидела Наталья, можно было видеть его темный костюм, белую рубашку с круглым стоячим воротничком и высокие ботинки. Она также заметила пистолет в его руке. Он приложил его к своему виску, но какой-то человек бросился к убийце и вцепился в его руку. Еще кто-то схватил его за ворот. Террорист попытался вывернуться, но снова был схвачен. Двое из приближенных эрцгерцога обнажили свои сабли. Десятки рук пытались дотянуться до негодяя. Наталья увидела, как какой-то человек, по виду чиновник, устремился к месту действия и бросился в общую свалку. Он попытался схватить сопротивлявшегося, но получил удар кулаком и упал на колени. Террорист попытался приставить к его голове пистолет.

Но это была его последняя попытка. Слишком много рук вцепилось в него, чтобы он мог продолжать сопротивление. Убийцу обезоружили и повели куда-то, хотя тот продолжал брыкаться и вырываться.

Наталья оставалась неподвижной, не слыша, что ей говорили мать и Катерина. Она видела все происшедшее словно в кошмарном сне, но очень отчетливо. Она видела вооруженного человека, выступившего из толпы на тротуаре, когда автомобиль эрцгерцога разворачивался. Она видела, как этот человек прицелился и спустил курок, затем еще и еще раз, а потом отвернулся, словно не мог вынести того, что натворил. Но прежде чем он отвернулся, Наталья успела увидеть лицо стрелявшего и узнала его. Она не могла ошибиться. Это было хорошо знакомое ей лицо. Она видела его совсем недавно. Это было лицо ее друга Гаврило Принципа.

Глава 6

— Немедленно отвезите мою жену и дочерей назад в Илидцу, — приказал Алексий шоферу. Его лицо было напряжено, кожа стала пергаментной. Он повернулся к Зите: — Я еду в резиденцию губернатора. Мне надо узнать, серьезно ли ранен эрцгерцог.

— И герцогиня, — добавила Катерина с мертвенным лицом. — Я видела, как она упала прямо на эрцгерцога, а ее шляпа скатилась на землю.

— Черт побери! — Впервые в жизни Алексий богохульствовал в присутствии жены и дочерей, но никто из них не обратил на это внимания.

— Не приведи Господи, чтобы покушавшийся оказался сербом, — сказала Зита.

Алексий уже ее не слышал. Он быстро шел к ближайшему свободному автомобилю.

Ни Зита, ни Катерина не подозревали о почти обморочном состоянии Натальи, когда автомобиль мчал их из Сараево в Илидцу. Они испытали глубокое потрясение и потому не находили ничего необычного в ее поведении.

Наталья чувствовала себя так, что, казалось, она вот-вот умрет. Ее спокойный, благополучный и упорядоченный мир перевернулся и опрокинулся в бездну. Никогда больше она не будет наивно верить, что славянский национализм олицетворяет возвышенные, благородные чувства и что никто не пострадает, никто не будет убит его приверженцами. Теперь она увидела обратную сторону их деятельности и поняла, какой глупой и по-детски легковерной была.

Наталья себе представила, что теперь будет с Гаврило, и тотчас выбросила мысль об этом из головы. Она не хотела думать о последствиях происшедшего, боясь потерять контроль над собой и сойти с ума.

Девушка неподвижно сидела, глядя невидящими глазами на лесистые склоны холмов, которые находила такими чудесными всего несколько часов назад. Может быть, Гаврило промахнулся, стреляя в эрцгерцога; может, выстрелы были холостыми и Гаврило намеревался только его попугать, а не убивать; может, как и после взрыва бомбы, все обстоит не так плохо, как могло показаться.

— Подайте чаю, — сказала Зита, как только они вошли в отель, — и сливовицы. — Она посмотрела на измученные бледные лица своих дочерей. — Три рюмки, — добавила Зита, решив, что это хоть немного поможет ее девочкам.

— Я хочу лечь, — сказала Наталья, впервые после длительного молчания заговорив. Ей очень хотелось побыть одной. Надо было как-то пережить эти томительные часы, пока не позвонит отец или не вернется с вестью о состоянии эрцгерцога и герцогини. Надо заставить себя не думать о происшедшем и успокоиться.

Она с облегчением услышала, как Катерина сказала:

— Я посижу с мамой. Надо, чтобы кто-то был с ней рядом, если позвонит папа.

Наталья поднялась в их спальню и закрыла за собой дверь.

— Все будет хорошо, — пробормотала она, садясь на край кровати и с такой силой сжав кулаки, что побелели суставы. — Эрцгерцог не пострадал. Сегодня он вернется в Вену, а мы уедем в Белград. На самом деле ничего не случилось. Просто я очень испугалась. Все будет хорошо!

Уже прошло время обеда, но телефонного звонка от Алексия все не было. Зита, сидя в гостиной своего номера, то и дело поглядывала на французские позолоченные часы и беспокойно крутила кольца на своих тонких пальцах. Было около одиннадцати утра, когда террорист открыл огонь, а сейчас почти два часа дня.

В начале третьего Наталья услышала звук приближающегося автомобиля. Она вскочила, подбежала к окну и увидела, как машина, проехав по обсаженной деревьями дорожке, остановилась перед отелем. Задняя дверца резко открылась, и появился отец с напряженным выражением лица и со сгорбленными плечами. Наталья не стала дожидаться, когда он войдет в отель, и поспешила к матери и Катерине.

— Он скончался! — Алексий вошел к ним с этими словами. — Он мертв и герцогиня тоже!

— Нет! Это невозможно! — Зита, вставая, споткнулась. — Вероятно, это ошибка, Алексий! Они не могли оба умереть!

Алексий на мгновение прикрыл глаза рукой, стараясь взять себя в руки.

— Они умерли друг за другом с интервалом в несколько минут, — сказал он, как только обрел способность снова говорить. — Не было никакой надежды их спасти. Ни малейшего шанса.

Алексий нетвердой походкой подошел к буфету и налил себе стакан воды. По возвращении в Белград ему будет необходимо сделать подробный и точный доклад о случившемся королю, премьер-министру и членам правительства.

— Франц-Фердинанд был ранен в шею, — сказал он, сожалея, что при его рассказе присутствуют дочери. — Несколько секунд эрцгерцог продолжал сидеть, и генерал Потиорек сначала подумал, что тот не получил серьезного ранения, а затем увидел кровь, сочащуюся из его рта, и несколько минут спустя эрцгерцог потерял сознание.

— И больше не приходил в себя? — Зита широко раскрыла глаза от ужаса.

Алексий покачал головой:

— Нет. Потиорек говорит, что, когда герцогиня припала к мужу, тот сказал: «София, дорогая! Не умирай! Ты должна жить ради наших детей», а затем, когда граф Гаррак попытался его поддержать и спросил, испытывает ли он боль, эрцгерцог произнес слабым голосом: «Ничего. Ничего».

Все молчали. Никто не мог говорить. Наконец Зита спросила:

— А герцогиня? Что с ней?

Алексий побелел. Пересказывать подробности смерти эрцгерцога было достаточно тяжело, но говорить о том, как умерла герцогиня, — еще более тяжкое испытание. Стараясь по возможности сохранить самообладание, он сказал:

— Должно быть, она повернулась к эрцгерцогу, пытаясь защитить его, и пуля, пробив дверцу автомобиля и обшивку сиденья, угодила ей в крестец. Она умерла от потери крови. Врачи не сказали, но вероятно, она умерла еще до того, как ее привезли в мэрию.

Зита опустилась на ближайший стул.

— Несчастные дети, — прошептала она. — Кто им расскажет? Кто сообщит эту ужасную новость?

— Их наставнику послана телеграмма.

Алексий напрягся, и Зита, увидев выражение его лица, со страхом спросила:

— В чем дело? Почему ты молчишь? Есть еще убитые?..

— Убийца — серб. Боснийский серб, как и тот, что бросил бомбу. Я уже телеграфировал об этом в Белград. Одному Богу известно, что будет, когда случившееся станет общеизвестно. Ни один серб в Сараево не избежит возмездия австрийцев, в том числе и мы.

— Но ведь мы должны уехать в Белград сегодня, как и собирались?

— Мы уезжаем немедленно. Чем скорее я доложу правительству о Гаврило Принципе, тем лучше.

— Принцип? — Катерина ухватилась за спинку стула, чтобы удержаться на ногах. — Ты сказал, что имя убийцы Принцип?

Алексий кивнул, его ноздри сжались и побелели.

— Полиция сразу установила его имя, но больше ничего. Стрелявшего зовут Гаврило Принцип, а того, кто неудачно бросил бомбу, — Неджелко Кабринович...

Раздался мучительный крик, и все повернулись к Наталье, которая без сознания медленно сползала на пол.

— Воды! Быстро! — крикнула Зита, бросившись к дочери. Алексий поспешно наполнил стакан, забрызгав полированную поверхность буфета. Катерина оставалась на месте, продолжая держаться за стул. Ее мысли путались.

— Она приходит в себя, — облегченно всхлипнула Зита, когда веки Натальи затрепетали и она открыла глаза. Алексий опустился перед ней на колено, просунул руку ей под плечи и поднял, прижав к себе.

— Выпей воды, дорогая, — взволнованно настаивала Зита, когда Алексий поднес стакан к губам дочери. — Тебе сразу станет лучше.

Наталья послушалась мать.

— Положи ее на диван, Алексий. — Зита начала понемногу успокаиваться. — Через несколько минут все будет в порядке. Она потрясена этими ужасными подробностями...

— Нет, — неожиданно сказала Катерина, и родители удивленно посмотрели на нее.

— Нет, — повторила Катерина, в то время как Наталья смотрела на нее широко раскрытыми глазами, умоляя не говорить больше ни слова. — Ее потрясли не только подробности смерти эрцгерцога и герцогини. Есть еще кое-что. — Катерина не сводила глаз с Натальи. — Ты сама должна рассказать об этом папе, — сказала она, зная, что у сестры нет выбора. Даже если Наталья не будет с ней потом разговаривать, она заставит ее признаться в дружбе с Принципом. — Ты обязана рассказать папе, — повторила Катерина. — Он должен знать.

Алексий пересек комнату с Натальей на руках и положил дочь на диван.

— Что именно я должен знать? — отрывисто спросил он. — Если вы собираетесь понапрасну тратить драгоценное время на пустяки, мне это очень не нравится. Сейчас для меня главное — как можно скорее составить доклад королю и премьер-министру...

— Это не пустяки, папа. — Катерина продолжала смотреть на Наталью, которая взглядом молила ее простить и поддержать. — Наталья знакома с молодым человеком по имени Гаврило Принцип. Он боснийский серб и...

Алексий посмотрел на охваченную ужасом Наталью, и кровь отхлынула от его лица.

— Боже правый! — прошептал он. Казалось, Алексий внезапно состарился. — Боже правый!

— Как? — энергично вмешалась Зита. — Как Наталья могла знать этого негодяя?

Наступила тишина. Катерина не спускала глаз с сестры. Наконец, поняв, в какое ужасное положение она поставила отца, Наталья сказала дрожащим голосом:

— Он учился в Белграде, мама. Я встретилась с ним в Консерватории и...

— Ты видела, как он стрелял в эрцгерцога, — резко прервал ее отец. — Ты его узнала?

Она кивнула.

— Да, я...

— Ни слова больше! — Алексий с ужасом осознал, какие последствия возможны для его жены и дочерей, но тут же снова взял себя в руки. — Ни слова больше, пока есть хоть малейшая вероятность того, что нас могут подслушать. Я уже распорядился, чтобы наш багаж погрузили в автомобиль. Никаких разговоров на эту тему, пока мы не окажемся в безопасности в Сербии. Понятно?

Они покинули отель фактически незамеченными. Поезд Василовичей, готовый отправиться уже час назад, стоял под парами на вокзале Илидцы со спущенными шторками на окнах.

До тех пор пока они не пересекли границу и не оказались в Сербии, Алексий не касался волнующей всех темы. И вот теперь, сидя в салон-вагоне, он обратился к Наталье.

— Расскажи все, что ты знаешь о Гаврило Принципе, и все до мельчайших подробностей о твоем знакомстве с ним.

Наталья сложила руки на коленях.

— Я познакомилась с Гаврило и Неджелко в Консерватории, — начала она с несчастным видом.

— С Неджелко? — Алексий думал, что уже пережил все потрясения, однако оказалось, что это еще не конец ожидавших его ударов. — С Неджелко Кабриновичем?

Наталья кивнула, и Зита, застонав, прикрыла лицо руками.

— Они мне понравились, — продолжила Наталья с искренним простодушием. — Они с таким воодушевлением говорили о борьбе за объединение южных славян и...

— Они обыкновенные террористы! — воскликнул Алексий. — Подрывные элементы! Подонки!

Лицо Натальи сделалось непроницаемым. Несмотря на случившееся, она не считала своих друзей подонками. Она напряглась, подыскивая подходящие слова, чтобы правильнее их описать.

— Гаврило и Неджелко идеалисты, папа. Они образованные люди. — Затем она вспомнила, что Неджелко не был студентом, а работал в типографии. — По крайней мере Гаврило и Трифко студенты и...

— Трифко?

У Натальи внутри все сжалось. Неужели она сказала больше, чем следует? Поможет ли разговор с отцом ее друзьям или им будет от этого еще хуже? Но после кровавого преступления, которое они совершили, надо ли им помогать? Она не знала. У нее ужасно разболелась голова, и она чувствовала себя совсем разбитой.

— Гаврило и Трифко дружат с самого детства. Они одного возраста и...

— И оба боснийцы? Граждане Австро-Венгрии?

Наталья вспомнила, как ее друзья всегда говорили о себе, и сказала с прежней пылкостью:

— Формально они граждане Австро-Венгрии, но они славяне и преданы делу объединения всех южных славян в единое государство.

Зная теперь, откуда у Натальи такая страсть к объединению славян, Алексий мрачно спросил:

— Вы встречались только в Консерватории или, может быть, где-то еще?

— В «Золотом осетре», — неохотно призналась Наталья. — Это кофейня в старой части города. — Она наклонилась вперед. — Они никогда не говорили ни о каком убийстве, папа! Я уверена, Гаврило не знал, что его пистолет заряжен. Он по натуре очень мягкий. Спокойный, с приятными манерами и, несмотря на то что у него самого мало денег, он всегда давал друзьям взаймы...

— Не смей его хвалить! — Лицо Алексия от ярости до неузнаваемости исказилось. — Он убийца, чьи действия, вполне вероятно, поставили нашу страну на грань войны!

Наталья съежилась, напуганная гневом отца.

— Я не знала, что он замышлял. Я даже не знала, что он в Боснии...

Последовала длительная, гнетущая пауза, затем Алексий спросил голосом, пугающим своей отрешенностью:

— Ты знала, что он уехал из Сербии в Боснию? Ты знала о его планах?

Наталья так крепко сжала руки, что ногти впились в кожу.

— Он сказал, что это связано с какой-то подготовкой...

Жена еще никогда не слышала, чтобы Алексий говорил подобным тоном.

Наконец он снова взял себя в руки.

— Слава Богу, — сказал он. — Слава Богу, что ты не знала о его пребывании в Сараево.

Наталья вспомнила Восточный базар, австрийского офицера, пробирающегося к ней сквозь толпу, выражение облегчения, а затем досады в его глазах; вспомнила, как Гаврило держал ее за руку и взволнованно говорил с ней.

— Я виделась с ним, папа, — произнесла она побелевшими губами. — Я случайно встретила его на Восточном базаре. Один из офицеров эрцгерцога пошел меня искать, чтобы помочь выбраться из толпы, и увидел, как я разговаривала с Гаврило.

Алексий утратил дар речи. Положение гораздо хуже, чем он предполагал. Как только офицер узнает Принципа и вспомнит, что тот разговаривал на базаре с Натальей, австрийское правительство выдаст ордер на ее арест. Он понял, чем это грозит не только Наталье, но и Сербии, и ему стало плохо.

По материнской линии Наталья из семьи Карагеоргиевичей. Австрийцы могут сделать вывод, что заговор с целью убийства наследника габсбургского трона был задуман в Сербии, причем в самых высших кругах. У них появится предлог для нападения на Сербию, а Сербия, которую вся Европа будет рассматривать как злостного нарушителя мира, лишится поддержки. Даже Россия не станет ей помогать, поверив, что правящий дом потворствовал убийству эрцгерцога и герцогини.

Алексий, подняв шторку на окне, смотрел на горы и долины, на деревушку с церковными куполами, на отдаленные фигурки людей, работающих в поле, и на ярко одетых женщин, стирающих белье на берегу реки. Это была сцена мирной крестьянской жизни, такую можно увидеть в любом уголке Сербии, но через несколько дней опустошительная война может положить конец этому безмятежному существованию. И все из-за того, что его простодушная, взбалмошная дочь свела знакомство с двумя фанатиками-националистами и виделась с одним из них в канун преступления.

— Что же нам делать? — спросила Зита, полностью полагаясь на мужа, уверенная, что тот не допустит ареста Натальи.

Алексий оторвал свой взгляд от окна. Он размышлял и отбрасывал один вариант за другим, придя наконец к единственному решению. Ему не хотелось его высказывать, но в конце концов он с большой неохотой заговорил:

— Наталья должна покинуть Сербию, пока Принцип не рассказал на допросе о своем знакомстве с ней. А ты, Зита, будешь ее сопровождать...

— Покинуть Сербию? — Наталья была потрясена, она не могла поверить в то, что сказал отец.

— ...и вы немедленно отправитесь в Швейцарию, — продолжил Алексий, не обращая внимания на взволнованную дочь. — Вы сядете на ночной поезд до Будапешта, затем на Восточный экспресс до Мюнхена, а потом...

— Покинуть Сербию? — Наталья смотрела на отца так, словно тот потерял рассудок. — Я не могу уехать из Сербии, папа! Я никогда ее не покину!

До сих пор Алексий говорил, обращаясь непосредственно к жене. Теперь же он все внимание сосредоточил на Наталье.

— У тебя нет выбора, — мрачно сказал он. — Тебя видел с Принципом австрийский офицер. Австрийцы сделают вывод, что ты знала, зачем Принцип прибыл в Сараево, и выдвинут против тебя обвинение в сообщничестве, а по боснийским законам сообщник считается виновным в совершении преступления.

— Ты хочешь сказать, что Наталью могут обвинить в убийстве эрцгерцога и герцогини? — спросила Катерина с явным сомнением. — Но это невозможно, папа! Этого не может быть!

— Очень даже может, — сказал Алексий. Сейчас он выглядел лет на десять старше, чем утром этого злополучного дня.

— Дядя Петр не допустит этого! — Глаза Натальи чернели точками на белом как мел лице. — Он никогда не согласится на то, чтобы я предстала перед австрийским судом!

Пейзаж за окном вагона изменился. Теперь уже не было видно лесистых холмов и бурных горных речек. Вместо них появились крытые оранжевой черепицей дома с террасами и грязные улицы.

— Петр вполне может это сделать, — сказала Зита с черными кругами под глазами. — Если австрийцы сочтут, что заговор с целью убийства эрцгерцога замышлялся в Сербии, они могут объявить нам войну. Ради ее предотвращения Петр сделает все от него зависящее, чтобы убедить австрийцев, что ни он, ни его правительство ничего не знали о заговоре, и для пущей убедительности позволит арестовать подозреваемых.

— Даже если среди подозреваемых член его семьи? — спросила Катерина, едва веря своим ушам.

— Особенно, если это член его семьи, — сказал Алексий. — Для него защита кого-то из Карагеоргиевичей будет равносильна признанию, что убийство готовилось при поддержке королевского дома. В этом случае война неизбежна. Петр никогда на это не пойдет. Даже ради Натальи.

— На какое время я должна буду уехать? — спросила Наталья, с трудом выговаривая слова.

— Если тот офицер не признает в Принципе молодого человека, с которым ты разговаривала на базаре, если не найдется других свидетелей общения Принципа с молодой женщиной из свиты эрцгерцога и если Принцип на допросе ничего о тебе не расскажет, тогда, возможно, всего на несколько месяцев.

Их поезд прибыл на белградский вокзал.

— А в противном случае?

— Тогда, возможно, на несколько лет. — Его голос так изменился от боли, что стал почти неузнаваемым. — Или навсегда.

Вечером Катерина постучалась в кабинет отца и, когда он открыл дверь, сказала с несчастным видом:

— Мне надо с тобой поговорить, папа. Ты должен знать еще кое-что.

Алексий молча пропустил ее в комнату и закрыл дверь.

— О Наталье? — отрывисто спросил он.

Она кивнула.

— Кузен Макс тоже знает Гаврило Принципа. Он видел Наталью с ним в «Золотом осетре» и рассказал об этом Вице. А Вица передала мне.

— Боже милостивый! Значит, Вица тоже знает Гаврило!

— Нет. Ей известно только его имя, потому что Макс назвал ей его.

Алексий похолодел. Что, если Вица разболтала о дружбе Натальи с Принципом? Если она рассказала об этом своей бабушке? А то, что известно Евдохии, скоро станет известно всем.

— Больше никому об этом не рассказывай, — сказал Алексий, подходя к двери. — Я хочу сейчас же поговорить с Максом и Вицей.

Дверь продолжала качаться на петлях, когда отец вышел, и Наталья услышала, как он крикнул, чтобы подали коляску. Ослабев, она присела на ближайший стул, надеясь, что ни Макс, ни Вица пока не знают, что это Принцип стрелял в эрцгерцога и герцогиню, а когда им станет об этом известно, они ни словом не обмолвятся о дружбе с ним Натальи.

— Вас отзывают, — сказал советник Британской миссии Джулиану. — Мне очень хотелось бы быть на вашем месте. Австрийцы не простят убийства Франца-Фердинанда. Одному Богу известно, какие возможны последствия. Уже поступают донесения о том, что в Сараево начались антисербские демонстрации. Националистам следует над этим поразмыслить.

Джулиан уже не думал об этих чертовых националистах. Он был поглощен новостью о своем отзыве и о том, что вскоре он будет вынужден покинуть Белград.

— Когда я должен ехать? И почему меня отзывают?

— Что? Ехать? Ах да. — Советник оторвался от своих мыслей о тревожных донесениях, приходящих из Сараево, и сказал:

— В конце недели. Нет смысла тянуть время. А о причинах можете не беспокоиться. Вы блестяще выполняли здесь свою работу. Лондон об этом знает и, вероятно, именно это явилось причиной вашего досрочного отзыва. Не сомневаюсь, что вы сразу получите более желанное назначение. Например, в Париж или в Петербург.

Полгода назад, до того как он влюбился в Наталью, Джулиан был бы безумно рад своему назначению в другую страну. Но сейчас он сказал:

— Если есть возможность изменить принятое решение, я был бы чрезвычайно вам благодарен, сэр. В настоящий момент мне очень хотелось бы остаться в Белграде и...

— Решение Лондона окончательное. — Советник встал, давая понять, что разговор закончен. — Если бы даже была такая возможность, нет смысла здесь оставаться. Балканы — пороховая бочка Европы, и это дурацкое убийство может стать искрой, которая ее подпалит. Если такое случится и в Европе снова разразится война, все члены дипломатической миссии со всех ног бросятся вслед за вами в Лондон. Вам повезло, что вы по крайней мере поедете в поезде со всеми удобствами.

***

Джулиан не пошел в свой кабинет, а сразу направился в Калемегданские сады. Если он уедет из Белграда, до конца не объяснившись с Натальей, то, возможно, больше никогда ее не увидит. Это немыслимо. Он брел, ничего не видя вокруг. У него оставалось всего несколько дней, чтобы снова сделать ей предложение. А если она опять ему откажет?

Джулиан остановился на углу, где начинался крутой спуск к Саве, впадающей в Дунай. Если Наталья ему и откажет, то только потому, что второе предложение последовало слишком быстро после первого. Ей требуется время, чтобы свыкнуться с мыслью: в ее возрасте она вполне может влюбиться и выйти замуж. Ей надо осознать, что она уже достаточно взрослая. Если бы он оставался в Белграде, то мог бы выбрать более подходящее время, чтобы еще раз сделать ей предложение и получить согласие. Однако он должен покинуть Сербию.

Джулиан смотрел на берег, заросший тамарисками, подступающими к самой воде, на быстрое течение Савы и на величественные сверкающие воды Дуная. Ему необходимо встретиться с Натальей. Но прежде надо получить разрешение Алексия Василовича.

С этими мыслями он оторвался от созерцания чудесного пейзажа и решительно зашагал через сад к улице Князя Милана и к дому Василовичей.

— Извините, господин, — взволнованно сказал ему лакей. — Мадам Василович и мадемуазель Наталья завтра уезжают в Швейцарию и никого не принимают.

Второй раз за этот день Джулиан почувствовал себя так, будто его ударили обухом по голове.

— В Швейцарию?

Ошеломленный, он подумал в какой-то момент, что после убийства эрцгерцога Алексий Василович, опасаясь возмездия австрийцев, решил как можно скорее отправить свою семью в безопасное место. Затем он отбросил эту нелепую мысль. В таком случае Катерина тоже должна была бы отправиться в Швейцарию и, кроме того, Алексий не из тех, кто легко поддается панике.

— Извините, господин, — повторил лакей, оправдываясь.

В круглом вестибюле с мраморным полом Джулиан увидел чемоданы с приклеенными ярлыками, на которых отчетливо виднелись надписи: «Женева». Затем, когда лакей уже хотел закрыть дверь, послышались нервные всхлипывания.

Джулиан больше не колебался. Разумеется, это противоречило этикету и правилам хорошего тона, но он быстро шагнул мимо протестующего лакея, не сомневаясь: в доме происходит что-то неладное и надо узнать, в чем дело.

В тот момент, когда лакей позвал на подмогу, чтобы выдворить Джулиана, в холл вбежала Катерина.

— Лаза... какого черта... — Она резко остановилась, ее щеки пылали.

— Лакей не виноват в том, что я вошел, — сказал Джулиан, быстро подходя к ней. — Он сказал, что сейчас никого не принимают.

Сверху из спальни продолжали доноситься разрывающие сердце всхлипывания.

— Что происходит? — спросил Джулиан. — Почему ваш отец никого не принимает? Почему ваша мать и Наталья так поспешно уезжают в Швейцарию? Это Наталья плачет?

— Я не могу ответить на ваши вопросы. — Голос Катерины слегка дрожал, и Джулиан понял, что она тоже вот-вот расплачется.

— Тогда я хочу поговорить с вашим отцом, — сказал он и, повернувшись, решительно направился к кабинету Василовича.

— Нет! Пожалуйста, не надо! — Катерина бросилась за ним и схватила его за руку. — Папа очень расстроен и...

Джулиан остановился и посмотрел ей в глаза.

— Чем же он расстроен? — спросил он. — Убийством в Сараево?

— Да... Нет...

Она была в таком подавленном состоянии, что, казалось, сейчас упадет в обморок.

— Катерина, ради Бога... — Он обнял ее за плечи, стараясь утешить, как родственницу или близкого друга.

— Что случилось? Пожалуйста, скажите. Это касается Натальи?

Катерина испытывала соблазн прижаться к его широкому плечу и все рассказать. Если бы они были обручены, разве стала бы она что-то от него скрывать? Однако, может, они действительно близки к обручению? Иначе зачем ему так о ней беспокоиться и с такой нежностью ее утешать?

— Я не могу, — прошептала она, хотя всем сердцем желала рассказать о случившемся.

Все это время издалека слышался плач.

— Это ведь плачет Наталья, не так ли? — повторил он дрогнувшим голосом.

Катерина кивнула, и Джулиан осторожно убрал свою руку.

— Я должен поговорить с вашим отцом, — сказал он и, прежде чем она успела возразить, повернулся и быстро пошел по коридору к кабинету Алексия.

Подойдя к двери, Джулиан немного поколебался, а затем, прислушиваясь к рыданиям Натальи, громко постучал.

— Какого черта... — услышал он глухой голос Алексия, и дверь резко распахнулась.

— Извините, сэр, — быстро произнес Джулиан, прежде чем Алексий успел дать выход своему гневу. — Мне крайне необходимо поговорить с вами, и разговор не терпит отлагательства.

Алексий в нерешительности молчал, а Джулиан продолжил:

— Речь пойдет о Натальи, сэр.

Алексий больше не колебался. Он был уверен, что англичане, должно быть, получили информацию о связи Натальи с Принципом, и поэтому советник отправил к нему Джулиана.

— Входите, — отрывисто сказал он. — Что вы хотите мне сказать?

Джулиан отер пот со лба. Он привык к щекотливым ситуациям, но в подобном положении еще никогда не бывал. Решив, что лучше всего действовать напрямик, он сделал глубокий вдох и сказал:

— Я хочу жениться на Наталье, сэр.

Алексий уставился на него, раскрыв рот. Он полагал услышать, что англичанам известно о встрече Натальи с Принципом в Сараево и, очевидно, благодаря их великолепно работающей секретной службе они знают даже о ее встречах с ним в «Золотом осетре».

— Жениться? — недоверчиво переспросил он, когда наконец обрел дар речи. — Жениться на Наталье? Может быть, вы имеете в виду Катерину?

Джулиан покачал головой, ничуть не удивившись предположению Алексия. Прежде всего потому, что Катерина была более зрелой и готовой к замужеству, а Наталья в свои семнадцать лет оставалась еще совсем девочкой.

— Нет, сэр, — твердо сказал он. — Я хочу жениться на Наталье.

— И вы пришли просить у меня ее руки? — Алексий пытался собраться с мыслями. — Но она слишком молода...

— Я знаю, сэр. Я хочу всего лишь попросить разрешения писать ей письма...

— Откуда, черт побери, вам известно, что она уезжает? — спросил Алексий, встревожившись. Если об этом знают британские дипломаты, значит, могут знать и австрийские. — Мы только вчера прибыли из Боснии!

— Я ничего такого не знал, сэр. Утром мне сообщили, что меня отзывают в Лондон, и первой моей мыслью было сделать Наталье предложение еще раз...

— Еще раз?

— ...и если она снова мне откажет, попросить у вас разрешения ей писать, пока она не повзрослеет и не примет мое предложение.

— Еще раз? — Алексий думал, что нет ничего, способного взволновать его сильнее, чем страх перед австрийцами, которые могут потребовать ареста Натальи, прежде чем она окажется в безопасности в Восточном экспрессе. Но он ошибался. — Еще раз? — тупо повторил он. — Значит, вы уже делали предложение моей несовершеннолетней дочери без моего ведома?

Джулиан густо покраснел.

— Да, сэр. Извините. Если бы я только мог получить ваше разрешение сейчас...

Алексий решил в гневе высказать Джулиану Филдингу все, что он думает по поводу его дерзости. Затем он вспомнил, в каком положении находится. Он вспомнил, что Зита лежит в темной комнате, убитая горем от предстоящей разлуки с ним. Вспомнил, что они вынуждены будут долгие месяцы, а может быть, и годы, жить вдали друг от друга.

— Вы уезжаете в Лондон на этой неделе? — отрывисто спросил он.

— Да, сэр.

— Вы любите Наталью и хотите на ней жениться?

— Да, сэр. — Смущение Джулиана постепенно сменялось изумлением.

— Вы из хорошей семьи? Вас ждет блестящая карьера? У вас приличный доход?

— Да, сэр, — ответил Джулиан, размышляя, что произошло и почему Алексий так круто сменил тему разговора.

Кончики усов Алексия подрагивали.

— Подождите здесь, — властно сказал он, направляясь к двери. — Я должен поговорить с женой.

Дверь захлопнулась, а Джулиан продолжал смотреть ему вслед, еще более удивленный, чем прежде. Зачем Алексию понадобилось советоваться с Зитой? Что происходит? Решив, что ему придется ждать достаточно долго, Джулиан сел. Он так и не спросил, почему Зита и Наталья внезапно уезжают в Швейцарию. Ему было непонятно, почему плачет Наталья.

Джулиан принялся рассматривать висевшие на стенах охотничьи трофеи и акварели, на которых были изображены различные пейзажи.

Дверь открылась, и в комнату вошла Зита, за ней следовал Алексий.

— Нам надо поговорить, — сказал Алексий. — Строго конфиденциально.

Зита села, сложив руки на коленях. Алексий продолжал стоять, не сводя с Джулиана напряженного взгляда.

— Так, значит, вы хотите жениться на моей дочери? — спросил он напрямик.

— Да, — без колебаний ответил Джулиан, хотя был уверен, что в доме произошло что-то неладное. Он заметил, как Зита облегченно вздохнула.

Алексий подошел к своему письменному столу и сел за него.

— В таком случае я не возражаю. — На его скуле пульсировала жилка. — И хочу, чтобы вы обвенчались сегодня же вечером.

Джулиан вовсе не удивился, почему Алексий вынужден был сесть, прежде чем ответить. Ему самому тоже хотелось опуститься на стул, но его поблизости не оказалось.

— Вы должны сказать мне... — начал он, сохраняя спокойствие — качество, которое Алексий очень в нем ценил, — почему Наталья должна срочно покинуть Сербию.

Алексий кивнул. Он знал, приняв решение о браке Натальи и Джулиана, что ему придется все объяснить.

— В общем-то рассказывать особенно не о чем, — с трудом начал он. — Короче говоря, случилась беда.

Джулиан давно уже это понял. Он ждал.

— Не так давно Наталья без нашего ведома подружилась со студентами и виделась с ними в кофейне «Золотой осетр». Одного из них, Гаврило Принципа, она случайно встретила на базаре, когда мы были в Сараево. Их видел вместе австрийский офицер, который знает Наталью в лицо. — Алексий немного помолчал, затем глухо произнес: — Этот Принцип убил эрцгерцога и герцогиню.

Теперь был потрясен Джулиан.

— Вы должны мне поверить, что, хотя заговор замышлялся в Белграде, король Петр и его окружение ничего о нем не знали. Однако уверен, австрийцы так не думают. Принцип — серб, и Австрия использует это убийство в качестве предлога для нападения на Сербию и ее захвата. Чтобы предотвратить войну, король Петр согласится на любые требования, связанные с арестом подозрительных лиц внутри Сербии.

При мысли, что Наталья может предстать перед австрийским судом по обвинению в соучастии в убийстве наследника габсбургского трона, у Джулиана закружилась голова, и он подумал, что сейчас лишится рассудка.

— Теперь вы понимаете, почему я хочу, чтобы Наталья как можно скорее покинула страну. Моя жена готова ее сопровождать, но это означает — мы будем надолго разлучены. — Алексий на мгновение прикрыл глаза рукой, затем сказал с обезоруживающей откровенностью: — Я очень люблю свою жену, мистер Филдинг, и не хочу жить без нее многие месяцы, а может быть, и годы. Женившись на Наталье и взяв ее с собой в Лондон, вы избавите меня от такой участи.

Кровь так шумела в ушах Джулиана, что он едва мог слышать собственный голос:

— А что, если Наталья не захочет за меня выйти?

— Она согласится, — сказал Алексий, вставая.

Джулиан попытался собраться с мыслями, но не мог. Ему очень хотелось жениться на Наталье, но так, чтобы ее к этому не принуждали.

Зита, видя его в затруднении, тихо сказала:

— Я думаю, вполне возможно, что Наталья отказала вам только потому, что в семнадцать лет мысль о замужестве застала ее врасплох.

— Ей и сейчас еще только семнадцать, — сказал Джулиан, стараясь выиграть время, чтобы принять решение, и понимая, что, возможно, это самое важное решение в его жизни.

— Хотя по возрасту ей семнадцать, за последние сутки она очень повзрослела, — мрачно заявила Зита. — Мы все постарели.

Это действительно было так. Джулиан заметил на ее лице морщины, которых раньше не было, да и ее муж выглядел не лучше.

— Я с ней поговорю, — сказал Алексий, вставая из-за стола и снова направляясь к двери, — а потом вы ее увидите.

— Могли бы мы поговорить с ней наедине, сэр?

Алексий кивнул.

— Конечно.

Он вышел из комнаты, а Зита неловко предложила:

— Не хотите ли чаю, мистер Филдинг?

Джулиан кивнул, подавив желание попросить вместо чая большую порцию виски или сливовицы.

— Он красивый молодой человек, из превосходной семьи, с блестящим будущим, — сказал Алексий, не преувеличивая, так как был уверен, что в скором времени Джулиан Филдинг станет послом.

— Я не могу выйти за него замуж, папа! — Наталья чувствовала себя так, будто находилась в седьмом круге ада. — Я его не люблю!

— Но он ведь тебе нравится? — настаивал Алексий.

— Да, нравится...

— И ты считаешь его красивым?

— Да, но я не хочу за него выходить! Я вообще не хочу вступать в брак!

Алексий нахмурился, размышляя, как продолжить разговор. Наталья во что бы то ни стало должна покинуть Сербию, и, хорошо зная свою дочь, он был убежден, что ей будет гораздо лучше в качестве жены молодого преуспевающего дипломата в одной из столиц Европы, чем с матерью в тихой Женеве.

— Я хочу, чтобы ты внимательно меня выслушала, — сказал он, чувствуя, что Наталья близка к истерике. — Любовь не всегда приходит до замужества. Гораздо чаще она зарождается в браке. Например, я не был влюблен в твою мать, как и она в меня, когда мы поженились. Свадьбу устроили наши родители, и мы согласились, потому что доверяли им. Если ты выйдешь за Джулиана Филдинга, у тебя будет преимущество по сравнению с нами, так как он уже тебя любит. И ты должна иметь в виду, что если даже ты за него не выйдешь, тебе все равно придется покинуть Сербию, но вместо Лондона, Парижа или Петербурга ты будешь жить в Женеве со своей матерью.

Наталья хранила молчание, прижавшись лбом к оконному стеклу и глядя в сад опухшими от слез глазами.

— Когда замужняя дочь покидает дом и живет вдали от родителей, это вполне естественно, — продолжал Алексий с душераздирающей искренностью. — Но если моя жена будет жить вдали от меня, я этого не вынесу.

Наталья не могла не слышать боли в его голосе. Отец пришел к ней с просьбой сделать выбор, но теперь она поняла, что у нее нет выбора. С того самого момента, как Джулиан Филдинг явился в дом, чтобы сделать ей предложение и увезти с собой, ее будущее было предопределено.

Она повернула к отцу заплаканное лицо.

— Ради того, чтобы ты и мама были вместе, я готова выйти за него замуж, — сказала Наталья, понимая, что должна найти в себе мужество поступить достойно в сложившейся ситуации.

— Спасибо, дорогая, — сказал Алексий, обнимая и прижимая к себе дочь.

Наталья приникла к отцу, и слезы снова брызнули из ее глаз. Как бы ей хотелось, чтобы никогда не было знакомства с Гаврило и Неджелко в Консерватории, не было дальнейших встреч в «Золотом осетре», не было поездки на Восточный базар.

— Я пообещал Джулиану, что он может поговорить с тобой наедине, — сказал Алексий, совладав со своим волнением. — Думаю, итальянская гостиная будет самым подходящим местом, как ты считаешь?

С тяжелым сердцем Наталья последовала за ним вниз по парадной лестнице. Дверь в большую гостиную была приоткрыта, и она увидела Катерину, настороженно сидящую неподалеку и безуспешно делающую вид, что читает «Мадам Бовари». У них не было возможности поговорить, и все, что могла сделать Наталья, так это бросить отчаянный взгляд на сестру, проследовав за отцом в итальянскую гостиную.

— Джулиан Филдинг в моем кабинете, — сказал Алексий, остановившись у двери. — Я пойду и скажу, что ты готова его выслушать, и позабочусь о том, чтобы вас никто не беспокоил. Венчание должно состояться через несколько часов.

— Когда мы уедем? — Голос Натальи был едва слышен.

— Он сказал, что должен уехать в конце недели, хотя желательно сделать это как можно быстрее. Еще до того, как мы покинули Боснию, полиция уже устроила облаву на всех известных друзей и родственников Принципа и Кабриновича. В любую минуту может прийти требование, чтобы ты вернулась в Сараево для допроса. Я хочу попросить премьер-министра поговорить с советником Британской миссии, чтобы Джулиану разрешили уехать завтра. Я скажу ему, что у нас в Англии есть родственники и что семейные обстоятельства вынуждают тебя поспешно заключить брак и сразу же уехать в Лондон.

Наталья молчала, ей нечего было сказать.

Зная, как тяжело дочь переживает предстоящую разлуку с родиной, Алексий чувствовал, что его сердце тоже разрывается.

— Я очень сожалею, дорогая, — сказал он и с подозрительным блеском в глазах вышел из комнаты.

***

Когда через несколько минут вошел Джулиан, Наталья продолжала стоять там, где ее оставил отец. Она со страхом взглянула на англичанина, уверенная, что он начнет говорить красивые слова о своих чувствах. В этом случае она может не выдержать и сказать, что не любит его и никогда не полюбит.

Джулиан криво улыбнулся.

— Ты действительно попала в страшную беду? — сочувственно сказал он. — Что заставило тебя ходить в эти ужасные кофейни? Разве ты не знаешь, что в Британской миссии кофе намного лучше?

Наталья издала какой-то сдавленный звук, напоминающий то ли стон, то ли истеричный смех, и когда Джулиан подошел к ней, она бросилась ему навстречу.

Он крепко ее обнял.

— Боже, какая же ты глупенькая, — сказал он, едва осмеливаясь дышать, чтобы не нарушить то хрупкое взаимопонимание, которое возникло между ними.

— Я даже представить себе не могла, что кого-то хотят убить! Особенно герцогиню! — Казалось, плотина рухнула, и поток слов, полных боли, устремился наружу. — Мне очень понравилась герцогиня! Не могу поверить, что Гаврило ее убил! Хотя я видела, как он выстрелил, мне все еще не верится! Папа сказал, что я должна покинуть родину и, возможно, на долгие годы. Я этого не вынесу! Я люблю Сербию! Во мне течет кровь Карагеоргиевичей! А Катерина другая. Она не против жить в Лондоне, в Париже или в Петербурге, но мне ненавистна такая жизнь! Я там умру!

— Ну, до этого не дойдет, дорогая! — ласково сказал он с легким смешком. — Поначалу все кажется незнакомым, но куда бы мы ни поехали: в Лондон, Париж, Петербург или даже в Брюссель или Рим, жизнь везде хороша. — Он коснулся рукой ее подбородка и приподнял лицо. — Там намного веселее, чем в Женеве, — добавил он с улыбкой, которая была так хорошо знакома Наталье.

— Я не хочу в Женеву, — сказала она, вздрогнув от одной только мысли о такой перспективе. — Я жила там маленькой девочкой и каждый день плакала, потому что хотела вернуться в Сербию.

Джулиан задумчиво на нее посмотрел.

— Значит, только поэтому ты согласилась выйти за меня замуж? Тебе не хочется снова ехать в Женеву?

Она покачала головой и честно призналась:

— Нет, я сказала папе, что выйду за тебя замуж, потому что не вынесу, если он и мама будут жить в разлуке. Они очень любят друг друга, понимаешь?

Джулиан, конечно, понимал, что Наталья согласилась на брак с ним не потому, что вдруг прониклась к нему необычайной любовью и не может без него жить, но он надеялся, что она хоть немного его любит.

— Ты меня не любишь? — спросил он, заранее зная ответ.

Ее золотисто-зеленые глаза смотрели прямо и откровенно.

— Ты мне нравишься, — искренне сказала она, — и поскольку я вынуждена покинуть Сербию, то предпочитаю жить с тобой где угодно, но только не с мамой в Женеве.

Джулиан глубоко вздохнул. Это самое бо́льшее, на что он мог рассчитывать, впрочем, пока вполне достаточно и этого.

Наталья слегка отстранилась, чтобы видеть его лицо, и положила ладони ему на грудь.

Это движение пробудило в нем давно сдерживаемые чувства. Он желал ее, как ни одну другую женщину в своей жизни, и никакая другая ему не нужна.

— В любом случае с тобой мне будет лучше, чем без тебя, — пробормотал он.

Впервые за последние несколько дней улыбка тронула уголки ее губ. У Джулиана Филдинга была способность создавать атмосферу, в которой Наталья чувствовала себя спокойно и уверенно, к тому же он был чертовски красив. По крайней мере с таким мужем легче пережить муки временного изгнания.

Катерина наблюдала за хождениями между итальянской гостиной и кабинетом отца со все возрастающим недоумением. Что происходит, в конце концов? Почему отец оставил Наталью одну, а потом послал Джулиана с ней поговорить? Возможно, отец рассказал Джулиану о дружбе Натальи с Гаврило Принципом и об их злополучной встрече на Восточном базаре? Может, Джулиан решил что-то ей посоветовать, но почему в такой необычайно интимной обстановке?

Когда наконец Наталья и Джулиан вышли, держась за руки, ее недоумение возросло. Наталья была по-прежнему бледна, но спокойна, и впервые с тех пор, как ей сказали, что необходимо покинуть Сербию, она не плакала. Молодые люди направились в кабинет отца, и Катерина вскочила с кресла, чтобы их перехватить.

— Что происходит? — взволнованно спросила она.

— Джулиана отзывают в Лондон, — ответила Наталья хрипловатым от усталости голосом. — И я еду с ним. Это значит, что маме не придется оставить папу и...

— Отзывают в Лондон? — Катерина почувствовала, что земля уходит у нее из-под ног. — Этого не может быть! — с ужасом воскликнула она, глядя в глаза Джулиану. — Так внезапно! И что имела в виду Наталья, когда сказала, что едет с вами? Как она может поехать с вами? Кто будет ее сопровождать?

Джулиан улыбнулся.

— Не волнуйтесь, Катерина, — сказал он, пытаясь ее успокоить. — Наталье не потребуется сопровождение. Сегодня вечером мы с ней поженимся.

Глава 7

Катерина пошатнулась, потрясенная словами Джулиана. В это время дверь кабинета открылась, и Алексий властно сказал:

— Я предпочел бы, чтобы все разговоры происходили за закрытыми дверями, Наталья.

— Хорошо, папа, — покорно согласилась она. Ее рука по-прежнему покоилась в руке Джулиана.

— Папа... я не понимаю... — Катерина была настолько сбита с толку, что, казалось, вот-вот потеряет сознание. — Джулиан говорит: он и Наталья должны пожениться...

— За закрытыми дверями, пожалуйста, — повторил Алексий, удивляясь, почему дочери никак не могут понять необходимости соблюдать осторожность.

Он широко распахнул дверь, чтобы все вошли в комнату. Затем, когда дверь была плотно закрыта, обратился к Наталье:

— Насколько я понял, ты согласна выйти замуж за мистера Филдинга?

— Да, папа.

Алексий облегченно вздохнул. Теперь, несмотря ни на что, он справится с предстоящими трудностями. Хотя дочь его покидает, жена остается, и в этом случае ему будет гораздо легче.

— Теперь первым делом надо известить короля. Необходимо объяснить ему сложившуюся ситуацию, и тогда будет понятно, почему мистер Филдинг так поспешно оставляет свой пост. Восточный экспресс отправляется из Будапешта завтра утром. Бракосочетание должно состояться как можно скорее, чтобы вы могли успеть на поезд.

— Но, папа... пожалуйста... ведь Наталья с мамой могли бы пожить в Швейцарии всего несколько месяцев, — запротестовала Катерина, чувствуя, как кровь шумит у нее в ушах. — Мистеру Филдингу вовсе нет никакой необходимости... — она хотела сказать «жениться», но не могла, — ...уезжать так далеко, — закончила она фразу, не осмеливаясь посмотреть на Джулиана, так как чувствовала, что окончательно потеряет самообладание, если это сделает.

— Мы не знаем, как долго Наталья будет вынуждена оставаться за границей, — мрачно сказал Алексий. — Если офицер, видевший ее с Принципом, не обратил на него внимания и не признал в нем убийцу эрцгерцога, то, возможно, требование выдачи Натальи не последует. В таком случае, как только убийцы будут осуждены и дело закроют, она сможет вернуться в Белград. Если же будет выписан ордер на ее арест, тогда трудно сказать, как долго ей придется оставаться за границей. По-видимому, до тех пор, пока австрийцев не убедят снять с нее обвинения. Даже в этом случае она не сможет вернуться, пока не утихнут политические страсти. Поэтому ей гораздо лучше отправиться в Британию в качестве миссис Филдинг, нежели под своей фамилией с матерью в Швейцарию.

В какой-то момент Катерина подумала, не сошла ли она с ума или, может быть, все вокруг немного не в себе. Как мог ее отец согласиться с тем, чтобы Джулиан жертвовал собой? И как Джулиан мог на это пойти? Если даже целесообразнее, чтобы Наталья поехала с ним в Лондон, чем с матерью в Швейцарию, зачем ему обязательно на ней жениться? Можно было бы найти женщину, которая сопровождала бы Наталью, а в Лондоне у Джулиана наверняка есть среди родственников женщины, под присмотром которых она могла бы там жить?

— Папа... — нерешительно начала она, стараясь сохранить здравомыслие в этой безумной ситуации. — Папа, ты не думаешь, что возможно... — Катерина не могла продолжать. Она ужасно боялась встретиться глазами с Джулианом и старалась на него не смотреть. Он и Наталья отошли немного в сторону, так что Катерина могла видеть их краем глаза, и тут впервые она заметила, что Джулиан продолжает держать Наталью за руку.

— Да, Катерина? — подбодрил ее отец, глядя на карманные часы и пытаясь оценить, сколько времени ему потребуется, чтобы доехать до дворца и подробно объяснить Петру положение вещей, а затем связаться с советником Британской миссии и устроить венчание.

Катерина не отрывала взгляда от двух сцепленных рук. Ногти Натальи были коротко подстрижены и отливали перламутром. Загорелая рука Джулиана выглядела весьма внушительной. Катерина вспомнила, как совсем недавно он ее обнимал, когда они вальсировали на Летнем балу. Все это было, и вот сегодня после разговора с отцом он отправился в итальянскую гостиную, чтобы поговорить с Натальей, а когда они вместе вышли из комнаты, она решила, что он держит сестру за руку из платонических чувств, стараясь лишь ее успокоить. Теперь было ясно, что это не так. Медленно, с чувством обреченности Катерина подняла глаза и взглянула на Джулиана.

Он смотрел на нее с беспокойным участием. Жестокая реальность ее поразила, и она поняла, что и раньше его глаза не выражали никакого иного чувства.

— Катерина! — снова обратился к ней отец, сунув часы в кармашек жилета. — Что ты хотела сказать?

— Ничего, папа. Не имеет значения. — Боль в груди затрудняла дыхание, а говорить было еще труднее. Джулиан ее не любит и никогда не любил. Она вспомнила, как, разговаривая с отцом, намекнула на свои отношения с Джулианом, и покраснела от стыда. Как могла она быть такой глупой? Как можно было так много навообразить, когда для этого не было никаких оснований?

— Надеюсь, ты меня извинишь, папа? — сказала Катерина, чувствуя, что она должна немедленно покинуть комнату, пока окончательно не потеряла самообладания. — У меня ужасно разболелась голова, и я хочу немного полежать.

Алексий кивнул. Катерина действительно плохо выглядела. Он не думал, что на нее так подействует разлука с Натальей. Впрочем, вполне понятно. Разница в возрасте у сестер всего два года, и они почти все время были неразлучны. Когда дверь за Катериной закрылась, Алексий с тяжелым сердцем понял, что их дружная семья распадается, но он ничего не может с этим поделать.

— Я еду в Конак, — отрывисто сказал он. — Джулиан, вам надо уложить вещи и поговорить с советником посольства. Зита, надеюсь, ты позаботишься, чтобы у Натальи было подходящее подвенечное платье?

Без лишней суеты он вышел из комнаты вслед за Катериной и, уже садясь в экипаж, вспомнил об их разговоре во время Летнего бала. Кажется, тогда она намекала, что Джулиан Филдинг проявляет к ней интерес? Видимо, поэтому он так растерялся, когда Джулиан попросил у него разрешения сделать предложение Наталье, да еще во второй раз?

— В Конак, — бросил Алексий кучеру. Очевидно, произошла ошибка. Он вспомнил ошеломленный, недоверчивый взгляд Катерины, когда она узнала, что Джулиан и Наталья поженятся. — Черт побери, — прошептал он, размышляя, какая все-таки сложная штука жизнь. — Черт побери!

***

Катерина, раскинув руки, прижалась к двери спальни; по ее лицу струились слезы. Когда же это случилось? Как давно Джулиан влюблен в Наталью? Почему она ни о чем не догадывалась? Если бы ей стало известно о его отношении к сестре, она не позволила бы себе в него влюбиться. Но теперь слишком поздно. Она влюблена и не знает, как справиться с этим чувством.

До нее донеслись голоса в вестибюле, затем вызвали экипаж. Должно быть, для Джулиана. Он должен вернуться в свою миссию. Значит, сейчас здесь появится Наталья. Катерина подошла к умывальнику. Она не станет бросаться на постель и рыдать, как это недавно делала Наталья. Это может вызвать нежелательные разговоры. Кто-нибудь из родных догадается о причине ее страданий, и тогда она не сможет больше смотреть в лицо Наталье и Джулиану.

Катерина дрожащей рукой налила в тазик воды. А вдруг Джулиан уже догадался о ее чувствах? Знает ли он, что она в него влюблена? Она вспомнила о своих беседах с ним и о том, как ошибочно толковала тон и смысл однажды им сказанного. Однако, кажется, она ничем не выдала своих чувств, хотя и полагала — его интерес к ней и к ее семье вызван тем, что он в нее влюблен, так же как и она в него. Но это было ошибкой. На самом деле он интересовался Натальей и любил ее.

По щекам Катерины текли жгучие слезы. Она наклонилась над тазиком и ополоснула лицо холодной водой. У нее по крайней мере был предлог для слез. Пока Наталья не окажется в Восточном экспрессе, она рискует быть выданной австрийцам, и даже если все пройдет гладко, никто не знает, когда она сможет вернуться. При таких обстоятельствах переживания Катерины вполне естественны, но в этом могут усомниться, если она впадет в истерику.

Она подняла голову и прижала полотенце к лицу, стараясь взять себя в руки. Надо как-то пережить венчание, а также прощание с Натальей и Джулианом, которые сядут в ночной поезд и отправятся навстречу новой совместной жизни, а ей останется только ждать и надеяться, что когда-нибудь Джулиан все-таки ее полюбит.

Дверь резко распахнулась, и Наталья сказала прерывающимся голосом:

— Не знаю, вынесу ли я все это, Катерина! — Она бросилась на кровать, уткнувшись лицом в подушку. — Папа говорит, что, возможно, мне придется жить за границей долгие годы! Почему? Гаврило никому не скажет, что знаком со мной. Думаю, он будет отрицать даже знакомство с Неджелко! И вот, чтобы папа и мама не разлучались, я должна выйти замуж за англичанина!

Ее голос дрожал.

— Что, если австрийцы не потребуют моей выдачи, и я смогу вернуться домой через несколько месяцев, когда завершится судебное разбирательство по делу Гаврило? Может ли тогда Джулиан развестись со мной или, оставаясь замужем, я смогу жить в Белграде, в то время как он будет жить в Лондоне или в Париже?

Катерина медленно отняла полотенце от своего лица.

— Так вот, значит, каковы твои намерения? Вернуться в Белград и оставить Джулиана?

Наталья оперлась на локоть и изумленно посмотрела на сестру.

— Разумеется! А как же иначе?

Катерина стиснула руки.

— Ты должна всегда быть рядом с ним. Разве не этого он ждет от тебя?

— Быть с ним? Даже после того, как я получу возможность без опасений вернуться домой? — В голосе Натальи звучало недоумение. — Ты не должна так думать, Катерина. Никто не вправе требовать этого от меня, даже папа.

Теперь Катерина в свою очередь удивленно посмотрела на сестру. Она не предполагала, что Наталья не понимает, как нужно относиться к браку. Или ей самой что-то непонятно? Может быть, этот брак был всего лишь проявлением необычайной британской учтивости? Может быть, Джулиан дал понять Наталье, что их союз только одна видимость?

Надежда снова поселилась в ее сердце, такая слабая и хрупкая, что она едва решилась спросить:

— Но Джулиан ведь любит тебя, не так ли?

— Конечно, любит. — Наталья оскорбилась. — Зачем же тогда он сделал мне предложение? Но я его не люблю. Я сказала ему об этом еще на Летнем балу и повторила сегодня.

Катерина вспомнила, как была счастлива на балу, уверенная, что Джулиан вот-вот попросит ее выйти за него замуж, и какое волнение ее охватывало, когда они танцевали под звуки «Голубого Дуная». Но оказывается, в тот самый вечер он сделал предложение Наталье.

— Я не знала, что он еще раньше просил твоей руки, — сказала Катерина каким-то неестественным тоном, мысленно вопрошая, есть ли предел ее страданиям. — И если он женится на тебе по любви, то наверняка надеется, что ты поедешь с ним, куда бы его ни назначили.

Наталья села на кровати, поджав под себя ноги.

— Ни за что! — яростно заявила она; темные спутанные локоны упали ей на лицо. — Я выхожу за него только ради того, чтобы мама и папа не разлучались. Я не намерена мучиться всю жизнь только потому, что виделась с Гаврило за несколько часов до того, как он убил эрцгерцога. Я собираюсь вернуться домой, как только уляжется вся эта суматоха.

Но до спокойствия было еще очень далеко. В кабинете короля в Конаке Петр и премьер-министр в мрачном молчании слушали Алексия. Сразу по прибытии из Сараево он им доложил о происшедших там убийствах, а сейчас рассказывал о встречах Натальи с Принципом и Кабриновичем в «Золотом осетре», а также о ее случайной встрече с Принципом на Восточном базаре и о том, что Макс Карагеоргиевич тоже знал Гаврило, хотя не был лично с ним знаком.

— Просто кто-то указал Максу на Гаврило как на возмутителя спокойствия. Макс говорит — это все, что он о нем знает, он никогда лично с ним не разговаривал. Он был очень обеспокоен, увидев Наталью в такой компании, и попросил Вицу сообщить об этом Катерине. Вероятно, Макс был уверен, что Катерина способна положить конец подобным встречам в дальнейшем. Он также поклялся, что больше никому не расскажет о знакомстве моей дочери с Принципом. Что касается Натальи, я устроил так, что сегодня вечером она покинет страну. При этом необходимо предоставить мистеру Филдингу возможность уехать вместе с ней.

— Александр, как регент, уже объявил восьмидневный траур, — устало сказал король Петр. — Он достаточно молод и силен, чтобы справиться с выпавшими на его долю трудностями. Боюсь, что мне это не под силу. Возложив на него всю ответственность за страну, я не думал, что ему придется так скоро подвергнуться испытаниям.

Алексий не мог с ним не согласиться. Плечи Петра были согнуты, словно от непосильной ноши, а артрит конечностей явно давал о себе знать.

— Новости из Вены не назовешь хорошими, — продолжил премьер-министр, доверительно обращаясь к Алексию. — Военные настаивают на объявлении войны. У них уже давно чешутся руки расправиться с Белградом и вот сейчас появился предлог это осуществить. Наша задача — во всеуслышание отрицать участие Сербии в преступлении, чтобы избежать войны, к которой мы пока не готовы.

— Нам трудно будет это сделать, если откроется, что один из Карагеоргиевичей так или иначе связан с преступником, — тихо сказал король Петр. — Нельзя терять времени. Брачная церемония будет тайной и непродолжительной.

Венчание состоялось в тот же вечер в семь часов в дворцовой церкви. Не было ни фимиама, ни хора с его восхитительным пением, ни многочисленных гостей.

Наталья была одета в облегающее платье из кремового шелка с небольшим декольте и с длинными узкими рукавами, отделанными кружевами. В руках у нее не было букета, а на ней — никаких драгоценностей. Единственным украшением являлся миртовый венок, олицетворяющий невинность.

Король Петр, Алексий, Зита и Катерина сидели полукругом на позолоченных стульях позади невесты.

— А разве Сандро не будет? — удивилась Наталья, обращаясь к матери, когда ей объяснили, как будет проходить церемония. — Какая же свадьба без Сандро? А бабушка Елена, Евдохия, Вица и Макс? Неужели никого из них не будет?

— Сейчас все политические проблемы легли на плечи Сандро, ведь он регент, — сказала Зита, сама испытывая боль оттого, что свадьба такая скромная. — Он старается добиться поддержки России, если случится худшее и Австрия объявит нам войну. В связи с предстоящими переговорами он не сможет присутствовать на свадьбе.

Зита не добавила, что, даже будь у Сандро возможность присутствовать на церемонии, ему не следовало бы приходить, так как в любой момент из Вены от него могут потребовать выдачи невесты.

— Офицер, видевший Наталью с Принципом, уже имел достаточно времени, чтобы подать рапорт, — сказала она Алексию, когда тот вернулся из Конака. — Поскольку до сих пор австрийцы не потребовали выдать им Наталью, значит, он этого не сделал? Вероятно, он не узнал Принципа. Тогда стоит ли Наталье покидать Сербию? Стоит ли устраивать свадьбу?

Все еще красивое лицо Алексия было озабоченным.

— Не знаю, дорогая, — искренне признался он. — Я не могу рисковать.

И они решили не рисковать. Сейчас Зита сидела молчаливая и внешне спокойная, хотя Наталья выходила замуж не за отпрыска одного из королевских дворов Европы, как было принято, а за незначительного сотрудника британской дипломатической службы.

Она не единственная скрывала свое горе. Катерина никак не могла понять, почему Джулиан, которого она любила всем сердцем и была готова сделать все для его счастья, выбрал Наталью, вовсе его не любившую и не собиравшуюся в будущем с ним оставаться.

Алексий во время церемонии сидел прямо, словно проглотил шомпол. Его терзали сомнения и чувство вины. Что, если его предположения ошибочны? А если для Натальи нет никакой опасности? И не будет никаких серьезных политических последствий, если она останется в Сербии? Что, если он напрасно настоял на ее замужестве с человеком, которого она не любит? Эти мысли жгли его, словно раскаленное железо. Зачем он только взял Наталью с собой в Сараево? Она ведь не хотела ехать, а он настоял, и вот к чему это привело.

Король Петр также испытывал тревогу. Ему сообщили, что несколько минут назад получена телеграмма из Вены. Австрийские власти в Боснии хотели бы допросить Наталью по поводу ее встречи с Гаврило Принципом в Сараево 26 июня. Он тяжело вздохнул. Никто, кроме присутствующих и советника Британской миссии, не знал о брачной церемонии, которая происходит сейчас, и Бог даст, никто больше не узнает, что Наталья отправляется в Англию в качестве миссис Джулиан Филдинг. Пока австрийцы ее хватятся, она бесследно исчезнет.

Петр не собирался рассказывать Алексию о телеграмме, пока поезд Натальи не отойдет от перрона белградского вокзала. Не стоило лишний раз его расстраивать. Вспомнив о давнишнем разговоре о возможном браке Натальи и Александра, он снова вздохнул и попытался сосредоточиться на клятве супружеской верности, которую его родственница, доставившая столько хлопот, произносила удивительно ровным голосом.

— Я этого не перенесу! — говорила Наталья час спустя уже далеко не так спокойно, когда мать и Хельга помогали ей снимать подвенечное платье. — Я не могу покинуть наш дом!

Наталья в панике посмотрела на Катерину.

— Я не могу! — повторила она, обращаясь к сестре и надеясь на ее помощь, как в детстве, потому что Катерина всегда была более мудрой и находчивой. — Я никого не знаю в Лондоне! Я не хочу быть замужней дамой! Не хочу расставаться с тобой на целую вечность!

Катерина быстро подошла к сестре, обняла ее и крепко прижала к себе.

— Я тоже не хочу расставаться с тобой надолго, — сказала она, едва сдерживая слезы.

Сестры стояли, обнявшись, подавленные чудовищной несправедливостью того, что должно было произойти. Всю свою жизнь, несмотря на разницу в характерах, они были лучшими подругами. И вот теперь вынуждены расстаться, не представляя, смогут ли перенести разлуку.

— Я пойду вниз и проверю, все ли погрузили в экипаж, — глухо сказала Зита, понимая, что Наталье и Катерине надо хоть немного побыть наедине. — Ты мне не поможешь, Хельга?

С красными от слез глазами Хельга вышла из комнаты вслед за ней.

— Я не представляла, что моя дружба с Гаврило и Неджелко может привести к таким последствиям, — печально сказала Наталья. — Мы мечтали об объединенном славянском государстве. Это было так интересно: убегать из Консерватории и встречаться с ними в «Золотом осетре». Я чувствовала себя революционеркой, все выглядело так романтично. Я думала о том, как бы гордился мной прадед, и не представляла, что такое революция на самом деле.

— Это типично для Карагеоргиевичей, — насмешливо сказала Катерина. — Твой прадед тоже никогда не думал о последствиях, иначе не лишился бы трона.

Впервые в жизни Наталья не вступилась за прадеда.

— Как бы мне хотелось быть на твоем месте, Катерина! — сказала она с воодушевлением. — Быть такой же уравновешенной и рассудительной! И остаться в Белграде!

Катерина едва сдержалась, чтобы не сказать, что ей тоже хочется поменяться с сестрой местами, но вместо этого она шутливо заметила:

— Не говори глупости, Наталья. Если ты будешь на моем месте, а я на твоем, что тогда получится?

На помощь Наталье пришла ее неиссякаемая жизнерадостность.

— Великая путаница, — сказала она, хихикнув.

Несмотря на внутренние страдания, Катерина улыбнулась.

— Я люблю тебя, сестренка, — хрипло произнесла она. — Возвращайся поскорее.

Бледный треугольник лица Натальи среди темной массы волос выглядел почти мистически.

— Я постараюсь, — сказала она, произнеся эти слова торжественно, словно клятву. — Я больше никогда не совершу подобной глупости.

Катерина улыбнулась еще шире. Можно допустить многое, но только не способность Натальи удержаться от необдуманных, опрометчивых поступков.

— Тебе пора, — мягко сказала она. — Что ты собираешься надеть?

Наталья неохотно подошла к гардеробу и открыла дверцы.

— Мой голубой национальный костюм, — решительно сказала она. — И я надену его снова, когда вернусь.

Жакет был сильно приталин, воротничок и манжеты оторочены соболем, а длинная юбка выглядела такой узкой, что в ней можно было передвигаться только маленькими шажками. К костюму она обула перламутрово-серые туфли, а голову украсила маленькой круглой шапочкой с вызывающе торчащим ярко-желтым пером.

К горлу Катерины подкатил ком, когда Наталья закрепила шляпку булавкой. Желтый и ярко-голубой были цветами сербской королевской гвардии. В далеком путешествии они будут напоминать Наталье о родине.

Раздался легкий стук в дверь, и вошла Зита.

— Пора, дорогая, — сказала она ровным голосом, хотя на самом деле была очень взволнована.

Наталья отвернулась от зеркала.

— Я готова. — Ее голос тоже был ровным, глаза сухими. Она заранее решила не расстраивать мать. — Джулиан уже выехал?

— Да. Он направился в Британскую миссию, а оттуда поедет прямо на вокзал. Вы сядете в поезд порознь. Премьер-министр посоветовал отцу держать в тайне то, что ты сменила фамилию. Если австрийцам не станет известно о твоем браке с Джулианом, они не потребуют от британского правительства твоей выдачи. Будем надеяться, что они не узнают также, когда и как ты покинула Сербию.

— Но ее же увидят на вокзале, — возразила Катерина, удивляясь, как может остаться незамеченным такое яркое желтое перо. — Наталью вполне могут узнать.

Зита вместе с дочерьми направилась к двери.

— Наталья должна сесть в поезд быстро и незаметно. У нее будет отдельное купе, а мы попрощаемся с ней здесь. Нельзя, чтобы нас видели на перроне.

— Я чувствую себя беглянкой, — с горечью сказала Наталья, когда они вышли на лестницу.

Лицо Зиты исказилось от боли.

— Ты и есть беглянка, — тихо сказала она, — и должна соответственно вести себя в поезде до Будапешта и в Восточном экспрессе. Когда Восточный экспресс остановится в Вене, не выходи гулять на перрон. То же самое и в Мюнхене. Германия — ближайший союзник Австрии, и немцы наверняка тебя задержат, если австрийцы их об этом попросят.

Наталья была потрясена. Несмотря на все объяснения отца, ей все еще казалось невероятным, что вокруг нее из-за столь незначительного проступка поднялась такая суматоха. Ведь она не искала встречи с Гаврило в Сараево. Она даже поговорила-то с ним совсем немного. И вот теперь из-за этого, а также из-за ее принадлежности к семье Карагеоргиевичей ей придется колесить по Европе, скрываясь, словно преступница.

Обычно, когда кто-то из членов семьи надолго покидал Белград, домашняя прислуга торжественно выстраивалась у двери для проводов. Но сейчас в холле стоял только отец. Кроме Хельги, никто не знал, что Наталья уезжает, что она вышла замуж.

Дверь была открыта, и снаружи у входа Наталью поджидал экипаж. Сумерки сгущались, и она с болью поняла, что, когда сядет в поезд и тот повезет ее через Сербию в

Венгрию, станет совсем темно и она не сможет увидеть родные пейзажи.

Белла скулила, крутясь у ее ног, и Наталья, подхватив собаку и прижав к себе, вышла из дома и села в экипаж. Ее чемоданы уже отправили на вокзал, чтобы их могли заранее погрузить в поезд, не привлекая излишнего внимания. Поскольку прибытие в Будапешт было связано с пересадкой на Восточный экспресс, ночной поезд Белград — Будапешт всегда отправлялся точно по расписанию, поэтому необходимо было поторопиться с посадкой.

— Поезд уже подан, — сказал Алексий с облегчением, когда их экипаж выкатил на мощеную площадь перед вокзалом. — А теперь запомните: никаких прощаний на перроне. Мы не должны привлекать внимания.

— А с Джулианом мы сможем попрощаться? — спросила Катерина, стараясь казаться безразличной.

— Нет. Не должно быть никакого контакта между Джулианом и Натальей, пока поезд не пересечет Германию и не окажется во Франции. — Алексий вышел из экипажа. — Следующие несколько минут будут для нас тяжелыми, но я не хочу, чтобы посторонние видели ваши слезы. Нельзя допустить, чтобы кто-то нас узнал.

Направляясь к вокзалу, он пожалел о своем решении проводить Наталью всей семьей. Это Зита его упросила.

— Ужасно, если наша девочка поедет на вокзал одна. Будь с ней Джулиан, я не стала бы просить тебя, Алексий. Пожалуйста, давай ее проводим и будем рядом с ней до последней минуты.

Чувствуя себя немного виноватым, он уступил жене. И вот сейчас, когда они всей семьей быстро шли к специально отведенному для Натальи купе в конце поезда, он очень надеялся, что ему не придется об этом пожалеть.

Как только они вошли в купе, он опустил шторку на окне.

— Поезд отправляется через десять минут, — сказал он, подумав, что ему придется пережить, если окажется, что замужество дочери и ее отъезд не были столь уж необходимы. — У нас осталось мало времени.

Не было нужды об этом напоминать. Никто не знал, что сказать. Любые слова казались бессмысленными.

Наконец Алексий мрачно произнес:

— Я не стал бы настаивать на твоем браке с Джулианом Филдингом, если бы не был уверен, что он тебя любит, или не был бы убежден, что ты будешь с ним счастлива.

— Да, папа, — сказала Наталья, хотя знала, что никогда не сможет быть счастлива с человеком неславянского происхождения. Она понимала также, что отец не стал бы настаивать на браке, если бы это не помогло ему избежать разлуки с матерью.

Раздался последний гудок. Алексий поцеловал дочь в щеку, затем отвернулся и быстро вышел, слишком подавленный, чтобы что-то сказать.

— Будь счастлива, — сказала Зита, едва сдерживаясь. — До свидания. Храни тебя Бог.

Катерина последней покидала купе.

— Я люблю тебя и буду очень скучать, — горячо сказала она. — Береги себя! Напиши мне!

Когда дверь за ней закрылась, Наталья продолжала стоять посреди купе, не в силах до конца осознать чудовищность того, что произошло.

Поезд тронулся. Она бросилась к окну, подняла шторку, опустила стекло и высунулась наружу.

Катерина шла вслед за Алексием и Зитой по направлению к выходу из вокзала. Наталья подавила крик, зная, что ей нельзя их окликнуть. Если она это сделает, отец обернется, и последнее, что она увидит на прощание, будет его рассерженное лицо.

Она безнадежно помахала рукой, как вдруг Катерина обернулась и махнула ей в ответ.

Наталья со слезами на глазах продолжала махать и махать, в то время как поезд набирал скорость, и перо на ее шляпке трепетало на ветру. Даже когда Катерину уже почти не было видно, она все еще не переставала махать. Она махала, пока не заболела рука и вокзал не превратился в смутное пятно, пока огни Белграда не исчезли в непроглядной тьме.

Глава 8

Вот уже несколько часов Наталья сидела у окна с Беллой на руках, слишком удрученная, чтобы пройтись вдоль поезда или зайти в вагон-ресторан. Проводник принес воду и печенье для Беллы, а также стакан молока для нее, и Наталья пила его маленькими глотками, глядя в темноту и размышляя о том, что бы было, выполни она поручение своих новых друзей и уговори Сандро встретиться с Гаврило, Неджелко и Трифко.

От этой мысли кровь застыла у нее в жилах. Слава Богу, этого не произошло и по крайней мере Сандро не втянут в эту кровавую историю. Она ни разу не назвала ему своих друзей по имени.

Наталья крепче прижала к себе Беллу и уткнулась лицом в ее мягкую, теплую, шелковистую шерсть, снова и снова вспоминая те страшные мгновения в Сараево, когда Гаврило ступил с тротуара на мостовую и в упор выстрелил в эрцгерцога и герцогиню. Наталья была уверена, что он не хотел убивать жену кронпринца. Будь ему нужна еще одна жертва, скорее всего ею стал бы генерал Потиорек, губернатор Боснии. Вспоминая эти роковые мгновения, она все больше убеждалась, что герцогиня сама бросилась к мужу, пытаясь его заслонить, и одна из пуль попала в нее. А затем Гаврило наставил пистолет на себя.

Наталья отчетливо представляла себе, что произошло потом. Какой-то человек, стоящий позади, схватил Гаврило за руку и тем самым предотвратил его самоубийство. На голове у этого человека была феска, и Наталья возненавидела его всем сердцем. Не вмешайся он, Гаврило ушел бы из жизни быстро и без мучений прямо там, на улице. Но вместо этого началась свалка, в которой его едва не забили до смерти, и теперь страшно подумать о том, каким пыткам он подвергается на допросах.

На лбу у Натальи выступили капли пота, когда она вспомнила о слабогрудом, вечно кашляющем Гаврило. В сотый раз она задумывалась над тем, почему именно на этом углу улицы и именно в момент проезда высоких гостей на тротуаре оказались боснийские мусульмане, а не сербы, которые симпатизировали бы Гаврило. Они помешали бы полиции его арестовать и помогли бы ему скрыться. Мусульман же всегда поддерживали австрийские власти, разделившие страну по национальным и религиозным признакам, — и Гаврило, к несчастью, оказался среди чужих, когда открыл огонь.

Никто не спрашивал, как теперь она относится к Гаврило. Ни родители, ни Катерина. Ни даже Джулиан. Она с трудом пыталась разобраться в своих чувствах. Смерть герцогини глубоко ее потрясла, но первое время убийство казалось ей настолько невероятным, что она продолжала считать себя соратницей Гаврило. Когда же потрясение прошло, Наталья, как ни странно, по-прежнему не могла поверить в то, что он совершил чудовищный поступок. Ей были понятны его патриотизм и неистовая ненависть к австрийцам. Как босниец, он подвергался притеснениям со стороны австро-венгерских властей, и Наталья была уверена, что Гаврило считал совершенное им покушение не преступлением, а акцией во имя свободы.

Она устало поднялась и опустила откидную койку, размышляя при этом, был ли и Трифко в Сараево и арестован ли он. Раздевшись, Наталья не переставала думать о том, кому первому из них пришла мысль начать борьбу с убийства австрийского кронпринца; где Неджелко и Гаврило достали оружие; что их ждет после суда. Она забралась на узкую койку, оставив рядом с собой место для Беллы. В ее голове продолжали бродить такие ужасные мысли, что она не могла бы высказать их вслух. Что, если ее друзей повесят?

Когда Наталья проснулась на следующее утро, она чувствовала себя так, словно всю ночь не сомкнула глаз. Ей очень хотелось, чтобы Джулиан был рядом и можно было бы с кем-то поговорить. Она не была уверена, но ей казалось, что Джулиан смог бы понять ее чувства к Гаврило. Ни с кем другим она не могла ими поделиться. Наталья подумала, что могла бы его увидеть, если пойдет на завтрак в вагон-ресторан. Однако им было строго-настрого приказано не разговаривать друг с другом. Отец сказал, что ей следует сидеть в своем купе и не рисковать, поскольку в вагоне-ресторане ее может узнать кто-нибудь из пассажиров.

Она поцеловала Беллу в макушку и подняла шторку на окне. Снаружи была уже другая страна, и пейзаж, хотя и красивый, не грел ее душу. Это были не сербские реки и озера. Она подумала о том, сколько еще ехать до Будапешта. Проводник обещал погулять с Беллой во время пересадки на Восточный экспресс, и она надеялась увидеть на платформе Джулиана.

Она закончила одеваться, когда поезд уже прибыл в Будапешт. Вошли носильщики за ее багажом, а проводник пришел за Беллой. Отец подробно разъяснил Наталье, как ей себя вести. Она должна была быстро и незаметно покинуть белградский поезд и так же тихо и осторожно пересесть в Восточный экспресс. Ей уже было забронировано там отдельное купе. Она не должна была ни с кем разговаривать на перроне, даже с Джулианом.

Однако Наталья не могла не искать его взглядом, идя по платформе к ожидающему поезду. Она увидела его почти сразу. Высокий и широкоплечий, с блестящими под утренним солнцем золотистыми волосами, он разговаривал с каким-то пожилым господином, который тоже был похож на англичанина.

При виде Джулиана Наталья оживилась. Ей ужасно хотелось побежать вдоль платформы и подойти к нему. За то короткое время, что они провели вдвоем в итальянской гостиной, она обнаружила — в его присутствии все становилось не таким уж страшным, как казалось раньше. Он обладал способностью здраво рассуждать. Ей хотелось поговорить с ним о своих опасениях, о том, что Гаврило и Неджелко могут повесить. Хотелось, чтобы он ее утешил, и она знала — он смог бы это сделать.

Войдя в свое купе Восточного экспресса, Наталья опустила окно и высунулась наружу, чтобы посмотреть, на перроне ли еще Джулиан. Помня строгие указания отца, она не окликнула его по имени, но начала энергично махать ему рукой. Это привлекло его внимание, он посмотрел в ее сторону и улыбнулся. Невероятно, но, несмотря на все свои страхи и горе из-за расставания с Сербией, она тоже улыбнулась ему в ответ. Джулиан был другом и хорошо ее понимал, поэтому она надеялась, что он скрасит тот короткий период изгнания, который ей предстоит пережить вдали от родины.

Когда кондуктор известил пассажиров о необходимости занять свои места и Джулиан неохотно от нее отвернулся, чтобы сесть в поезд, Наталья подумала, что все могло обернуться для нее гораздо хуже. На месте Джулиана мог оказаться фатоватый французский атташе месье Квесне, который был в нее влюблен и даже просил у ее отца разрешения сделать ей предложение. Что было бы, реши отец выдать ее за месье Квесне? Она едва не расхохоталась при мысли об этом, и ей очень захотелось поделиться с Катериной этой шуткой. Наталья закрыла окно и стала ждать, когда проводник приведет Беллу.

Утомительное путешествие в одиночестве подавляло Наталью. Ее совершенно не радовали виды за окном. Глядя на меняющийся ландшафт, она с болью думала о том, как далеко от дома теперь находится. Каждый раз при пересечении границы она ждала, что вот-вот появятся солдаты или полицейские, чтобы ее арестовать, и нервы у нее были напряжены до предела. Наталья путешествовала под фамилией мужа. Премьер-министр лично вручил ей новый паспорт, на котором еще не совсем высохли чернила.

В эту ночь, лежа на вагонной койке и прижимая к себе Беллу, она почему-то решила, что Джулиан находится совсем рядом. Действительно, могло бы показаться странным, что миссис Джулиан Филдинг путешествует одна, если бы купе мужа и жены не были бы смежными. Она вдруг почувствовала себя не такой одинокой. Завтра утром они будут в Вене, а после полудня уедут оттуда, и худшее будет позади. Через сутки поезд должен прибыть во Францию, и она сможет покинуть свое купе, не заботясь о том, что ее кто-то узнает.

Сон Натальи был тревожным и она то и дело просыпалась с мыслью о том, что все случившееся после 28 июня всего лишь страшный сон. Однако в ее сознание неотвратимо вторгалась реальность, и внутри у нее все сжималось от ужаса.

Когда они прибыли в Вену, ее тревога возросла. Конечно, если австрийские власти ее разыскивают и если им известно, что она в этом поезде, ей не избежать ареста. Она передала сопротивляющуюся Беллу проводнику и, как только тот вышел с ней из купе, бросилась к окну и подняла шторку. Весь вокзал был в трауре. Джулиан стоял на платформе спиной к ней шагах в двенадцати от ее окна. Она не рассчитывала, что он обернется и она сможет помахать ему рукой. Наталья опустила шторку, чтобы не видеть траура, и сидела при тусклом освещении, размышляя, что сейчас делает Катерина в Белграде, сообщили ли Вице и Максу о ее отъезде в Англию и сожалеет ли Сандро о том, что не был на ее бракосочетании и не попрощался с ней.

Когда раздался последний гудок и поезд наконец тронулся, Наталья глубоко и облегченно вздохнула. Предстоял еще долгий путь по территории Австрии, но худшее уже было позади. Теперь она была уверена, что ее не арестуют. Вероятно, офицер на Восточном базаре не узнал Гаврило, а тот ничего не сказал о ней на допросе и не скажет. Она в безопасности, как и неделю назад перед отъездом из Белграда в Илидцу.

Наталья опять подняла шторку на окне. Неужели прошла всего неделя? А казалось, целая вечность. Она вспомнила, как они смеялись с Катериной по дороге из Илидцы в Сараево, не ведая о грозящей им беде. Возможно, сейчас вообще нечего опасаться. Если австрийцы не стремятся ее допросить, значит, она может в любое время вернуться в Белград и путешествие в Англию можно рассматривать просто как развлечение.

А как же Джулиан? Легкая улыбка коснулась ее губ. Быть замужней женщиной, должно быть, очень интересно. Наталья снова представила его широкие плечи, узкие бедра, густые светлые волосы и чудесно очерченный рот. Она улыбнулась еще шире. Быть замужем за Джулианом не просто интересно — вероятно, это самое забавное, что ей когда-либо приходилось испытывать в жизни.

***

Весь день поезд мчался по территории Австрии, приближаясь к Германии. Утром, проснувшись, Наталья обнаружила, что они в Мюнхене, а к вечеру уже были во Франции. Она с улыбкой протянула документы чиновнику, который постучался в ее купе, затем с радостью начала одеваться к обеду, зная, что Джулиан будет ждать ее в вагоне-ресторане. Надеясь, что платье, считавшееся модным в Белграде, не будет выглядеть устаревшим во Франции, Наталья подхватила Беллу под мышку и впервые после пересадки в Будапеште, не опасаясь, пошла к ресторану.

Когда она вошла, Джулиан сидел лицом к ней. На столике стояли цветы и бутылка шампанского. Он улыбнулся своей обворожительной улыбкой и встал, приветствуя ее.

— Как ты? — спросил Джулиан, и, помимо озабоченности, его лицо выражало нечто такое, отчего по спине у Натальи пробежали мурашки от волнующего предчувствия.

Она села за столик, устроив Беллу рядом, и вдруг испытала нелепую застенчивость.

— Я скучала, — откровенно сказала она. — Мне казалось, Австрия никогда не кончится. Время тянулось и тянулось.

— Ну, теперь-то она позади, — сказал он, снова садясь. — И Германия тоже. Ты больше не увидишь эти страны.

Наталья хотела сказать, что это не так, что ей придется пересечь их снова при возвращении домой, но затем решила — лучше промолчать. Было бы бестактно говорить о возвращении, еще не добравшись до Англии, тем более что для Джулиана это было бы большой неожиданностью.

— Я очень проголодалась, — сказала она, уловив запах горячего супа с соседнего столика. — Три дня приходилось довольствоваться только тем, что разносили по вагонам.

Джулиан рассмеялся. Он не сводил с нее глаз и обхватил ее руки своими ладонями, стараясь, однако, не смущать девушку и не испортить сложившиеся между ними товарищеские отношения. Здравый смысл ему подсказывал, что не надо спешить. Однако сколько это может продлиться — ведь он страстно желал Наталью. Они женаты вот уже три дня, а он еще ни разу не поцеловал ее в губы.

— Что бы ты хотела заказать? — спросил он, стараясь с невероятным усилием не думать о постели. — Перепелов или жаркое?

Она выбрала перепелов. Когда их принесли, птички оказались довольно упитанными и с начинкой из каштанов.

— Есть ли новости из Сербии? — спросила она, зная, что он покупал газеты в Вене и в Мюнхене. — Удалось ли Сандро убедить императора Франца-Иосифа, что дядя Петр и его правительство не имеют никакого отношения к покушению на эрцгерцога Франца-Фердинанда?

— Если судить по австрийским газетам, то нет. — Мысли Джулиана неожиданно оказались далеки от постели. — Все сходятся во мнении, что, хотя убийство совершено в Боснии, ответственность за преступление лежит на Сербии. Именно ее внешняя политика способствовала террористам, и само существование этого государства представляет постоянную угрозу безопасности Австрии.

Наталья отложила нож и вилку, внезапно потеряв аппетит.

— Означает ли это, что война неизбежна?

Джулиан глубоко задумался.

— Не уверен. Если начнется война, Россия не останется в стороне. Она всегда считала сербов братским народом и, я в этом не сомневаюсь, обязательно придет им на помощь.

— Конечно, придет! — Природный оптимизм Натальи возобладал. — Но это не значит, что Сербия не готова к войне. — Она снова взяла вилку. — Австрия потерпит поражение, Босния и Герцеговина освободятся и, значит, Гаврило добьется того, ради чего все затеял.

Джулиан подумал, что, как жена дипломата, Наталья далека от идеала. Надо ей объяснить, что необходима осторожность и сдержанность в разговорах о политике в общественных местах. Он подумал, что было бы, если бы его назначили в Берлин или Вену, и содрогнулся. Перспектива увидеть Наталью на приемах в Потсдаме или в Шенбруннском дворце вселяла в него ужас.

— Завтра в Вене состоятся похороны эрцгерцога и герцогини, — сказал он. — Никто из глав государств не будет там присутствовать. Официальные власти объясняют это тем, что император слишком стар и слаб, чтобы выдержать длительное напряжение во время похорон.

Официант сменил тарелки и снова наполнил их бокалы шампанским.

— Я нисколько в это не верю, — сказала Наталья с присущей ей прямолинейностью. — Все это сделано только для того, чтобы не приглашать на церемонию дядю Петра.

Джулиан усмехнулся. Оказывается, под пышными темными волосами Натальи, собранными сейчас в пучок, скрывался поразительно острый ум.

— Думаю, ты права, — сказал он, когда им подали омаров. — Пригласив кого-то одного, придется звать и остальных, в том числе и короля Петра. Можешь себе представить, какое это вызовет замешательство, если австрийские газеты объявили его злодеем?

Наталья хихикнула. Она никогда раньше не выпивала больше одного бокала шампанского и сейчас испытывала необыкновенно приятные ощущения. Когда, расслабившись, она порой заглядывала в золотисто-карие глаза Джулиана, ее охватывало какое-то неизвестное чувство, которое волновало и смущало ее.

Он протянул руки через стол и обхватил ее ладони.

— Последние сутки, должно быть, были для тебя очень тяжелыми, — сказал он.

Наталья вспомнила о Вене, о траурном убранстве вокзала и содрогнулась, затем подумала о том, каким пыткам могут подвергнуться Гаврило и Неджелко, и тихо сказала:

— Из всего того, что произошло, для меня самое ужасное — это необходимость покинуть родину. Я не перестаю думать о том, что будет с Гаврило и Неджелко. Что с ними станет, когда их осудят и вынесут приговор?

Джулиан быстро огляделся вокруг, чтобы убедиться, что их никто не может услышать. Соседние столики были свободны, а официанты находились в дальнем конце вагона-ресторана.

— Перестань мучиться, любовь моя, — спокойно сказал он.

Джулиан впервые назвал ее так, и ей это очень понравилось. С ним она чувствовала себя увереннее, зная, что он готов ради нее на все.

— Ты говорила, они оба достаточно умные люди, — продолжил он. — Они знали о последствиях, но не побоялись рискнуть. Уверен — они не испугаются и сейчас.

— Но что, если после суда... их повесят?..

— Не повесят.

Уверенность в его голосе взволновала Наталью.

— Что ты имеешь в виду? Откуда тебе известно?

Джулиан снова оглядел вагон. Свободные столики все еще не были заняты. Официантов не было видно.

— Зная, что тебя тоже могут арестовать и обвинить как соучастницу, а по боснийским законам соучастие считается равносильным совершению преступления, я постарался кое-что разузнать. Максимальным наказанием за убийство или измену родине является смерть, но только в том случае, если обвиняемый достиг двадцати лет на момент совершения преступления. По твоим словам, Гаврило — студент университета. Значит, ему еще нет двадцати. Самое большое — девятнадцать.

— Да, ему девятнадцать лет, как и Неджелко! — Наталья почувствовала невероятное облегчение. Джулиан оправдал ее надежды. Он положил конец ужасным мыслям, которые ее мучили, когда она закрывала глаза и пыталась уснуть.

— Кажется, уже пора спать, как ты считаешь? — сказал он и снова посмотрел на нее страстным взглядом.

Наталья вздохнула, опечаленная тем, что приятный вечер вдвоем подошел к концу, однако ее радовало то, что теперь она сможет спокойно заснуть. Белла уже спала. Наталья нежно взяла ее на руки.

— Спокойной ночи, — сказала она. Белла пошевелилась, глубоко вздохнула и снова уснула. — Спасибо за то, что разузнал о законе, касающемся возраста Гаврило и Неджелко.

Джулиан встал.

— Теперь, когда мы миновали Австрию и Германию, уже нет необходимости продолжать путешествие раздельно, Наталья, — осторожно сказал он.

Она посмотрела на него непонимающим взглядом.

— Я знаю и рада этому. Завтра мы будем в Англии.

— Мы женаты, Наталья, — мягко продолжил Джулиан. — И при нормальных обстоятельствах должны были бы ехать в одном спальном купе от самого Белграда.

Ее щеки порозовели. Неужели он хочет воспользоваться супружеским правом сейчас? В поезде?

Казалось, Джулиан читал ее мысли. Легкая улыбка тронула уголки его губ. Узкая койка в качающемся спальном вагоне едва ли подходящее место для первого любовного опыта в жизни молодой девушки. Особенно если постель придется также делить с игривым щенком.

— Мое купе рядом с твоим, с левой стороны, — сказал он, убедив себя, что надо потерпеть еще немного. — Если тебе приснится страшный сон или захочется с кем-нибудь поговорить, постучи мне.

— Спасибо. — Наталья облегченно вздохнула, хотя его поведение вызвало некоторое разочарование.

Джулиан вышел вместе с ней из вагона-ресторана, и они пошли по коридору, а когда она остановилась у своего купе, он нежно положил руку на ее плечо и повернул ее к себе.

— Спокойной ночи, — сказал он и, наклонившись, поцеловал в губы.

Ей было очень приятно и хотелось, чтобы поцелуй длился как можно дольше. Но он оторвался от нее и посмотрел в ее глаза с непонятным выражением лица.

— Спокойной ночи, любовь моя, — глухо произнес он.

И только лежа на койке с Беллой в ногах, она поняла, что таилось в его темно-карих глазах. Это была усмешка.

Англия оказалась совсем не такой, как она себе представляла. Наталья ожидала, что здесь будет так же, как в Швейцарии. Чисто, опрятно и благопристойно. Однако причалы и вокзал оказались грязными, засиженными птицами.

— Разве здесь не чудесно? — восхищенно сказал Джулиан. — Неужели тебе не нравятся эти белые утесы? Каждый раз, когда я ими любуюсь, вернувшись после длительного пребывания за границей, у меня к горлу подступает ком.

Наталья тактично промолчала. На ее взгляд, утесы Дувра выглядели довольно мрачно, и она не могла понять, почему англичане так ими восхищаются. Однако природа графства Кент оказалась довольно приятной, и настроение у Натальи немного поднялось. Ей нравились девственные поля и рощи и встречающиеся по пути речушки. Все это немного напоминало ей родину.

Ее восторг угас, когда они подъехали к Лондону. Казалось, его предместьям не будет конца. Наталья никогда не думала, что город может быть таким огромным и, несмотря на яркое июльское солнце, таким серым. Теперь она поняла, почему многие англичане относились с пренебрежением к Белграду, считая его большим балканским селом. По сравнению с Лондоном Белград действительно казался живописной деревней с его смесью архитектурных стилей и национальностей. В Лондоне не было домов с охряными стенами и верандами, заставленными плошками с цветами. Не было никого в яркой крестьянской одежде. Не было ни сливовых деревьев, ни акаций, ни цыган, играющих на скрипке.

— Как ты считаешь, дорогая? — с восторгом спросил Джулиан. — Разве этот город не великолепен?

— Он очень велик, — согласилась она, не желая показаться невежливой.

Первое, на что Наталья обратила внимание, когда они вышли из вокзала, был газетный стенд. Она жадно пробежала глазами заголовки, но не обнаружила никакого упоминания о Сараево или об угрозах австрийцев в адрес Сербии.

Вокруг толпились люди, но их совершенно не интересовала Сербия. Внезапно на нее нахлынула тоска по родине. Она наивно считала Белград центром Вселенной, но теперь стало ясно, что это далеко не так.

Джулиан окликнул по имени шофера поджидавшего их голубовато-зеленого «мерседеса» со светло-бежевыми кожаными сиденьями. Он произвел глубокое впечатление на Наталью, и она сразу забыла об отсутствии у англичан интереса к австро-сербским отношениям.

Улицы были даже шире, а здания гораздо внушительнее, чем казалось из окон поезда. Она с облегчением заметила, что ее костюм и шляпку с желтым пером еще вполне можно носить. Женщины здесь тоже были в узких юбках, и маленькие шляпки украшали их головы. Она увидела также несколько зауженных у лодыжек длинных юбок в сочетании с туниками ниже колен. Эти наряды выглядели очень привлекательно, так что Наталья решила, как только появится возможность, пройтись по магазинам.

— Я послал домой телеграмму из Белграда, — сказал Джулиан, в то время как их «мерседес» лавировал в водовороте машин, велосипедов и конных экипажей. — Мама и папа будут нас ждать, но сомневаюсь, чтобы Диана была дома, особенно в июле.

— А твой старший брат? — спросила Наталья, внезапно вспомнив, что была чрезвычайно рассеянна, когда он рассказывал о своей семье, и ей не хотелось выглядеть бестактной во время предстоящего знакомства.

— Эдвард наверняка в Нортумберленде. Он по природе сельский житель и присматривает там за фамильным поместьем. Он ненавидит Лондон.

Еще совсем недавно Наталья была готова согласиться с Эдвардом, но сейчас не была в этом уверена. Лондонские улицы произвели на нее огромное впечатление, а здания, хотя и серые, выглядели гораздо величественнее, чем она предполагала вначале. Вероятно, в них великолепные бальные залы. Вспомнив о балах, на которые их, по всей вероятности, будут приглашать, она решила, что Лондон не такой уж ужасный, как могло показаться на первый взгляд.

«Мерседес», заурчав, остановился перед особняком, расположенным немного в стороне от дороги. Вокруг не было ни парка, ни даже дворика. Наталья обратила внимание, что лишь перед некоторыми домами имелось то, что с трудом можно было бы назвать двориком. Очевидно, в Лондоне такая традиция.

— Вот мы и приехали, — сказал Джулиан, когда шофер открыл им дверцу. — Мама и папа наверняка тебя полюбят. Я их знаю.

— Ты сообщил им обо мне? — спросила она с внезапным страхом.

Он усмехнулся. Его волосы упали на лоб и выглядели довольно необычно.

— Моя телеграмма была чрезвычайно краткой и содержательной:

«ОТОЗВАН ТЧК ЖЕНИЛСЯ ТЧК НИКАКИХ ПРОБЛЕМ ТЧК»

— А ты им рассказал, почему женился? — Он нежно держал ее за руку и вел к парадному входу. — Рассказал о Сараево?

Джулиан не ответил. Тяжелая входная дверь отворилась, и на пороге появился дворецкий, приветствуя их. Наталья подхватила Беллу под мышку, взволнованно думая, почему она не расспросила его обо всем в поезде.

— Добро пожаловать домой, сэр, — радушно сказал пожилой дворецкий. — Добро пожаловать в Лондон, мэм. — Если даже он и находил странным, обращаясь к девушке, едва окончившей школу, называть ее мэм, то не подал виду. Дворецкий был очень приветлив, и волнение, внезапно охватившее Наталью, постепенно улеглось.

Когда серб женится и приводит в дом жену, она сразу становится членом семейного клана. Родители Натальи, безусловно, отнеслись бы к мужу, которого она или Катерина привели бы в дом, как к члену их семьи.

Дворецкий, идя впереди, открыл двухстворчатые двери, и Джулиан, держа Наталью за руку, ввел ее в гостиную, изящно обставленную и украшенную.

В комнате находились два человека. Седовласый бородатый мужчина, гораздо старше, чем ожидала Наталья, и женщина лет пятидесяти с небольшим, со следами былой красоты.

Джулиан поздоровался за руку с отцом и поцеловал в щеку мать. Глаза леди Филдинг устремились на Наталью. Они были холодными, как зимнее небо, и в них не было даже намека на приветливость. От такого взгляда могла замерзнуть даже Сава.

Глубоко смущенная, Наталья опустила Беллу на пол, полагая, что допустила какую-то оплошность.

— Моя жена, Наталья, — с гордостью представил ее Джулиан. — Наталья, это моя мать. Мой отец.

— Добро пожаловать в Англию, — сказала леди Филдинг с легкой, вежливой улыбкой. В ее голосе не было ни капли искренности, и глубоко потрясенная Наталья поняла — никакой оплошности она не совершила. Это Джулиан ошибался, полагая, что его мать полюбит его жену. Этого никогда не будет.

— Девичья фамилия Натальи — Карагеоргиевич, — сказал Джулиан, желая, чтобы его родители с самого начала знали — их невестка не какая-нибудь балканская девица из простых. — Она принадлежит к королевскому дому Карагеоргиевичей.

Брови отца приподнялись.

— В самом деле? Я встречался с королем Петром однажды, несколько лет назад, в Швейцарии. Тогда он еще не был королем. Он находился в изгнании и занимался тем, что переводил на сербский «Очерк о свободе» Джона Милля. Любопытный выбор книги, подумал я тогда. Вы знакомы с работами мистера Милля, мисс... мисс... — Он смущенно замолчал.

— Поскольку Наталья теперь твоя невестка, — весело сказал Джулиан, — я думаю, ты вполне можешь называть ее просто по имени.

— Да, конечно. Как глупо с моей стороны. — Его отец робко ей улыбнулся. — Примите мои извинения, дорогая. Мне как-то трудно сразу поверить, что вы моя невестка. Телеграмма Джулиана пришла всего три дня назад. Он никогда не упоминал в своих письмах, что намерен жениться и...

— Наталья, должно быть, устала с дороги, — прервала его леди Филдинг, явно раздраженная попытками мужа завязать беседу с невесткой. — Уверена, она с удовольствием выпьет чашечку чая у себя в комнате. Я скажу служанке, чтобы та проводила ее и принесла поднос. — Не дожидаясь, что скажет на это Наталья, она нажала кнопку рядом с мраморной каминной полкой.

— В нашей комнате, я надеюсь? — сказал Джулиан и, хотя тон был вежливым, в его голосе подчеркнуто прозвучали твердые нотки.

— Конечно, дорогой, — ответила его мать, ничуть не обескураженная. — Для вас приготовлены комната и гостиная на втором этаже.

Вошла служанка, чуть старше Натальи.

— Вызывали, миледи? — спросила она.

— Да, Элен. Будьте любезны, покажите мисс... миссис Филдинг приготовленную для нее спальню и принесите ей чаю.

Наталья посмотрела на Джулиана.

— Мне кажется, это хорошая идея, любовь моя, — сказал он. — Мне необходимо объяснить родителям, что в моем внезапном отзыве в Лондон нет ничего неблагоприятного и что именно срочный отъезд явился причиной нашего столь поспешного бракосочетания.

Она кивнула, понимая, что Джулиан ни за что не расскажет матери про эпизод на Восточном базаре.

Наталья вышла из комнаты вслед за служанкой, но прежде чем закрылась дверь, она услышала взволнованный голос его матери:

— Дорогой Джулиан! О чем ты думал? Балканка и почти ребенок... Да еще с собакой...

— Хорошенький щенок, — заметил отец. — Скоро он станет превосходным охотничьим псом...

Дверь закрылась. Вне себя от гнева Наталья последовала за служанкой на второй этаж в роскошно обставленную комнату. Из окна открывался великолепный вид на холмистые зеленые лужайки и деревья, и она подумала — наверное, это и есть тот парк, о котором говорил Джулиан.

— Сейчас я принесу чай, мисс, — сказала служанка, а затем добавила: — Вы не будете возражать, если я отведу собачку на кухню? Уверена, у повара найдется для нее что-нибудь вкусненькое. Возможно, говяжья косточка или цыплячьи потроха.

Это было хорошее предложение, и Наталья протянула ей Беллу.

— Надеюсь, вы о ней позаботитесь? Для нее здесь все незнакомо.

— Конечно, мисс. Не беспокойтесь. У меня дома тоже есть собака.

Когда служанка забрала Беллу и вышла из комнаты, Наталья подумала о том, где находится дом этой девушки. Где бы то ни было, он не так далеко от Лондона, как Белград.

Она медленно сняла свою шляпку и положила ее на стул, затем снова подошла к окну и постояла там, глядя на парк. Балканка. Она обхватила себя руками, чтобы унять дрожь от ярости, вызванной нанесенным ей оскорблением. Ни один серб не позволил бы себе встретить гостя таким образом, тем более невестку.

Вернулась служанка с подносом и сообщила, что повар устроил Белле настоящий пир, так что о ней можно не беспокоиться. Позднее, когда чай уже остыл, в комнату вошел Джулиан.

— Я думал, ты уже отдыхаешь, — сказал он, когда она повернулась к нему от окна; ее жакет все еще был застегнут.

— Я не смогу здесь жить, — решительно сказала Наталья с мрачным видом. — Твоя мать не хочет меня видеть... и Беллу тоже.

Джулиан подошел к ней и нежно положил руки на ее плечи.

— Моя мать вела себя ужасно, — сказал он, не пытаясь ее оправдывать. — Этого больше не повторится. Даю слово. — Он обнял ее и прижал к себе. — Ты вполне сможешь здесь жить, Наталья. Впрочем, недолго. Скоро я получу новое назначение. А пока давай вместе наслаждаться Лондоном. — В его голосе зазвучали веселые нотки. — А отцу понравилась Белла. Он полагает, она скоро станет замечательной охотничьей собакой.

Как приятно было чувствовать близость Джулиана. Наталья слышала биение его сердца и ощущала приятный аромат его одеколона. Его губы коснулись ее виска, а затем он протянул руку к ее волосам и начал вытаскивать из них шпильки и бросать их на пол. Наталья замерла; ее сердце учащенно билось. Неужели он собирается заняться с ней любовью? Прямо сейчас? Посреди бела дня?

Когда последняя шпилька оказалась на полу, ее пышные кудри упали на плечи.

— Мне кажется, тебе следует снять жакет, — хрипло произнес он, приподняв ее подбородок. — Думаю, нам надо лечь в постель.

Наталья тоже так думала. Все ее тело было охвачено приятным томлением, и ей хотелось как можно крепче прижаться к Джулиану. Медленно, не отрывая глаз от его лица, она подняла руку и начала расстегивать маленькие пуговки на жакете.

Глаза Джулиана вспыхнули. Не говоря ни слова, он отошел от нее и задернул шторы, так что в комнате воцарился полумрак.

Наталья повела плечами, и жакет соскользнул с них на пол.

Джулиан подошел к ней, легко поднял на руки и понес в постель.

— Не бойся, — произнес он низким голосом, уложив ее. — Я не причиню тебе боли. Я буду с тобой очень, очень нежен.

Наталья лежала, наблюдая, как он снимает ботинки и носки, затем жилет и галстук, и чувствовала растущее возбуждение. Она никогда не видела обнаженного мужчины, и ей казалось невероятным, что она вот-вот его увидит, хотя и относилась к этому человеку просто как к другу.

Джулиан привычным движением расстегнул пуговичку на накрахмаленном воротничке и снял его.

Наталья подумала, стоит ли ему сказать, что у нее лишь смутные представления о том, что надо делать на брачном ложе. При других обстоятельствах мать объяснила бы ей все, что должна знать девушка в этом случае, но бракосочетание было таким скоропалительным и было необходимо уладить столько дел, что для беседы с дочерью у матери просто не осталось времени.

Джулиан снял свою рубашку, обнажив мускулистую грудь, а его плечи выглядели даже шире, чем в одежде.

— Моя мама не успела... — нерешительно начала она. — Я не знаю...

— Это не имеет значения. — Брюки облегали его бедра, и щеки Натальи вспыхнули, когда он начал их расстегивать. Они упали на пол, и она покраснела еще гуще. Без тени смущения Джулиан лег рядом с ней на постель, опершись на локоть и глядя на нее с таким выражением лица, что кровь забурлила в ее жилах.

— Мы не будем спешить, — сказал он, расстегивая первую пуговичку на ее блузке. — У нас достаточно времени...

Джулиан продолжал расстегивать пуговицы одну за другой. Затем скользнул своей сильной рукой ей под лиф и обхватил ладонью ее грудь, поглаживая большим пальцем сосок. Его теплые жаждущие губы прильнули к ее рту.

Наталья больше не колебалась. Прикосновение его руки вызвало у нее бурное желание. Не представляя, что будет дальше, позабыв о всех своих страхах, она впилась пальцами в его волосы, со страстью приоткрыв губы под его губами.

— Я люблю тебя, — хрипло произнес Джулиан потом, когда они лежали обнаженные с переплетенными руками и ногами и их тела блестели от пота. — Я люблю тебя всем сердцем и буду любить всю оставшуюся жизнь.

Она удовлетворенно пробормотала что-то невнятное, уткнувшись лицом в его шею.

Джулиан крепко сжал ее в объятиях, ожидая услышать желанные слова. Но они не последовали. Он подавил разочарование. Они еще придут. Она не стала бы так страстно отвечать на его ласки, если бы не любила его. Это просто невозможно.

На следующий день, через неделю после убийства эрцгерцога и герцогини в Сараево, Джулиан знакомил Наталью с Лондоном. Они бродили, взявшись за руки, по Риджент-парку, ели в кафе вкусное клубничное мороженое, посетили Вестминстерское аббатство и кормили голубей на Трафальгарской площади.

Наталья и вдали от дома по-прежнему тревожилась о судьбе Гаврило и Неджелко, все еще напряженно прислушивалась, не предъявила ли Австрия ультиматум Сербии, и тем не менее она была невероятно счастлива.

Но блаженство длилось недолго. Утренние газеты сообщили, что арестованы еще двое убийц — Трифко Грабец и Данило Илич.

— Ты их знаешь? — спросил Джулиан Наталью, размышляя, сколько еще людей вовлечено в авантюру и сколько еще будет арестовано.

— Я знакома с Трифко. — Она вспомнила о встречах в «Золотом осетре», и по ее телу пробежала дрожь. Ей никогда не нравился Трифко, в отличие от Гаврило и Неджелко, но мысль о том, что он должен предстать перед судом по обвинению в убийстве, ее ужаснула.

— А с Иличем? — настаивал Джулиан.

Наталья покачала головой. Если Неджелко бросил бомбу в автомобиль эрцгерцога, а Гаврило стрелял в него и герцогиню, в чем же заключались преступления Трифко и Илича?

С этого дня они ежедневно покупали газеты. В середине недели были опубликованы сообщения о том, что в Боснии арестовано еще несколько десятков человек по обвинению в совершении преступления, а в конце недели Джулиан получил письмо от Алексия, в котором тот сообщал, что австрийское правительство потребовало выдачи Натальи. Он решил не говорить ей об этом. События в Сараево и Белграде и без того слишком ее беспокоили, и лишние волнения были ни к чему. Она находилась в Лондоне и была в полной безопасности.

23 июля Австрия направила сербскому правительству угрожающий ультиматум. Теперь Наталья не могла пожаловаться на отсутствие у англичан интереса к событиям в Сараево и Белграде. Газеты пестрели сообщениями об ультиматуме и утверждали, что война неизбежна. Германия заявила о своей поддержке Австро-Венгрии в случае объявления

войны Сербии. Россия и Франция заявили, что будут на стороне Сербии.

Ответ сербов не заставил себя ждать. Фактически все пункты ультиматума были отклонены.

28 июля Австрия объявила войну Сербии. В ноте говорилось, что вечером того же дня австро-венгерские войска атакуют Белград.

Наталья была потрясена, а Джулиан почти все время находился в Форин оффис, как специалист по балканским делам.

1 августа Германия объявила войну России, и та начала всеобщую мобилизацию. Два дня спустя была объявлена война Франции.

— Следующей будет Англия, — сказал Джулиан; его глаза покраснели от бессонных ночей. — Если это произойдет, я немедленно вступлю в армию.

К горлу Натальи подступил комок.

— Значит, я останусь одна с твоими родителями! Я не вынесу этого! Не переживу!

— Ты должна, — мягко сказал он, обнимая ее и укачивая, словно ребенка. — Каждого из нас ждут тяжелые испытания. — Он не добавил, что не все смогут при этом выжить.

Весь следующий день, понедельник, он снова провел в Форин оффис. С каждым часом напряжение возрастало. Германия решила атаковать Францию через территорию нейтральной Бельгии. В этом случае Британия в соответствии с ранее принятыми обязательствами должна была защитить Бельгию от вторжения. И вторжение состоялось.

На Уайтхолле, улице правительственных учреждений, и около Букингемского дворца собрались толпы людей. Распространилась новость, что Англия направила немцам ультиматум: Германия обязана уважать нейтралитет Бельгии, и до полуночи по берлинскому времени немцы должны были дать ответ. Если такового не последует, можно будет считать, что Германия находится в состоянии войны с Великобританией.

Полночь по берлинскому времени соответствует одиннадцати часам по Гринвичу, и в десять часов Джулиан покинул своих возбужденных коллег и поспешил домой.

— Будет война? — взволнованно спросила мать, устремившись ему навстречу.

— Узнаем через час, — сказал Джулиан, хотя в душе уже знал ответ. Он был уверен в этом еще несколько дней назад. — Я хочу пойти с Натальей на Уайтхолл. Она должна быть со мной, когда «Биг Бен» пробьет одиннадцать.

Наталья в их комнате сидела на краю кровати в ночной рубашке у радиоприемника в надежде услышать новости из Сербии.

— Одевайся, — сказал он властно, открывая дверцы гардероба и доставая первую попавшуюся блузку и юбку. — Мы идем на Уайтхолл.

Она не стала ни задавать вопросы, ни спорить. Быстро оделась в то, что Джулиан ей бросил, и с рассыпавшимися по плечам волосами выбежала вместе с ним из дома.

Шофер довез их на «мерседесе» до Трафальгарской площади, но дальнейшее продвижение стало невозможным из-за столпившихся там людей. Было без десяти одиннадцать.

Джулиан открыл дверцу автомобиля.

— Пошли, — сказал он Наталье, не обращая внимания на искаженное ужасом лицо шофера. — Давай вольемся в толпу.

На площади колыхалось море соломенных шляп и вырос целый лес качающихся национальных флагов. То тут, то там по не известным Наталье причинам толпа взрывалась громкими аплодисментами. У многих мужчин в руках были бутылки с пивом. Дети держали воздушные шары, и она вспомнила, что сегодня в Англии праздничный день.

— Давай попытаемся добраться до Военного министерства! — крикнул Джулиан среди невообразимого шума и потянул Наталью за собой сквозь веселящуюся толпу. На всей улице Уайтхолл в окнах правительственных учреждений горел свет. Большинство зданий охранялось полицейскими. Служебные автомобили стояли вплотную друг к другу.

Внезапно настроение толпы резко изменилось. Наступила тишина. Затем раздался торжественный бой «Биг Бена».

Стоящая рядом с Натальей женщина неожиданно закричала. Некоторые начали молиться, очень тихо, почти шепотом.

Бой часов неумолимо продолжался.

Джулиан обнял Наталью за плечи.

Прозвучал последний удар, и звон постепенно затих в горячем ночном воздухе. Еще долго стояла тишина, затем кто-то крикнул: «Долой проклятого кайзера!» — и началось вавилонское столпотворение.

— Значит, Англия объявила войну Германии? — неуверенно спросила Наталья. — И тебя призовут в армию? Ты уедешь?

Джулиан кивнул, проклиная Гаврило Принципа, австрийцев и их высокомерный ультиматум, душевнобольных немецких генералов, решивших вторгнуться в Бельгию; проклиная всех, кто виноват в том, что он и Наталья так мало времени были вместе.

Толпа вокруг снова бушевала, громко распевая «Марсельезу» на английский манер.

— Мне необходимо срочно пройти офицерскую подготовку, — мрачно сказал Джулиан. — Утром я уезжаю.

Глава 9

Проводив Наталью, Катерина вернулась домой и почувствовала себя одинокой и обездоленной, как никогда в жизни. Теперь у нее не было самой близкой подруги и никого, кто бы мог ее заменить. Разумеется, Вица для этой роли не годилась. Наталья была очень порывистой и эгоцентричной, но ее природная жизнерадостность и веселость никогда не позволяли с ней скучать.

Когда экипаж Василовичей возвращался с вокзала по уже темным улицам, будущее представлялось Катерине мрачным и унылым. Ее сердце ныло. Вспоминая о Наталье, она не могла не думать о Джулиане. Она надеялась его увидеть на вокзале, может быть, в последний раз, но он строго следовал указаниям ее отца и даже не выглянул в вагонное окно.

Когда экипаж въехал во двор, Катерина подумала: если бы Джулиан и Наталья не поженились и он не сделал бы предложения ей самой, она испытывала бы не только пустоту после его отъезда в Англию, но страдала бы еще больше, зная, что, вероятно, никогда его не увидит. Сейчас же, как ни странно, ситуация была гораздо лучше. Теперь она его свояченица и станет тетей его детям. В дальнейшем они, несомненно, будут время от времени видеться.

Когда они вошли в дом, секретарь Алексия встретил их у входа.

— С вами желает поговорить майор Зларин, — сказал он почтительно. — По официальному делу.

Алексий кивнул. В ближайшие несколько дней ему предстояло заниматься множеством официальных дел. Однако он надеялся, что ни одно из них не коснется Натальи.

— Я иду спать, Алексий, — сказала смертельно уставшая Зита с темными кругами под глазами. Она повернулась к Катерине и нежно поцеловала дочь в щеку. — Мне кажется, тебе тоже следует лечь, дорогая. — Она знала, что Катерина тоже устала и опустошена морально. — Сегодня был очень тяжелый день, и нам обеим надо как следует выспаться.

Катерина кивнула в знак согласия. Она не хотела сидеть одна в гостиной. Не с кем было поговорить за чашкой какао, не с кем посекретничать.

Поднимаясь по лестнице в комнату, которую она теперь никогда не будет делить с Натальей, Катерина увидела высокого военного, выходящего из итальянской гостиной вслед за секретарем отца. Когда оба подошли к двери кабинета, незнакомец поднял голову и взглянул на нее. Ему было чуть больше тридцати, его скуластое лицо было загорелым, волосы темными и гладкими. Во всем его облике ощущалась явная властность. Катерина отвернулась, снова вспомнив о Джулиане и подумав, сколько времени пройдет, прежде чем отец получит от него телеграмму о благополучном прибытии в Англию.

На следующее утро за завтраком Катерина спросила с любопытством:

— Чего от тебя хотел этот майор вчера вечером, папа? Это как-то связано с Сараево?

Алексий колебался, все еще не решив, рассказать ли о том, что австрийские власти потребовали выдачи Натальи, или пока не волновать близких.

Его выручила Зита, полагавшая, что надо всегда делиться с семьей как плохими, так и хорошими новостями.

— Дядя Петр прислал майора Зларина с сообщением, что австрийцы потребовали выдачи Натальи для допроса, — сказала она, стараясь держаться спокойно. — Насколько мне известно, тон запроса достаточно мягкий и нерешительный.

По-видимому, у них нет серьезных оснований для этого. Сандро ответил, что Наталья, вернувшись из Сараево, заболела лихорадкой и в настоящий момент слишком плохо себя чувствует, чтобы давать показания. В конце концов он собирается им сообщить, что действительно, когда на базаре Наталья отстала от свиты эрцгерцога, с ней заговорил какой-то молодой человек, но в дальнейшем она не признала в нем Гаврило Принципа, так как была уверена, что это был не он, и потому нет никакой необходимости отправлять ее в Боснию для допроса.

— Сандро надеется, что продолжения не последует, — добавил Алексий. — Прав ли он или нет — покажет время.

В течение недели боснийские власти объявили об аресте Данило Илича и Трифко Грабеца. Алексий проводил почти все время в Конаке. В воскресенье, через неделю после трагических событий, Катерина и Зита пили чай в саду и вдруг увидели направляющегося к ним через лужайку быстрыми шагами Алексия с мрачным выражением лица.

— В чем дело, дорогой? — со страхом спросила Зита, поднявшись при его приближении. — Опять плохие новости?

Он покачал головой:

— Пока нет, слава Богу. Однако Сандро и премьер-министр считают, что Австрия в конечном счете объявит нам войну. Думаю, они правы, и потому я решил — пришло время нам обсудить, как действовать, если это произойдет.

Катерина положила вилку и отодвинула тарелку с кусочком миндального торта — у нее пропал аппетит.

— Что ты имеешь в виду, папа? — спросила она, и внутри у нее все сжалось от нехорошего предчувствия. — Разве недостаточно того, что мы разлучились с Натальей? Какие еще неприятности нас ждут?

Алексий сел на хлипкий с виду садовый стул. В свои сорок восемь лет он был еще достаточно красив и физически силен.

— Я сражался с турками и, если Австрия объявит нам войну, буду драться с австрийцами, — решительно сказал он. — Совершенно очевидно, что Сандро, как регент и главнокомандующий, не намерен отступать. Он призовет всех сербов встать на защиту родины и возглавит борьбу с врагами. И я должен последовать его примеру.

— Может быть, до этого все-таки не дойдет. — Зита сцепила руки на коленях, так что побелели суставы. — Мы должны молиться, чтобы не было войны.

— Майор Зларин получил приказ защищать Белград и не дать противнику возможность форсировать Саву, — мрачно продолжил Алексий, как будто не слышал того, что сказала жена. — Он обещал мне, что, находясь в Белграде, в то время как я скорее всего буду в другом месте, сделает все возможное, чтобы вас защитить. Полагаю, вам следует с ним познакомиться. Он должен прийти минут через пять.

Катерина посмотрела на мать. Всего неделю назад они были дружной, счастливой семьей. Теперь Наталья в Англии, а отец скоро уедет на войну.

В глубине дома появился военный и, пройдя через террасу, начал спускаться по каменным ступенькам на лужайку.

Зита задумчиво посмотрела на него, прищурившись от яркого солнца.

— Майор Зларин женат? — спросила она с интересом.

Алексий покачал головой:

— Нет, он кадровый военный, а у таких мужчин, как правило, не хватает времени для создания семьи.

Зита целую неделю была мрачной, но сейчас улыбка тронула уголки ее губ.

— Не говори глупости, дорогой, — мягко сказала она. — Просто он пока не встретил подходящей девушки.

Когда майор Зларин приблизился, Катерина убедилась, что ее первое впечатление было верным. В нем чувствовалась какая-то грозная сила.

Он взял ее руку и слегка поклонился; его прикосновение было холодным и твердым. Заглянув в его черные глаза, она была потрясена. В них читалось явное восхищение.

— Я рада, что вы нас посетили, майор, — сказала Зита. Широкий рукав ее бирюзового шифонового платья трепетал на ветру, когда она наливала ему чай в чашку из тончайшего фарфора.

Майор Зларин выглядел еще несуразнее, чем Алексий, сидя на шатком садовом стуле. Он был крупным, крепким и мускулистым, в его теле не было и намека на полноту.

— Вы стали свидетельницей исторического события, сударыня, — сказал он, принимая у нее чашку чая.

Он говорил очень сжато, и время от времени слабая улыбка играла на губах Зиты. Если она не ошибалась, то майор Зларин в большей степени привык отдавать и получать приказы, чем беседовать в женском обществе.

— То же самое говорит мой муж. По его мнению, опрометчивый поступок Принципа ввергнет нас в войну.

Брови майора Зларина слегка приподнялись, а Алексий сказал:

— Моя жена и дочь хорошо представляют ситуацию, в которой оказалась Сербия. Я беседовал с ними о том, как им предстоит жить в дальнейшем, если на нас нападут, и сказал, что вы любезно пообещали сделать все возможное, чтобы их защитить.

— Для меня это большая честь, — подтвердил майор, глядя с откровенной прямотой на Катерину, что ее смущало.

Катерина опустила глаза. Если майор Зларин надеялся пофлиртовать, то его ждет большое разочарование. Ее сердце и мысли были полностью заняты Джулианом, и она не испытывала ни малейшего желания кокетничать с кем бы то ни было, тем более с этим суровым военным, который на вид был лет на десять старше ее.

Майор отвел взгляд и обратился к Алексию:

— Я полагаю, что вашей семье лучше покинуть Белград до начала военных действий.

Алексий нахмурился, обдумывая это предложение, а Катерина воскликнула так внезапно и взволнованно, что удивила присутствующих:

— Нет, папа! Если Белград подвергнется нападению, появятся десятки, а возможно, сотни раненых. Потребуются сестры милосердия. Конечно, у меня нет опыта, но есть некоторые познания в медицине, и я немедленно предложу свои услуги.

— Нет, дорогая. Это самый неприемлемый вариант...

— Ты не прав, — сдержанно вмешалась Зита. — А я должна быть с дочерью и думаю, мы вместе могли бы ухаживать за ранеными.

Она еще раньше решила остаться в Белграде в случае войны. Алексий посмотрел в глаза жены и, увидев в них непоколебимую решимость, понял, что не имеет смысла пытаться ее переубедить.

Катерина старалась тщательно избегать взгляда майора Зларина, не сомневаясь, что он опять на нее смотрит. Она думала о тяжелых испытаниях, которые их ждут.

— Разумеется, они этого хотят, — сказала двоюродная бабушка Евдохия неделю спустя на пороге гостиной Василовичей. За ней следовали Вица и Макс. — Австрия намерена присоединить Сербию к своей чудовищной империи, как Боснию и Герцсговину. Но у нее ничего не выйдет.

Макс посмотрел на Катерину.

— Может быть, немного погуляем? — спросил он, явно не желая сидеть и слушать разглагольствования своей бабушки.

Катерина кивнула. Она не разговаривала с Максом после отъезда Натальи. Отец говорил, что Макс не знал Гаврило Принципа лично, что ему просто указали на Гаврило как на сомнительного типа, и когда Макс увидел его с Натальей и стал рассказывать Вице о посещениях ею «Золотого осетра», он, естественно, назвал Гаврило по имени.

— Между Максом и Принципом нет абсолютно никакой связи, — с облегчением сказал тогда Алексий, вернувшись после разговора с племянником, — и об этом больше нечего говорить. Понятно, Катерина?

Она кивнула и задала последний вопрос:

— А о Сараево? Макс знает, что Наталья встречалась с Принципом в Сараево?

— Боже милостивый, нет! Ни в коем случае! У нас и так достаточно проблем, чтобы создавать новые, вовлекая в них своих родственников!

Катерина нашла весьма примечательным то, что отец не доверял Максу, и едва не спросила о причинах, но потом решила, что это будет бестактно. Отец больше не хотел обсуждать этот вопрос и, несомненно, предупредил об этом Макса и Вицу.

Сейчас, выйдя вместе с Максом из комнаты, Катерина подумала, что, возможно, он пришел с бабушкой в этот дом с явным намерением пренебречь желанием ее отца. Еще в детстве ее кузен был своеволен и не утратил этой черты повзрослев.

Ее предположения подтвердились. Почти сразу же, как только они вышли на террасу, Макс спросил:

— Что, Наталья на самом деле встречалась с Принципом в Сараево, Трина? Она ведь зналась с ним и раньше? Наталье было известно о его планах? Поэтому ее спровадили в Англию? Она замешана в убийстве?

— Не будь ослом, Макс! — Катерина попыталась засмеяться, но ее смех прозвучал слишком неестественно. Зачем только, черт побери, она согласилась пойти с ним гулять! — Наталья едва знала Принципа, — сказала она как можно искреннее. — В тот день, когда ты видел их вместе, он просто подсел за ее столик. Вот и все. Извини, что разочаровала тебя, Макс. Если тебе нужна невероятная драма, то ищи ее в другом месте.

— А что ты скажешь по поводу скандально поспешного и в высшей степени неравного брака? — сухо спросил он. — Не будь дядя Алексий в панике из-за дружбы Натальи с Принципом, зачем ему было так опрометчиво выдавать ее за англичанина? И почему эта счастливая парочка сбежала из Белграда сразу после свадьбы, будто по пятам за ними гнался сам дьявол?

— Ты несешь чушь, — резко сказала Катерина. — Каких книг ты начитался? Никто не преследовал Джулиана и Наталью, они получили много поздравлений.

Макс усмехнулся.

— Не выдумывай, Трина. Бабушка говорит, что свадьба была такой поспешной и скрытной, словно Наталья на восьмом месяце беременности.

— Пусть бабушка Евдохия держит свое мнение при себе, — сердито отрезала Катерина. — Как она смеет намекать на такие вещи?

— Да, но ты можешь припомнить, чтобы кто-то из членов нашего многочисленного семейства сочетался браком в такой неподобающей спешке, не пригласив на свадьбу всех родственников? И почему за этим не последовало ни извинений, ни объяснений?

— Почему ты в этом копаешься? Неужели сейчас нет ничего важнее для беспокойства?

— Ты имеешь в виду реакцию Австрии на убийство Франца-Фердинанда?

Катерина кивнула, надеясь, что разговор перейдет на более важную тему.

Он пожал плечами и пошел к розарию.

— С Австрией давно все ясно, — сказал он. — Любому здравомыслящему человеку понятно, что рано или поздно она на нас нападет. Меня больше интересует тема, от которой ты все время стараешься уйти. А именно почему Наталью заставили выйти замуж за англичанина.

— Ее никто не заставлял. Она его любит.

Макс иронически фыркнул.

— Оставь, Трина. Чтобы Наталья влюбилась в англичанина? Да она славянка до мозга костей! Ты можешь себе представить, чтобы Наталья хотела иметь сына от англичанина? Я не могу. Где он получит образование? В Итоне? И разве сможет Наталья жить где-нибудь, кроме Сербии? Это смешно.

— Ты как всегда несешь чепуху, Макс, — сказала Катерина, чувствуя, что у нее сжимается горло. Лучше бы она осталась в гостиной и слушала проклятия Евдохии в адрес Австро-Венгрии. — Наталья будет счастлива с мужем, где бы она ни жила.

Макс остановился, развязно держа руки в карманах.

— Я рад, что уехала Наталья, а не ты, — неожиданно сказал он. — Мне показалось, что Джулиан увлечен тобой, когда я встретил вас здесь вдвоем на Летнем балу. Что ему было от тебя надо? Получить поддержку члена семьи? Мне кажется, он может добиться всего, чего пожелает.

Они стояли у огромного розового куста. Катерина вспомнила, как была счастлива в тот вечер, уверенная, что Джулиан собирается сделать ей предложение. Но вместо этого он увлек Наталью в итальянскую гостиную и попросил ее стать его женой. А Наталья ему отказала. Она не чувствовала никакой любви к Джулиану и если бы не желание уберечь родителей от разлуки, никогда не вышла бы за него замуж.

— Что ты будешь делать, Макс, если начнется война? — спросила Катерина, стараясь сменить тему разговора, потому что ей не хотелось продолжать врать о чувствах Натальи к Джулиану.

Впервые за время разговора он на нее посмотрел.

— Разве ты не знаешь? Я офицер и к тому же Карагеоргиевич, а все мужчины Карагеоргиевичи всегда сражались.

Катерина покраснела. Четыре года назад, когда ему был только двадцать один год, он прославился во время сражения с турками. Она забыла об этом, потому что трудно было представить Макса героем.

— Извини, Макс. Я не подумала...

На куст розы села птичка, и на плечи Макса посыпались лепестки.

— А вообще ты когда-нибудь думаешь? — резко спросил он. — Я имею в виду — обо мне?

— В каком смысле? — Она не знала, что ответить — настолько странным показался ей вопрос. — Как об офицере? Я так редко видела тебя в форме, что...

— Нет, — отрывисто произнес он. — Не как об офицере.

Катерина ждала, что он пояснит свой вопрос, но вместо этого Макс только пожал плечами и, повернувшись, зашагал к дому.

Она смотрела вслед ему с облегчением, поскольку теперь, кажется, вопросов о Наталье больше не будет.

Катерина неохотно последовала за ним в дом, стараясь не попадаться Максу на глаза и размышляя о том, неужели ему доставляет удовольствие быть таким невыносимо грубым.

Недели через две с небольшим охватившее всех напряжение стало невыносимым.

— Все-таки это произошло, — сказал Алексий с тяжелым чувством, вернувшись домой из дворца. — Австрийский посол вручил его премьер-министру менее часа назад.

Катерина отложила книгу, которую читала, а Зита резко спросила:

— Что вручил? Ультиматум? — Она ставила белые розы в маленькую вазу и теперь, бросив свое занятие, поспешила к мужу.

Алексий кивнул и, сев в кресло, прикрыл рукой глаза.

— Это просто насмешка какая-то. Крайне оскорбительный документ.

Зита опустилась на колени рядом с мужем и взяла его за руку.

— Что теперь? — мрачно спросила она. — Каков будет наш ответ?

Он опустил руку, которой прикрывал глаза.

— Мы вынуждены уступить их требованиям. Одно из них — арестовать двух сербов. Слава Богу, в ультиматуме нет ни слова о Наталье.

— Если мы согласимся с их требованиями, кончится ли этим дело? — нерешительно спросила Зита.

Он покачал головой и сжал ее руку.

— Нет, любовь моя. Я сомневаюсь, что Австрия обратит хоть малейшее внимание на наш ответ. Сандро решил привести в готовность все вооруженные силы. Я должен поехать в Шабац и принять командование добровольческими частями.

— Ты уезжаешь прямо сейчас? Сегодня? — Ее лицо стало бледным, почти как розы, которыми она занималась.

— Да, дорогая. Дай Бог, чтобы предосторожности, которые предпринял Сандро, оказались излишними, но в противном случае... — Он не закончил фразу. Всем было и так понятно, что в противном случае их жизнь превратится в ад.

***

В Белграде напряженно ждали реакции Австрии на ответ сербского правительства на ультиматум. Не в силах в бездействии дожидаться новостей дома, Зита отправилась вместе с Катериной в Конак. Многие члены их большого семейства уже находились там.

Появился Сандро и сообщил родственникам, что Австро-Венгрия объявила войну Сербии.

— Этого следовало ожидать, — мрачно заметил он. — Но мы не одиноки, и австрияки получат достойный отпор. На помощь нам придет Россия. Царь уже объявил мобилизацию. Мы не допустим разорения страны вражескими войсками и ее насильного присоединения к империи Габсбургов, как это было с Боснией и Герцеговиной. Все годные к строевой службе в королевстве будут призваны в армию и, надеюсь, откликнутся на призыв защитить Отечество. Мой прадед освободил Сербию от турецкого ига, и его дух не умер в наших сердцах. Австро-Венгрия будет горько сожалеть о принятом сегодня решении. Результатом будет не победа, а крушение империи Габсбургов.

Сейчас Сандро выглядел гораздо старше, чем два месяца назад, когда в этой комнате объявили о его неофициальной помолвке с княгиней Ольгой. От его привлекательного мальчишества не осталось и следа. Молодой человек, поддразнивавший Наталью и игравший с собакой, предстал серьезным главнокомандующим.

— Мне кажется, нам следует вернуться домой, — тихо сказала Зита. — Начальство госпиталя должно нам сообщить, когда мы понадобимся.

В тот же вечер во дворе послышался рев автомобильного мотора.

Зита поспешно отложила свое вышивание и вышла в вестибюль, за ней последовала Катерина.

Оказывается, приехал Макс. Он был в военном мундире и выглядел весьма внушительно.

— В чем дело, Макс? — встревоженно спросила Зита. — У тебя послание от Сандро? От Алексия?

Он покачал головой, глядя мимо нее на Катерину.

— Нет. Просто я заехал попрощаться.

— Тогда, может быть, выпьешь чаю или сливовицы? — предложила Зита, стараясь не выказывать своего удивления.

— Нет, — сказал он, в упор глядя на девушку. — У меня нет времени.

В сердце Зиты закралось тревожное подозрение, и она быстро взглянула на дочь. Та продолжала смотреть на Макса, недоумевая так же, как и мать.

— Может быть, пройдем в гостиную и на несколько минут присядем? — сказала Зита, удивляясь тому, что молодой Карагеоргиевич может так неучтиво себя вести.

— Нет. Я должен ехать.

Входная дверь позади него была все еще открыта, и Катерина слышала, что мотор его служебного автомобиля продолжает работать. Она подумала о том, куда он едет. Удивительнее всего было то, что Макс не поленился заехать к ним только для того, чтобы попрощаться, но при этом вел себя крайне неприлично.

— Ты едешь в Шабац? — спросила она, в то время как он продолжал стоять в центре вестибюля и мял в своих больших, сильных руках офицерскую фуражку.

— Нет, в Цер. — Он выглядел так, словно никак не мог прийти к какому-то решению. Наконец Макс отрывисто произнес: — Берегите себя обе. Если бы вы были моей матерью и сестрой, я бы отправил вас в Ниш, хотите вы того или нет. — И прежде чем женщины успели что-то ответить, повернулся и стремительно вышел.

— Какой странный молодой человек, — сказала мать, слегка нахмурившись, когда они вернулись в гостиную. — Порой мне с трудом верится, что он Карагеоргиевич. Как ты считаешь, его неловкость — следствие застенчивости?

Несмотря на подавленное состояние, Катерина рассмеялась.

— Макс никогда не был застенчивым. Впрочем, его поведение мне тоже кажется очень странным.

Раздался отдаленный грохот, и ее веселость исчезла. Затем грохот повторился, на этот раз ближе.

— Началось, — сказала Зита с тяжелым вздохом. — Это орудийный огонь. Австрийцы пытаются форсировать Саву.

Глава 10

Наталья недоверчиво посмотрела на Джулиана.

— Завтра?

Он мрачно кивнул и обнял ее за плечи. Все приготовления были закончены несколько дней назад, но Джулиан не решался ей сказать. До последней минуты он молил Бога, чтобы Германия и Австро-Венгрия не переступили роковой черты. Возможность для этого еще оставалась. Министр иностранных дел Эдвард Грей, выступая с посреднической миссией, предложил созвать международный европейский суд и таким образом урегулировать проблему. Берлин отклонил это предложение, сказав, что Австрия права, и никакого суда не требуется. Началась мобилизация войск, так как каждая страна полагала, что к моменту объявления войны их армии должны быть в полной боевой готовности. Теперь уже никто не сомневался в неизбежности начала военных действий.

— Это невозможно! — вскричала Наталья, когда они пробирались сквозь бушующую толпу, охваченную патриотическими чувствами. — Ведь я останусь одна!

— Не волнуйся, милая! — крикнула женщина, в тесноте прижатая к ним. — Тебе недолго придется быть одной! К Рождеству все кончится!

— В самом деле? — Наталья не отрывала глаз от лица Джулиана. Он один среди возбужденных людей не испытывал патриотического подъема. Он был дипломатом и гораздо лучше знал реальное положение дел, чем эти поющие и орущие ура-патриоты, разгулявшиеся в праздничный день.

— Так говорят, — сказал Джулиан, стараясь ее успокоить, хотя очень сомневался в скором окончании войны. — Давай выбираться отсюда. У нас с тобой осталось слишком мало времени, и я не хочу терять его в этой суматохе.

Выбраться с Уайтхолла было так же трудно, как и попасть туда. Наталья уцепилась за Джулиана, в то время как тот прокладывал путь через толпу к тому месту, где их ждал «мерседес» с шофером. Всю последнюю неделю она напряженно следила за развитием событий в Европе. Если бы Англия пришла на помощь Сербии, объявив войну Австро-Венгрии, Наталья сейчас тоже громко кричала бы по-сербски: «Живио!», то есть «Ура!», но, насколько она поняла, этого не произошло. Англия находилась в состоянии войны с Германией — союзницей Австро-Венгрии — только потому, что немцы двинули свои войска через нейтральную Бельгию.

— Дело не в одной лишь Бельгии, — терпеливо разъяснял ей Джулиан. — Это означает, что Британия выступает в качестве союзницы Сербии, так же как Франция и Россия. Скоро мы расквасим нос кайзеру, и Габсбургская империя развалится на части.

Наталья ухватилась за эту мысль сейчас, когда Джулиан протискивался к машине. Если ее муж собирается на войну, чтобы приблизить день освобождения южных славян, она обязана справиться с ужасом одиночества здесь, в Лондоне. Пусть это будет с ее стороны жертвой ради будущей Югославии.

«Мерседес» ждал их; шофер сидел с открытым окошком, сдвинув фуражку на затылок, и выкрикивал вместе с окружающими: «Долой Германию! Долой Германию!»

Увидев Джулиана, он сразу замолчал, поправил фуражку и вылез, чтобы открыть им заднюю дверцу; его лицо было красным и возбужденным.

Джулиан только усмехнулся.

— Отвези нас домой и как можно быстрее, — сказал он, размышляя о том, когда этого молодого парня призовут в армию и смогут ли родители найти более пожилого и непригодного к армейской службе человека, чтобы его заменить.

Наталья с облегчением села в автомобиль. Вся Трафальгарская площадь была заполнена кричащими людьми с развевающимися флагами, и «мерседес» сейчас представлял благословенный оазис тишины и спокойствия.

— Мне почему-то всегда казалось, что англичане сдержанны и не склонны проявлять свои чувства, — сказала она, когда их автомобиль начал потихоньку двигаться. В это время группа отчаянных парней с национальными флагами на плечах полезла на колонну Нельсона. — На самом деле они такие же пылкие, как и славяне.

— Я думал, ты должна была еще раньше это понять, — сказал он с усмешкой, прижимая ее к себе.

Наталья хихикнула и, несмотря на людей, тесно окружавших со всех сторон автомобиль, обняла мужа за талию. Пьянящее наслаждение, которое она испытала от его любовных ласк, явившихся для нее сюрпризом, было настолько острым и возбуждающим, что она на время забыла, при каких обстоятельствах они поженились. Сейчас, вспомнив о предстоящей разлуке, она сказала низким хрипловатым голосом:

— Я буду скучать по тебе, chéri.

Джулиан еще крепче прижал ее к себе. Ему нравилось, когда она порой обращалась к нему по-французски, выражая нежные чувства, а иногда, сердясь, переходила на сербский.

— Если слухи верны и война окончится к Рождеству, разлука будет не такой уж долгой.

— Чем мне заняться, когда ты уедешь? — Автомобиль уже выбрался из толчеи и набирал скорость. — Могу я быть чем-то полезной во время войны?

— А что бы ты могла делать? — спросил он, и она почувствовала насмешку, которая почти всегда звучала в его голосе.

— Не знаю. — Ее темные, изящно очерченные брови сошлись вместе в глубокой задумчивости. — Должно же найтись и для меня какое-нибудь занятие.

Наталья подумала о том, что ее мать и Катерина делают сейчас в Белграде. Они наверняка не сидят сложа руки. Она вспомнила о том, как Катерина выскочила в Сараево из «даймлера», чтобы помочь раненным бомбой, брошенной Неджелко. Разумеется, Катерина не станет сидеть праздно во время войны.

— Я могла бы работать в госпитале, — задумчиво сказала Наталья. — Потребуется очень много санитарок.

— Причем квалифицированных, — добавил Джулиан. — Потребуется также очень много бинтов. Скатывание бинтов — это то, чем ты и мама могли бы заняться дома.

Голова Натальи лежала на его плече. Но, услышав последние слова, она, едва веря своим ушам, отпрянула от мужа.

— Ты в самом деле так считаешь? — недоверчиво спросила она. — Скатывание бинтов? Вместе с твоей матерью?

Она не знала, что больше ее испугало: скучная работа, недостойная Карагеоргиевичей, или необходимость сидеть часами за этим занятием с его матерью... Наталья содрогнулась.

Если бы леди Филдинг разразилась гневом по поводу их брака, Наталья могла бы ее понять и даже посочувствовать. Но холодная сдержанность и антипатия матери Джулиана были ей непонятны. Перспектива жить с ней в отсутствие мужа очень ее угнетала. Как он мог представить себе их, скатывающих вместе бинты, без какого-либо взаимопонимания?

— Хорошо, а что еще ты можешь делать? — рассудительно спросил он, испытывая нетерпение поскорее добраться до дома и заняться с ней любовью. — Ты могла бы участвовать в различных благотворительных мероприятиях обществ...

Наталья с трудом оторвалась от своих мыслей об ужасах, ожидающих ее в отсутствие Джулиана.

— Общества, которые собирают и посылают деньги в Сербию? Они состоят из сербов?

— Я имел в виду другое, — сказал он, помня о ее посещениях белградских кофеен и не желая, чтобы она связывалась в его отсутствие с какими-нибудь сербскими организациями здесь, в Лондоне, хотя они, возможно, и безобидны. — Например, Красный Крест.

Наталья немного сникла, хотя сбор денег на благотворительные нужды выглядел более интересным, чем скатывание бинтов. Ей хотелось заниматься каким-то важным, живым делом. Она была уверена, что Катерина нашла себе именно такое занятие. Белград подвергается атакам австро-венгерских войск со стороны Дуная и Савы, и Наталье очень хотелось быть там рядом с Катериной, чтобы знать о происходящих событиях и участвовать в них.

Пока «мерседес» плавно скользил по освещенным газовыми фонарями улицам, она подумала о том, что делает сейчас ее отец: участвовал ли он уже в боях, а если да, то где. Сандро обязан быть в войсках как главнокомандующий. Макс тоже сражается. Он прославился в боях с турками, и нет сомнения, что сейчас дерется с ненавистными австрияками.

— Мама и папа, наверное, никак нас не дождутся, — сказал Джулиан, когда автомобиль подкатил к их дому. — Я должен уехать рано утром, и они хотят попрощаться со мной сегодня вечером. Ты иди сразу в постель, а я поднимусь как можно скорее.

Наталья откинула волосы с лица. Было уже за полночь. Сколько им осталось часов? Пять? Шесть? Жалея о каждой минуте, которую Джулиан должен провести со своими родителями, она вошла в освещенный люстрой холл.

Почти тотчас двери гостиной распахнулись, и леди Филдинг быстро направилась к ним, шурша длинной юбкой.

— Мы слышали сообщение по радио, — взволнованно сказала она Джулиану, игнорируя Наталью, словно ее и не было. — Теперь мы в состоянии войны с Германией. — Ее голос слегка дрожал, и это привлекло внимание Натальи. Впервые она слышала выражение эмоций в этом холодном, отчетливом голосе. — Я едва могла в это поверить. Неужели мы действительно будем воевать с немцами? И все из-за этого глупого инцидента на Балканах?

Наталья втянула в себя воздух, и Джулиан поспешно сказал:

— Иди спать, дорогая. Я долго не задержусь.

Впервые за время разговора леди Филдинг обратила внимание на Наталью. При взгляде на распущенные спутанные волосы невестки ее лицо исказилось от отвращения. Наталья все прекрасно поняла. В глазах леди Филдинг она была просто восточноевропейской цыганкой. Одним словом, балканкой. Глаза Натальи вспыхнули, но она промолчала ради Джулиана. Стараясь сохранить самообладание, во что ни ее мать, ни отец никогда бы не поверили, она прошла через холл и поднялась по лестнице, всем своим видом показывая, что она не цыганка, а член королевского дома Карагеоргиевичей.

Позднее в постели Наталья с гневом сказала мужу:

— Я ненавижу твою мать!

— Не надо возмущаться. Это не имеет смысла. — Джулиан лежал, опершись на локоть, и смотрел на нее. Его мускулистая грудь блестела от пота после бурных любовных ласк. — Она не хотела унизить кого-либо, говоря о том, что война началась из-за глупого эпизода на Балканах. Кстати, так думают многие англичане, и их нельзя в этом винить. — Свободной рукой он гладил бедра Натальи. — Сербия и Босния для них так же далеки, как звезды.

— Она меня не любит, — настаивала Наталья, злясь оттого, что он пытался снова ее возбудить только ради удовлетворения своей страсти.

— Это правда. — Это было настолько очевидно, что он уже давно заставил себя с этим смириться. — Ты должна понять, дорогая, что мы сделали все не так, как ей хотелось бы. Не было официально объявлено о помолвке и не было пышной церемонии бракосочетания в церкви Святой Маргариты в Вестминстере. Даже если бы обряд состоялся в соборе в Белграде, она была бы довольна. Среди гостей на церемонии присутствовали бы члены европейских королевских семей. Мои родители были бы гостями в Конаке, и твой отец наверняка произвел бы впечатление на моего своей политической прозорливостью и талантом государственного деятеля, а твоя мать непременно очаровала бы мою. Тогда все было бы иначе.

Его рука легла на ее живот и начала нежно его ласкать, спускаясь все ниже.

— Но так произошло, что моя мать не встречалась ни с кем из членов вашей семьи, и ей трудно поверить в их существование. Она не глупа, но совершенно лишена воображения. Наша свадьба была слишком поспешной и не соответствующей ее представлениям о респектабельности. Отсюда и ее отношение к тебе, как к девушке, не достойной уважения.

Наталья провела ладонями по его груди, внезапно поддавшись сладострастному порыву, который он в ней возбудил. Все ее недовольство матерью Джулиана отошло на второй план и единственным желанием было снова слиться с ним воедино.

— Люби меня, — хрипло прошептала она. — Скорее, дорогой. Ну же, скорее.

Его глаза загорелись ответной страстью, и когда она потянула его на себя, он, оставив попытки объяснить причины враждебного отношения к ней его матери, овладел ею с пылким нетерпением.

Было пять часов утра, когда Джулиан поднялся.

— Я тебе напишу, — сказал он, одеваясь в гражданскую одежду, возможно, в последний раз, поскольку потом ему придется долгие недели, а может быть, месяцы, носить военный мундир. — В конце недели приедет моя сестра Диана, которая, думаю, составит тебе компанию. Она очень жизнерадостная девушка и наверняка тебе понравится.

Наталья, поджав колени, сидела на кровати в ночной рубашке, отделанной кружевами. Она сомневалась. Если Диана такая же, как ее мать, то вряд ли сможет ей понравиться. Она не хотела общаться с его сестрой, ей нужен был только он.

— Я буду по тебе скучать, — искренне сказала Наталья.

Его пальцы слегка дрожали, когда он застегивал воротник рубашки. Он знал, что она будет скучать, и это глубоко его тронуло, но ему хотелось, чтобы она сказала нечто большее. Он надеялся — Наталья наконец скажет, что любит его.

— Как же теперь я буду узнавать новости из Сербии, если ты не будешь посещать Форин оффис? — спросила она с тревогой. Но не этих слов он от нее ждал.

— Придется положиться на газеты. — Джулиан с трудом скрыл свое разочарование. — Впрочем, новости с фронтов приходят очень редко. Так что не стоит рассчитывать на многое.

Джулиан надел жилет и поправил галстук. Его сумки были уже уложены и ждали в холле. Он не ощущал себя воином, идущим на битву. У него было чувство человека, которого разлучали с женой и толкали на бесчинства жаждущие войны политики, генералы и монархи.

— До свидания, дорогая, — произнес он взволнованно.

Наталья соскочила с кровати, бросилась к мужу и крепко обняла.

— Возвращайся поскорее! — взмолилась она, подумав, как она будет жить в Англии без него. — Возвращайся до Рождества!

Джулиан в последний раз крепко ее поцеловал и быстро вышел из комнаты, чувствуя, что, задержись он еще хотя бы на мгновение, самообладание его покинет.

Наталья стояла замерев и прислушивалась к его удаляющимся шагам. Она слышала, как он легко сбежал по лестнице и пересек холл. Входная дверь открылась и закрылась. Затем донесся звук мотора «мерседеса», который постепенно затих в отдалении. И наступила тишина.

Наталья медленно вернулась к кровати и села на ее край. Впервые она почувствовала себя совершенно одинокой. Одна среди незнакомых людей. На ее ресницах заблестели слезы.

Как жить под одной крышей с враждебно настроенной свекровью? С кем поговорить? В Лондоне у нее не было ни друзей, ни родственников. Она вспомнила о своих прежних друзьях и смахнула слезы, зардевшись от стыда. Гаврило, Неджелко и Трифко сейчас томятся в австрийской тюрьме. По сравнению с ними она в неизмеримо лучшем положении. Ее охватил патриотизм. Она тоже должна сделать что-нибудь для Сербии.

У ее ног прыгала Белла, и Наталья взяла собаку на руки и крепко прижала к себе. Лондон — один из крупнейших городов мира и, вероятно, здесь есть и другие сербы. Она вспомнила, как боснийские и хорватские эмигранты собирались в «Золотом осетре» и в других белградских кофейнях. В какой бы стране ни жили эмигранты, всегда существуют места, где они встречаются. Ей надо найти в Лондоне место, где собираются сербы.

Задавшись такой целью, Наталья забралась под смятые покрывала, дожидаясь наступления дня. Белла попыталась устроиться рядышком, и она любезно позволила ей это сделать. Жизнь снова обрела смысл. Она не намерена скучать в одиночестве. Вот скоро позавтракает, как всегда в постели, оденется, возьмет Беллу на прогулку и под этим предлогом начнет искать в Лондоне соотечественников.

Сделать это оказалось не так легко, как она предполагала. Лондон был не только огромным городом — его улицы и площади представляли собой запутанный лабиринт. Усталая и измученная, Наталья взяла такси и вернулась в дом Филдингов лишь в конце дня.

— Миледи очень о вас беспокоилась, — любезно предупредил ее дворецкий, открывая ей дверь. — Прибыли мисс Диана и мистер Эдвард.

Наталья встретила это сообщение равнодушно. Ей ни с кем не хотелось встречаться. Она надеялась принять горячую ванну, выпить чашечку традиционного английского чая и побыть в тишине, чтобы спокойно выработать стратегию дальнейших поисков.

Но едва она вошла в холл, как все ее надежды рухнули. Двери гостиной распахнулись, и появилась леди Филдинг в шуршащем платье из кремового шелка и с ниткой крупного жемчуга на шее.

— Наталья! Где ты была? Лондон — не Белград! Тебе нельзя ходить по улицам без сопровождения!

Впервые леди Филдинг снизошла до того, что обратилась к ней просто по имени. Наталья на мгновение смутилась. В ту же секунду из гостиной появились миловидная светловолосая девушка, одетая в модное платье с V-образным вырезом, и высокий худощавый молодой человек, очень похожий на Джулиана.

— Я гуляла с Беллой, — сказала Наталья, — и заблудилась. Даже идя вдоль реки, не смогла найти дорогу назад.

Светловолосая девушка не стала дожидаться представлений. Не обращая внимания на мать, она решительно подошла к Наталье и с чувством расцеловала ее в обе щеки.

— Неудивительно! — сказала она, смеясь. — Идя вдоль реки, ты могла попасть в Гравесенд или Хенли! Меня зовут Диана. Джулиан рассказывал о тебе в своих письмах. Ты член королевского дома Карагеоргиевичей! Боже, я потрясена! Ты знаешь князя Александра? Он действительно носит пенсне или надевает его для того, чтобы выглядеть старше и представительнее?

— Ты ведешь себя вульгарно, Диана, — решительно прервала ее мать. — Я уверена, Наталья близко не знакома с князем и...

— Он мой двоюродный брат, — ответила Наталья Диане, чувствуя в ней родственную душу, — и самый близкий друг.

— Вот! Я в этом не сомневалась! — торжествующе сказала Диана, беря Наталью под руку. — Мама совсем растерялась. Она до сих пор не представила тебя Эдварду. Бедный Эдвард здесь проездом в Сомерсет. Там формируются кавалерийские части и он по крайней мере будет среди своих любимых лошадей. Поздоровайся же с Натальей, Эдвард. Иначе она подумает, что ты глухонемой!

Высокое и худощавое подобие Джулиана сделало шаг вперед и протянуло Наталье руку.

— Очень рад познакомиться, — застенчиво сказал Эдвард. — Должно быть, вам очень тяжело без Джулиана, тем более что у вас нет друзей в Англии.

Он не был такой же сильной личностью, как Джулиан, но она почувствовала в нем сочувствие и великодушие и забыла о том, что хотела выпить чаю в одиночестве.

— Сегодня я искала друзей, — сказала она с улыбкой, к восторгу Дианы и ужасу леди Филдинг. — Должны же быть в Лондоне другие сербы в изгнании и я хотела с ними встретиться.

— Ты хочешь сказать... что ходила по улицам... в поисках сербов? — Леди Филдинг побледнела. — О Боже! Что, если бы тебя увидели? Узнали? Эдвард, объясни ей, пожалуйста, что она не должна бродить по Лондону... и разыскивать сербов!

Некое подобие улыбки тронуло уголки губ Эдварда.

— Так вы никого никогда не найдете, — сказал он добродушно. — Если хотите связаться с сербами, а мне понятно ваше желание, это можно сделать гораздо проще.

— Может быть, и так, — раздраженно прервала его мать, — но Наталье не следует встречаться с кем-либо из них. Это неприлично.

— Полагаю, ни мои родители, ни Джулиан не сочли бы неприличными подобные встречи, — поспешно сказала Наталья. — В Белграде у меня всегда были друзья, и мои родители и король Петр не возражали. — Она подумала о Гаврило, о Неджелко, о встречах в «Золотом осетре» и скрестила пальцы, чтобы ее ложь никому не причинила вреда.

— Лондон — не Белград! — Тонкий с горбинкой нос леди Филдинг побелел, она с трудом сдерживала гнев. — Ты замужем за англичанином и должна придерживаться английских традиций и обычаев.

— Мне кажется, ты не все понимаешь, мама, — мягко сказал Эдвард. — Хотя Наталья и замужем за англичанином, но из-за этой проклятой войны она осталась без дружеской поддержки. Поживи она с мужем в Лондоне немного дольше, у нее не было бы никаких проблем. Джулиан представил бы ее своим друзьям, и сейчас ей не было бы так одиноко. Думаю, он не стал бы возражать, если бы Наталья нашла себе друзей.

— Но он вряд ли согласился бы отпускать ее без сопровождения и заводить знакомства без представления!

— Я буду ее сопровождать, — сказал Эдвард, наклонившись и подхватив уставшую Беллу, лежащую у ног Натальи. — У меня еще три дня до отправления в свой полк. Этого вполне достаточно, чтобы найти в Лондоне место, где встречаются сербы. — Он пощекотал Белле шейку. — Собачка хочет пить. Как вы считаете, Наталья, ей понравится китайский чай или позвонить на кухню, чтобы принесли миску обычной воды?

Наталья одарила Эдварда благодарной солнечной улыбкой и, когда он направился в гостиную для традиционного чаепития, живо сказала:

— Я уверена, Белла обожает китайский чай. Это очень породистая собачка, в свое время она была подарена русским царевичем князю Александру. Сандро ездил в Санкт-Петербург на крестины своего племянника. Его сестра Елена замужем за сыном великого князя Константина. Там он неофициально обручился с одной из великих княгинь, и тогда-то царевич и подарил ему Беллу.

Наталья и Диана уже сидели за столом, и Диана смотрела на нее широко раскрытыми глазами.

— Князь Александр собирается жениться на одной из великих княгинь? А на ком именно? Расскажи же! Ты тоже была в Санкт-Петербурге? Ты встречалась с царем и царицей?

Леди Филдинг многозначительно откашлялась.

— Мне кажется, эта беседа слишком несвоевременна при сложившихся обстоятельствах, Диана.

— Каких обстоятельствах? — Диана повернулась и посмотрела на мать. У нее были ярко-голубые глаза, которые сейчас широко раскрылись. — Ты имеешь в виду войну? Но Россия и Сербия союзники! Мы должны знать о них как можно больше! И тебе не кажется романтичным то, что эта собачка когда-то принадлежала царевичу? А я считаю, это просто великолепно.

Ее мать не ответила. Она не верила ни одному слову из того, что говорила Наталья о царе, царице и князе Александре. Девчонка просто шарлатанка, и Джулиан, несомненно, рано или поздно в этом убедится. Он явно поддался ее обаянию, которое, впрочем, по мнению леди Филдинг, отличало девушку от простой балканки. Не веря, что ее невестка принадлежит к королевскому дому Карагеоргиевичей, леди Филдинг считала: темные волосы Натальи и большие глаза с черными ресницами свидетельствуют о том, что она даже не сербка, а армянка, и, скорее, похожа на армянскую еврейку.

Наталья не обращала внимания на холодную антипатию леди Филдинг. Теперь у нее была подруга Диана, а Эдвард стал на время ее рыцарем в блестящих доспехах и завтра ей поможет установить контакт с сербской общиной в Лондоне. Жизнь снова казалась ей прекрасной и интересной. Наталья взяла еще одно пирожное с кремом, размышляя о том, как ее встретят сербские эмигранты в Лондоне, поверят ли, что она родственница Сандро, и будут ли соответственно к ней относиться.

Наталью приняли в сербской общине с большим уважением, что доставило ей глубокое удовлетворение. Хотя среди эмигрантов не было никого ее возраста и социального положения, все-таки разговор велся на родном языке. Говорили в основном о Сербии: о том, что сербская армия сдерживает многотысячные австрийские войска на Дунае и Саве; о том, что даже страдающий артритом король Петр находится в армии. Покидая церковь, где они обычно встречались, Наталья испытывала еще большую тоску по родине, чем прежде. Ей не хотелось сидеть в Лондоне, не зная правды о том, что происходит в ее стране, и пользоваться только слухами. Она жаждала оказаться в Белграде, где, несомненно, сейчас оставалась Катерина.

В течение последующих недель Наталья находила спасение в дружбе с Дианой. Несмотря на светлые волосы и ярко-голубые глаза, ее золовка не отличалась классической красотой, как мать, однако неиссякаемая жизнерадостность делала ее весьма привлекательной, и Наталья привязалась к ней всем сердцем.

Друзья Дианы тоже были веселыми, но многие из них покидали Лондон, прежде чем Наталья успевала как следует с ними познакомиться.

— Кузен Джон находится в воинской части в Дербишире, Руперт — в добровольческом полку в Глостершире, а Чарльз служит в Ричмонде, он гренадер, — перечисляла Диана в отчаянии, загибая свои ухоженные пальчики. —

Скоро в Лондоне никого не останется. Даже девушки исчезли, как бабочки во время грозы. Все женщины устремились в госпитали или на перевязочные пункты Красного Креста во Франции. Тебе не кажется, что и мы должны сделать то же самое, Наталья? Отправиться во Францию?

— Я бы хотела помогать раненым в Сербии, — горячо сказала Наталья. — В «Таймс» пишут, что в Сербию направляется женский персонал шотландского госпиталя.

Диану одолевали сомнения. Сербия казалась ей далекой, крошечной и малопривлекательной страной.

— А я думаю, лучше работать в госпитале, устроенном в бывшем замке или казино, — честно призналась она. — Например, герцогиня Вестминстерская организовала госпиталь в казино в сосновом лесу. Туда бы я поехала, но не в Сербию.

Наталья же плакала, читая о том, что шотландские девушки уезжают в Сербию, покидая свой родной Саутгемптон. Ей казалось нечестным то, что они могли туда поехать, а она, одна из Карагеоргиевичей, — нет. В сентябре Наталья совсем захандрила. В Сербии сентябрь был самым чудесным месяцем года. Гуляя с Беллой по Риджент-парку, она думала о том, что в это время на родине обычно уже собирали урожай и варили сливовицу, скот возвращался с летних горных пастбищ, и крестьяне в деревнях устраивали праздники урожая, пируя и водя хороводы под пьянящие звуки флейт и скрипок. Затем Наталья возвращалась к действительности, глядя на опрятных английских нянечек с детскими колясками, на аккуратные цветочные клумбы, где не было ни одного сорняка, ни одного выбившегося из общего ансамбля цветка.

В октябре стало еще хуже. В «Таймс» кратко сообщили, что в Сараево начался суд над виновными в убийстве эрцгерцога Франца-Фердинанда.

После этого Наталья ежедневно выискивала в газетах дальнейшие сообщения на эту тему, однако они лишь пестрели заголовками о сдаче немцам бельгийских городов и о победоносных боях на берегах Марны, но не было ни слова о суде над теми, кто разжег этот мировой пожар.

— Непонятно, — жаловалась она Диане. — Почему об этом ничего не пишут в газетах?

— Я тоже не понимаю. Спроси у отца. Он должен знать.

Отношения Натальи с отцом Джулиана в отсутствие леди Филдинг были вполне дружескими.

— В британских газетах не будут об этом писать, — сказал он. — Это австрийский суд, а Англия — воюющая с Австрией сторона. На суде нет корреспондентов от стран Антанты, поддерживающих сербов. «Таймс» могла бы перепечатывать новости из американской прессы, хотя сомневаюсь, что и корреспонденты оттуда присутствуют на суде. Вероятно, некоторую информацию черпают из австрийских или немецких газет.

— Тогда как же мне узнать о том, что происходит? — испуганно спросила Наталья. — Как я узнаю о приговоре?

Свекор слегка нахмурился.

— Неужели тебе так важно знать об этом, дорогая? Я не пойму, почему ты так этим обеспокоена? Что бы ни случилось с молодыми людьми, ввергнувшими Европу в кромешный ад, текущие события уже не остановишь. Победа на Марне, конечно, хорошая новость, но несчастные бельгийцы ужасно страдают. Гент, Брюгге и Остенде уже пали.

К горлу Натальи подкатил ком. Джулиан строго ее предупреждал, что никто не должен знать о ее дружбе с Гаврило. Следовательно, у его отца не должно возникнуть ни малейших подозрений и, значит, он не сможет понять ее страстной потребности знать подробности о суде. Она подумала, что сказал бы господин Филдинг, узнай он, насколько она была близка с обвиняемыми на процессе в Сараево. Но вместо этого Наталья спросила:

— Как же мне получить американские газеты?

— Не знаю, дорогая. Но имей в виду, что газеты из Америки доходят до Британии только через две недели, и поскольку суд начался, вполне возможно, он уже закончится к тому моменту, когда ты получишь промежуточное сообщение о нем двухнедельной давности.

Ничего не оставалось, как только, с волнением ждать, когда «Таймс» получит информацию о суде от «Нью-Йорк таймс». Наталья подумала о том, как долго может продлиться судебное разбирательство.

В первую неделю ноября поступило сообщение, что Гаврило Принципа, Неджелко Кабриновича, Трифко Грабеца, Цветко Поповича и Васо Кабриловича признали виновными в предательстве и убийстве. Гаврило, Неджелко и Трифко были приговорены к двадцати годам заключения, Васо Кабрилович — к шестнадцати годам, а Цветко Попович — к тринадцати. Данило Илич, также признанный убийцей, и четверо основных пособников, обвиняемых в соучастии, уже достигли двадцатилетнего возраста и были приговорены к смертной казни через повешение.

Когда Наталья закончила чтение статьи, ее руки так дрожали, что она выронила газету. Кто были эти «основные пособники», которых собирались повесить? Кто такие Цветко Попович и Васо Кабрилович? Она никогда о них не слышала. Гаврило также никогда не упоминал имени Данило Илича.

Наталья обхватила себя за плечи руками, страстно желая, чтобы Джулиан был с ней рядом. Джулиан знал, как близко ее имя стояло с именами тех, кого назвали «основными пособниками», как близка она была к тем, кого на суде обвинили в соучастии. Он понял бы, какому удару она подверглась и в каком состоянии сейчас находится. Он смог бы, как всегда, ее утешить. Но все это были лишь тщетные мечты. Джулиана не было рядом и он не приедет до окончания офицерских курсов.

Ночью, лежа одна в кровати, которую совсем недавно делила с мужем, Наталья прижимала к себе Беллу, стараясь отогнать кошмары мыслью о том, что Гаврило, Неджелко и Трифко не было среди приговоренных к повешению.

По ночам Наталья очень скучала и по сестре. Всю свою жизнь они ложились спать в одной комнате, хихикая и сплетничая в темноте, прежде чем уснуть. Теперь ей приходилось довольствоваться только письмами от нее, которые приходили с таким опозданием, что она не была уверена, продолжают ли ее мать и Катерина работать сестрами милосердия и находятся ли они по-прежнему в Белграде.

Час за часом она лежала в темноте, слушая ровное дыхание Беллы и стараясь представить, что сейчас происходит дома. Ей ужасно хотелось там быть. Поскорее бы закончилась война, чтобы можно было вернуться на родину.

К декабрю у нее появилась дополнительная пища для размышлений. Джулиан написал, что через месяц отправляется во Францию, но перед отплытием заедет на пять дней домой. Ей не только страстно хотелось его увидеть, но надо было также сообщить ему нечто очень важное. Наталья даже не знала, радоваться ей или пугаться. Она поняла, что забеременела.

Глава 11

Когда грохот разрывов усилился, Катерина и Зита выбежали наружу. Не только они были встревожены обстрелом. Окна в комнатах прислуги распахнулись, и показались лица обеспокоенных служанок. Дворецкий и два лакея также выскочили во двор вслед за Катериной и Зитой.

— Австрийцы пытаются форсировать Саву, госпожа, — взволнованно сказал дворецкий. Зита предполагала то же самое. — Если им это удастся, через час они будут в городе. Может быть, нам лучше эвакуироваться...

— Нет. — Зита уже давно решила, что делать, если город падет, но эвакуация не входила в ее планы.

Одна из служанок, столпившихся у открытых окон, заплакала, а другая начала истерично причитать:

— Нас убьют! Нас всех изнасилуют и убьют!

Зита посмотрела на испуганные лица служанок. Эти девушки в ближайшие дни скорее будут помехой, чем помощью, и она сказала все еще находившемуся поблизости дворецкому:

— Если кто-нибудь из прислуги пожелает уйти, скажите им, что они могут это сделать.

— Хорошо, госпожа. А вы сами и барышня Катерина? Может быть, ради барышни лучше...

На какое-то мгновение Зита засомневалась: возможно, она поступает безответственно, решив остаться в городе, который в конце концов все равно будет захвачен. Она посмотрела на Катерину и подумала — ради нее, наверное, следовало бы уехать в Ниш.

Их глаза встретились.

— Может быть, нам пойти в госпиталь прямо сейчас, мама? — спросила Катерина; ее взгляд был решительным, голос — спокойным.

Раздался еще один залп по городу с венгерских берегов Дуная. На этот раз снаряды разорвались совсем близко, где-то неподалеку от площади Теразие.

Несмотря на охвативший женщин ужас, легкая улыбка тронула губы Зиты. В этой страшной и опасной ситуации между ней и дочерью было полное согласие, и это ее радовало.

— Да, — сказала она, затем повернулась и направилась в дом. — Нам лучше пойти пешком. Я не хочу подвергать риску лошадей. — Зита обратилась к удрученному дворецкому: — Проверьте, в конюшнях ли конюхи. Лошади, вероятно, напуганы, и их надо успокоить. Скажите служанкам, что они могут уйти в любое время, хотя во время обстрела в этом доме гораздо безопаснее, чем на улицах. И велите закрыть окна и задернуть шторы, чтобы не пораниться осколками, если стекла разобьются.

— Хорошо, госпожа.

— Откройте также погреба. Сотни людей покидают восточную часть города в поисках какого-нибудь убежища.

— Но наши вина! — в ужасе запротестовал дворецкий. — Если городская чернь залезет в погреба, там не останется ни одной бутылки!

— То же самое случится, если в город войдут австрийцы, — возразила Зита. — Так пусть лучше выпьют вино горожане, чем австрийские солдаты!

Когда они вошли в вестибюль, Катерина сказала:

— Не приспособить ли бальный зал под убежище? Он может вместить довольно большое количество пострадавших от обстрела, и там все-таки безопаснее, чем на улицах или в деревянных домах на берегах Савы.

— И если на кухне согласятся добровольно остаться, мы можем обеспечить людей супом, — добавила Зита, решив, что, если повара уйдут, она сама их заменит. Зита снова обратилась к ошеломленному дворецкому: — Пусть Лаза проследит, чтобы из бального зала убрали все огнеопасные предметы и плотно занавесили зеркала и окна.

— Да, госпожа. Сию минуту.

Как только дворецкий удалился выполнять приказание, появились две невозмутимые женские фигуры.

— Если вы собираетесь сегодня в госпиталь, я иду с вами, — решительно сказала Хельга. Поверх ее рабочего платья был повязан просторный белый передник — свидетельство, что она готова взяться за любое порученное дело.

— Я тоже пойду с вами, — раздался другой голос, не менее решительный.

Зита и Катерина удивленно, как на привидение, посмотрели на мисс Бенсон. Гувернантка Натальи осталась без работы после поездки в Сараево. Зита не любила кого-либо увольнять и долго думала, как ей поступить с тихой молодой англичанкой, которая, хотя и тщетно, прилагала все усилия, чтобы дать Наталье классическое образование. Зита полагала, что мисс Бенсон подыщет себе другую работу, и тогда с ней можно будет распрощаться.

— В госпитале нелегкие условия, а на улицах очень опасно... — сказала она с сомнением, чувствуя свою вину от того, что не отправила мисс Бенсон в Англию, когда это еще можно было сделать.

— Так же как в Брюгге, Остенде и в других городах, которые немцы и их союзники сровняли с землей, — резко сказала мисс Бенсон. Ее бесцветные волосы были аккуратно собраны в пучок, карие глаза смотрели решительно. — Я англичанка и находись я не здесь, а дома в Линкольншире, то отправилась бы добровольно с бригадой медсестер во Фландрию. Но поскольку я не дома и сейчас не самое подходящее время туда возвращаться, я буду ухаживать за ранеными здесь. Мы ведь союзники, не так ли?

Хельга многозначительно кашлянула, и Зита вместе с Катериной испуганно посмотрели на нее. Мисс Бенсон быстро заговорила:

— Прошу прощения, Хельга. Я ни на что не намекаю... К вам это не относится!

— Я никогда не стыдилась того, что я немка, — невозмутимо сказала Хельга, — и не стыжусь этого сейчас. Просто надо на время забыть об этом. Думаю, раненые не станут обращать внимания на мой акцент, когда я буду за ними ухаживать. Пусть считают меня черногоркой.

За все время службы Хельги в доме Карагеоргиевичей ее слова впервые прозвучали с некоторой иронией.

— Конечно, они не обратят на это внимания, — сказала Зита, ободряюще коснувшись руки Хельги; ее глаза подозрительно заблестели. — А теперь пора. Бесполезно ждать затишья. Кажется, этот обстрел никогда не кончится.

Катерина за всю свою жизнь впервые видела, чтобы мать шла пешком по улице Князя Милана. Это слегка ее позабавило, но веселье быстро пропало. В восточной части города бушевали пожары, и воздух был пропитан едким запахом дыма и гари. Несмотря на очевидную опасность попасть под беспорядочный орудийный огонь, улицы были полны народу.

— Не приближайтесь к реке! — крикнула им женщина, голова которой была плотно замотана платком. По пятам за ней трусили с полдюжины ребятишек. — Австрийцы пытаются форсировать Дунай и Саву! Идите на запад, а не на восток!

По улице промчалась коляска, запряженная лошадьми, обезумевшими от грохота пушек и воя снарядов.

— Боковые улочки безопаснее! — крикнула Катерина матери. — Там меньше экипажей и меньше вероятность быть сбитыми!

Согласившись, Зита свернула в первый же переулок, надеясь, что ее не подведет чувство ориентации и они выйдут к госпиталю.

— Никогда не думала, что австрийцы смогут обстреливать нас через реку, — тяжело дыша сказала мисс Бенсон, в то время как они быстро шли по булыжной мостовой. — Я всегда полагала, что река достаточно широка, и не могла представить, что находящаяся на противоположном берегу Венгрия, оказывается, так близко!

— Слишком близко, — заметила Хельга, когда они свернули на другую, еще более узкую улочку. — Австрийцы, если захотят, могут обстреливать Белград круглые сутки!

Катерина хотела сказать, что сербская артиллерия тоже может обстреливать австрийские позиции с Калемегданских высот, но вдруг увидела вывеску кофейни, мимо которой они проходили. Это был «Золотой осетр».

Там было полно укрывающихся от обстрела студентов, многие из которых вообще были бездомными, как говорила Наталья. Катерина подумала, что, возможно, среди этих парней есть и друзья Гаврило Принципа. Понимают ли они теперь, какую беду навлекли на страну их безрассудные поступки, казавшиеся такими патриотичными.

— Я слышу, наши пушки тоже отвечают! — крикнула мать среди грома артиллерийской канонады. — Австрийцы не смогут высадиться!

Катерина надеялась, что ее мать окажется права. В конце улочки она увидела огни госпиталя и множество направляющихся к нему людей. Многие были ранены.

— Десятки домов у реки разрушены! — крикнул ей какой-то незнакомец. — Даже Конак обстреляли!

Катерина подумала о том, сколько их родственников укрывается во дворце и есть ли среди них пострадавшие. По крайней мере о Наталье не надо беспокоиться. Она сейчас в безопасности в Лондоне. Ла-Манш гораздо шире Савы и Дуная, и Лондон не будут обстреливать, если, конечно, военная катастрофа не достигнет гигантских размеров.

В госпитале их приветствовала медсестра:

— Есть ли у кого-нибудь из вас опыт ухаживания за больными?

— У меня есть, — сказала Хельга, выглядевшая как настоящая медсестра в своем накрахмаленном белом переднике.

— Тогда пойдемте в третью палату. Остальные — в столовую. Там сейчас работают санитары и несколько медсестер, которые готовят койки к приему раненых. Скажите, что вы их замените, и они могут вернуться в палаты.

Катерина подумала, что вряд ли когда-нибудь с ее матерью кто-либо говорил в таком повелительном тоне. Она посмотрела на нее, ожидая, что та сейчас скажет — они пришли в госпиталь ухаживать за ранеными, а не застилать койки, но красивое аристократическое лицо Зиты оставалось невозмутимым.

— Когда закончите работу в столовой, поднимайтесь в третью палату, — сказала старшая медсестра, в то время как мимо них прошла стонущая женщина с пропитанной кровью повязкой на голове. — Боюсь, вам будет нелегко. Осколки снарядов причиняют страшные раны.

Катерина никогда в жизни не стелила постель, особенно с такими грубыми простынями и одеялами. Мисс Бенсон, видя ее затруднения, сказала:

— Если мы будем работать вместе, то сможем застелить в два раза больше коек и в два раза быстрее.

Катерина с благодарностью согласилась, удивляясь, как быстро освоила дело ее мать, — будто бы всю жизнь только этим и занималась.

Они работали, а глухие разрывы не прекращались, и стены госпиталя постоянно сотрясались.

— Привезли раненых, — сказал санитар, принесший из кладовой еще охапку одеял. — Говорят, наши потопили военные корабли, пытавшиеся высадить десант. Впрочем, это не остановит следующих попыток. Чем скорее союзники придут к нам на помощь, тем лучше.

Ночь казалась бесконечной. Время от времени наступала передышка, артиллерийский огонь прекращался, но ненадолго.

— У наших мало снарядов и патронов, чтобы продержаться достаточно долго, — сказал всезнающий санитар, принеся последнюю кипу постельного белья. — Где же, черт побери, русские, хотел бы я знать? Да и французы не помешали бы.

Их разговор прервала Зита:

— Здесь больше нечего делать. Все кровати застелены. Пойдемте в третью палату.

Катерина, испытывая волнение, вышла за матерью и мисс Бенсон из заставленной койками столовой. По природе она была спокойной и хладнокровной и знала, что обладает здравым умом, но достаточно ли этих качеств, чтобы справиться с предстоящими трудностями? Она ведь никогда не делала раненым перевязки и никогда не видела страшных ран и ожогов.

— Не беспокойтесь, — сказала мисс Бенсон, снова придя ей на помощь. — Мы будем только помогать медсестрам, чтобы у них было время для более неотложных дел.

Катерина благодарно ей улыбнулась, чувствуя, что за последний час их отношения стали почти дружескими. Она подумала о том, как зовут мисс Бенсон, и нерешительно сказала:

— Мне кажется, мы могли бы называть друг друга по имени...

Мисс Бенсон улыбнулась ей в ответ, и ее невзрачное лицо неожиданно похорошело.

— Меня окрестили Селестрией, но я предпочитаю просто Сиси.

Довольные новой дружбой, они последовали за Зитой наверх по каменным ступенькам лестницы в палату для тяжелораненых.

Измученный майор Иван Зларин стоял на Калемегданском холме и смотрел на пустынную реку и на противоположный берег вдали. Рассвело, и наконец наступила долгожданная передышка после вражеского обстрела. Он достал из кармана мундира сигарету и закурил, глубоко затянувшись и размышляя, долго ли еще австрийцы будут обстреливать Белград и смогут ли его люди как следует отдохнуть. Всю ночь они сдерживали натиск противника, пытавшегося форсировать Саву и вторгнуться в город. Но сколько еще таких ночей они смогут выдержать?

Его размышления были прерваны звуком быстро приближающихся шагов.

— Я сделал все, как вы просили, майор Зларин! — доложил молодой капрал, задыхаясь от бега. — Я пришел в особняк Василовичей, но ни госпожи, ни ее дочери там не оказалось. Сейчас в особняке распоряжается дворецкий. Он предоставил дом укрывающимся от обстрела горожанам и сказал, что действует по указанию госпожи, а она и ее дочь в госпитале, где пробыли всю ночь.

— Они ранены? — резко спросил Иван. — Кто из них ранен?

— Никто, господин майор. — Капрал вытянулся по стойке «смирно» и пытался восстановить дыхание. — Они там ухаживают за ранеными.

На скуластом лице Ивана отразилось явное облегчение.

— Отправляйся в госпиталь и скажи госпоже Василович, что я советую ей и ее дочери немедленно ехать в Ниш. Скажи также, что тебе поручено их сопровождать и обеспечить защиту. Ты понял?

— Да, господин. Бегу сию же минуту.

Радуясь такому поручению, капрал отдал честь, и побежал вниз по холму к разрушенным, дымящимся улицам.

Иван повернулся и еще раз посмотрел на реку. Солнце уже всходило, окрасив небо в золотистые и розовые тона. Катерина Василович. Даже теперь, когда на его плечах лежит огромная ответственность за оборону города, он не мог о ней не думать. От нее веяло такой уверенностью и спокойствием, что это сначала заинтересовало его, а потом стало жизненно ему необходимым. В ее обществе он находил успокоение. Она не болтала и не хихикала, как другие девицы. В ней чувствовалась интеллигентность, и майор впервые в жизни все чаще и чаще стал подумывать о женитьбе.

Зларин напряг зрение, и все его мысли о любви пропали. У восточной оконечности острова посреди Савы появились австрийские мониторы.

— Занять боевые позиции! — крикнул он своим вконец измотанным солдатам. — Приготовиться к бою!

Весь август и сентябрь продолжались яростные атаки австрийцев, и все это время майор Зларин со своими людьми сдерживал натиск противника. Известия о том, что происходит во всей Сербии, были редкими и краткими. Только в начале октября пришло письмо от Алексия.

Катерина дрожащими пальцами вскрыла перепачканный конверт. Письмо было датировано 17 сентября, значит, по крайней мере в это время Алексий был еще жив, и Зита вздохнула с облегчением.

«Моя дорогая!

Надеюсь, ты и Катерина сейчас в безопасности в Нише. Один из моих людей был откомандирован в распоряжение

Зларина и я попросил передать это письмо майору в надежде, что тот пошлет его тебе с вестовым.

Первые дни здесь были самыми тяжелыми. Австрийцы форсировали Дрину и захватили Шабац после ужасного, кровопролитного сражения. Теперь все понимают, что нам противостоит гораздо более серьезный противник, чем турки. Австрийская артиллерия — самая мощная в мире, и наши пушки во всем уступают их орудиям. Однако мы продолжаем сражаться и в конце августа предприняли контрудар, перешли в атаку и отбросили противника за Дрину. Скоро нам на помощь придут союзники, и тогда с австрийцами будет покончено.

А теперь о личном. Думаю, ты будешь удивлена, узнав о том, что Макс Карагеоргиевич тоже сражался под Шабацем и действовал очень умело и храбро. Он проявил в боях незаурядное упорство и решительность, чего ему явно не хватало в мирной жизни. Общими усилиями мы дали отпор австрийцам и вот тогда он сказал мне такую вещь, которая, думаю, удивит тебя не меньше, чем меня. Он хочет жениться на Катерине».

Зита читала письмо вслух и в этом месте Катерина громко вскрикнула от удивления, так что мать запнулась и испуганно посмотрела на нее.

— Он вовсе не хочет на мне жениться! Это просто глупая шутка Макса! И что ему ответил отец? Он, конечно, решил, что все это несерьезно?

Зита продолжила чтение письма, написанного в явной спешке.

«Макс говорит, что хорошо обдумал свое решение. По-видимому, он хотел поговорить с Катериной перед отъездом на фронт, чтобы открыть ей свои чувства, однако понял, что следует сначала попросить у меня разрешения, что и сделал сейчас. Правда, они двоюродные родственники, а ты знаешь мое отношение к подобным бракам. Когда Наталья пожелала выйти замуж за Александра, я был против. Но, как ты, вероятно, догадываешься, я глубоко сожалею о принятом решении в отношении Натальи и не хочу повторять свою ошибку. Хотя Макс и Карагеоргиевич, ему несвойственны отрицательные черты характера, типичные для представителей этого семейства. Он не склонен к необдуманным поступкам и вспыльчивости. Мир, в котором мы живем, теперь быстро меняется, и я думаю, нам будет спокойнее, если Катерина выйдет замуж за кого-нибудь из нашего семейства, тем более за человека, чья храбрость не вызывает и тени сомнения. Поскольку до Натальи теперь так же далеко, как до луны, брак Катерины с Максом будет мне утешением, как, полагаю, и тебе. Их дети будут славянами, а не полуангличанами, и когда кончится война, они вырастут, я надеюсь, в объединенном королевстве всех южных славян. У детей Натальи не будет такого шанса. Брак Катерины с Максом доставит мне большую радость, и, уверен, это в ее интересах.

Возможно, к Рождеству война кончится, и мы снова будем вместе. Молю Бога об этом. Мой привет тебе, дорогая, и Катерине. Алексий».

Зита опустила письмо на колени и встретилась глазами с дочерью.

— Ты ведь так не думаешь, мама! — воскликнула Катерина, задыхаясь от мучительной боли. — Ты не считаешь, что мне следует выйти за Макса? Это безумная мысль! Папа писал это письмо, не взвесив все обстоятельства. Он несколько недель воевал с австрийцами и, естественно, гордится тем, как Макс вел себя в бою. Все наши этим гордятся, и я тоже, но это не значит, что я хочу за него замуж, и папа не прав, полагая, что мне следует выйти за Макса!

— Мне кажется, с твоей стороны будет разумно не спешить с решением, Катерина, — медленно произнесла Зита. — Очевидно, Макс очень тебя любит...

— Он никогда не проявлял ни малейших признаков любви ко мне! — В Катерине нарастало беспокойство, что мать может поддержать отца. — Я даже толком никогда с ним не беседовала! Его присутствие всегда меня раздражало! Как я могу выйти замуж за человека, с которым всегда чувствую себя неловко?

— Ты не обязана за него выходить, — сказала Зита. — Однако очень жаль, что ты испытываешь к нему такую неприязнь. Во многих отношениях твой брак с Максом был бы идеальным. И его бабушка была бы необычайно довольна...

— Я не хочу выходить замуж ради удовольствия двоюродной бабушки Евдохии, — сказала Катерина, испытывая облегчение от того, что мать в какой-то степени с ней согласилась, и потому в ее голосе промелькнула радость.

Зита это уловила. Ее губы дрогнули в улыбке.

— Думаю, даже отец не захотел бы этого, — ответила она в тон дочери. — Мы еще вернемся к этому позднее. Ты мне так и не рассказала о том, правда ли, что английские и шотландские медсестры прибыли к нам и развернули медпункты и полевые госпитали?

Катерина кивнула, радуясь, что разговор перешел на другую тему.

— Их финансирует сербский фонд помощи в Британии. Интересно, участвует ли Наталья в сборе денег для них?

Они воспользовались драгоценными минутами отдыха, чтобы немного поговорить о Наталье и порадоваться, что она сейчас в сравнительно безопасном месте. Вероятно,

Наталья очень скучает по дому, и хотелось бы поскорее снова ее увидеть.

Им редко удавалось выкроить время, чтобы побыть вместе и поговорить по душам. За последние два месяца город подвергался обстрелу в течение тридцати шести дней и ночей, и о свободной минуте можно было только мечтать. Поскольку улицы постоянно обстреливались, Катерина редко приходила домой. Она дневала и ночевала в госпитале, так же как Хельга и Сиси. Майор Зларин постоянно заботился о семье Василовичей, что иногда их смущало. Несмотря на напряженные бои, в особняке всегда дежурил солдат, помогая Зите размещать и устраивать беженцев.

Каждые несколько дней кто-нибудь из солдат приходил в госпиталь, чтобы проведать Катерину и осведомиться о ее благополучии. Через своих посланцев майор Зларин постоянно предлагал женщинам покинуть город, обещая предоставить армейский автомобиль и шофера, чтобы отвезти их в Ниш. Но каждый раз они вежливо отклоняли это предложение.

Как-то Зларин сам пришел в госпиталь к Катерине. Когда сказали, что ее спрашивает какой-то военный, она быстро вышла из палаты; ее волосы были повязаны белой марлевой косынкой, а передник обильно усеян пятнами крови. Она ожидала увидеть капрала, прибывшего от Зларина, и была ошеломлена, столкнувшись лицом к лицу с самим майором.

— Вы выглядите измученной, — отрывисто сказал он.

— Да, я действительно очень устала. — Катерина дежурила уже почти шестнадцать часов и только что помогала хирургу при ампутации. Не желая, чтобы он воспользовался ее усталостью для того, чтобы снова предложить ей и матери эвакуироваться в Ниш, она сказала, слегка пожав плечами: — Все устали. Это не имеет значения. По крайней мере от нас есть хоть какая-то польза.

Майор снял при разговоре с ней свою фуражку и, несмотря на его высокий рост, она заметила, что его когда-то блестящие черные волосы покрыты густым слоем пыли. Он тоже выглядел изможденным.

Катерина подумала о том, когда Зларин в последний раз спал, когда ел горячее, и вдруг осознала, что все это ему следовало бы сделать сейчас. С раннего утра не было обстрела, но вместо того, чтобы отдохнуть в эти драгоценные часы, он честно выполнял обещание, данное ее отцу, и пришел лично проверить, действительно ли ей ничто не угрожает.

Катерина, чувствуя, что ее прежний тон был довольно резким, хотя майор заслуживал благодарности, постаралась исправить ошибку.

— Мама и я очень ценим вашу заботу о нас, — сказала она. — Присутствие солдата в доме для нее большая помощь. Без этого во многих случаях ей трудно было бы справиться.

Зларин хмыкнул и сказал:

— Ваша мама проявляет удивительное упрямство, настаивая на том, чтобы остаться в городе, однако, к сожалению, близится время, когда вам с ней придется воспользоваться моим советом и уехать в Ниш.

— Нет. Простите, майор Зларин, но это невозможно...

— Австрийцы снова взяли Шабац, — мрачно сказал он. — Наша армия отступила из-за отсутствия боеприпасов. Я не сомневаюсь также, что вскоре поступит приказ войскам оставить Белград.

Катерина почувствовала, что кровь отхлынула от ее лица.

— Вы хотите сказать, что Белград будет отдан врагу? Нас оккупируют?

— Если отступление не будет приостановлено, думаю, такой приказ поступит. В этой ситуации вам и вашей матери крайне неразумно оставаться в городе.

— Мама давно уже приняла решение остаться в Белграде независимо от обстоятельств, — сказала Катерина не слишком уверенно.

— При всем моем уважении к вашей матери, она, вероятно, плохо себе представляет, что будет, если вражеские войска войдут в Белград. По всей вероятности, женщин и детей возьмут в заложники, а вы и ваша мать, как члены королевского дома Карагеоргиевичей, будете первыми в списке разыскиваемых.

Кровь снова прилила к щекам Катерины, и она ощутила некоторое замешательство от пристального взгляда черных глаз майора. Возможно, он также хотел сказать, что ее и Зиту могут изнасиловать, если они останутся в городе? Не желая касаться этой темы, она сказала:

— Каково сейчас положение на Саве и на Дунае?

Он нахмурился, так что его густые брови сошлись на переносице.

— Все литейные цехи, пекарни и фабрики, расположенные у берега, разрушены до основания, но благодаря помощи нам от Британии австрийцы ни на шаг не продвинулись вперед, как и два месяца назад. Мы получили от англичан мины и торпеды, и теперь австрийцы вряд ли смогут форсировать Саву и Дунай.

— Значит, есть и хорошие новости! — Катерина радостно улыбнулась.

Их глаза встретились, и в этот момент Иван Зларин понял, что хочет на ней жениться. Однако осуществить это желание будет не так-то просто. Катерина Василович принадлежит к семье Карагеоргиевичей, и Алексий Василович, несомненно, рассчитывал на более достойную партию для своей старшей дочери, чем какой-то армейский офицер. Иван подумал, какова будет реакция Алексия, если он попросит у него руки Катерины. В этот момент ему и в голову не приходило сначала узнать, как отнесется к этому сама девушка. Будучи зрелым, умудренным жизненным опытом военным, он привык всегда добиваться своей цели. Сейчас он решил жениться на этой девушке и не предвидел никаких трудностей, которых не смог бы преодолеть.

— Поговорите с вашей матерью о возможной оккупации города, — сказал он, возвращаясь к своей обычной жесткой манере разговаривать. — Чем скорее вы обе окажетесь в Нише, тем лучше.

Катерина кивнула, уверенная, что разговор с матерью на эту тему будет лишь пустой тратой времени, и забеспокоилась, так как надо было поскорее возвращаться в палату, где остро нуждались в ее помощи.

— Хорошо, я с ней поговорю. До свидания, майор. Желаю удачи.

Он продолжал стоять, держа в руке форменную фуражку, и, сдвинув брови, наблюдал за Катериной, удаляющейся по лестнице в свою палату. Только когда она исчезла из виду, он повернулся и вышел из госпиталя.

В начале ноября Зита получила еще одно письмо от Алексия. На этот раз его тон был более пессимистичным.

«Дорогая, надеюсь, эти каракули до тебя дойдут. Пишу тебе под огнем, и потому мое послание будет кратким, так как вестовой уже отбывает к майору Зларину, и я воспользовался этой случайной возможностью связаться с тобой. В настоящее время положение довольно мрачное. По-прежнему нет подкрепления, нет снарядов для артиллерии и патронов для винтовок. Мои подразделения теперь влились в дивизию Макса. Когда эта ужасная война закончится, я не сомневаюсь, что Катерина и он поженятся. Постарайся ее убедить. Если она согласится, одной моей заботой будет меньше. Другая моя забота — это ты, ты и ты. Вестовой уже уходит, и я должен заканчивать. Береги себя и мужайся. С приветом, дорогая. Алексий».

На этот раз Зита не обсуждала с дочерью вопрос о ее замужестве. Ее собственный брак с Алексием был устроен по договоренности их семей, и она каждый день благодарила за это Бога. Если Алексий считает, что Катерина будет счастлива с Максом, она готова поддержать мужа.

Катерина была в ужасе. Отец рисковал жизнью на фронте, а она своим своеволием могла сильно его огорчить.

Ночью в госпитале, лежа на парусиновой раскладушке, усталая и измученная, она пыталась представить свой брак с Максом ради отца. Нет, это невозможно. Макс был огромным и неуклюжим, как медведь, и с ним трудно было общаться. Почему, черт побери, он вбил себе в голову, что хочет на ней жениться? Почему это не Джулиан?

При мысли о Джулиане она с новой силой ощутила боль. Последние несколько месяцев она старалась заставить себя о нем не думать, но это было невозможно. Катерина лежала, глядя в темноту общей спальни, которую делила с Хельгой, Сиси и десятком других сестер милосердия, и слезы жгли ее глаза при мысли, что все могло бы быть иначе. Вместе они были бы счастливы. Даже после того, что произошло, она ничуть в этом не сомневалась. Эта уверенность никогда ее не покидала и в то же время являлась причиной постоянных мучений.

С того дня как Джулиан женился на Наталье, Катерина держала свое горе при себе, ни с кем не делясь. Она стала более скрытной и замкнутой, но при тех ужасных обстоятельствах, в которых теперь приходилось ей жить, такие изменения в ее характере остались незамеченными. Иногда Катерине казалось, что любовь, о которой она молила Бога, никогда не придет, и в такие моменты ей было все равно, за кого выходить замуж. Не желая ее обидеть, мать заметила, что если она ни в кого не влюблена, то пусть считает Макса хотя бы своим поклонником.

— Разве имеет значение, влюблена я в кого-то или нет? — сказала Катерина с горечью.

Глаза матери удивленно расширились.

— А как же! Если бы ты собиралась замуж за достойного человека, отец не стал бы тебе предлагать выйти за Макса. Он беспокоится о твоем будущем. Наша жизнь после войны так или иначе будет сильно отличаться от той, к которой мы привыкли, и вряд ли будут возможны большие балы с подходящими молодыми людьми. А если эта резня продолжится, то скоро вообще не останется молодых мужчин. Папа хочет устроить твое будущее, и Макс вполне для этого подходит.

В конце ноября новости с фронта стали еще хуже. Отступление, о котором говорил майор Зларин в начале месяца, пока не обернулось полным поражением, но неумолимо продолжалось. Перед лицом превосходящих сил противника сербская армия отступала и отступала, роя новые траншеи, вступая в рукопашные бои и моля Бога об обещанном подкреплении, которое так и не приходило. Погода испортилась. Стало холодно, а проливные дожди превратили поле боя в болото. Катерина с ужасом думала, в каких условиях приходится жить ее отцу: ни тепла, ни сухой одежды, ни нормальной пищи.

К концу месяца ее тревога возросла. Появились слухи, что войска оставляют город, что железнодорожный мост взорван и австрийская оккупация неизбежна.

Когда Катерина увидела подкативший к госпиталю штабной автомобиль и выходящего из него майора Зларина, она поняла, что слухи правдивы.

Она быстро отошла от окна и, выбежав из палаты, бросилась вниз по ступенькам лестницы, чтобы узнать новости.

Зларин встретил ее у поворота лестницы.

— Все-таки это случилось, — резко сказал он; его лицо было потным и выглядело измученным. — Войска отступают, получен приказ оставить Белград. Через час последний сербский солдат покинет город. Вы и ваша мать должны воспользоваться моим автомобилем и уехать в Ниш. Я уже дал указания шоферу...

— Нет.

В его глазах промелькнуло недоумение, а затем они вспыхнули такой яростью, что Катерина отпрянула, опасаясь, что он сейчас ее ударит.

— Ради Бога! — взревел Зларин, забыв о вежливости и сдержанности. — Вы что, хотите, чтобы вас изнасиловали? Убили? Увезли за Дунай в качестве заложников? У вас нет выбора, кроме как ехать в Ниш! Да и то считайте чудом, если вы туда доберетесь!

Катерина покачала головой, охваченная ужасом, который не хотела показывать. Она была уверена, что ее мать никуда не поедет и они разделят судьбу всех остальных медсестер.

— Нет, — повторила она. — Я никогда не забуду вашу заботу, майор, и если бы вы попросили меня о чем-нибудь другом, я бы без колебаний это сделала, но...

— Выходите за меня замуж.

Казалось, пол закачался у нее под ногами, и она ухватилась рукой за стену, чувствуя, что вот-вот упадет в обморок.

— Выходите за меня, — повторил он с неистовой страстью. — Скажите да, и я соглашусь с безумным решением вашей матери остаться вместе с вами в городе. Если нет, я арестую вас обеих и выпровожу отсюда в наручниках.

— Я... — Катерина пыталась что-то сказать и не могла. У нее перехватило горло. Она смотрела на майора Зларина широко раскрытыми глазами, слыша, как у нее в ушах шумит кровь.

Гул на улице усилился. Слышны были крики, рев моторов грузовиков, женский плач.

— Я должен проследить за эвакуацией горожан, — сердито сказал он. — Говорите быстро: да или нет?

— Да, — сказала Катерина, всем телом привалившись к стене, чтобы не сползти на пол из-за ослабевших колен. — Да, я согласна выйти за вас.

На секунду он был обескуражен ее ответом почти так же, как она его требованием.

Майор вытащил из кобуры свой пистолет и вложил в ее безвольные руки, затем быстро отстегнул патронташ.

— Вот. Возьмите это и, ради Бога, не бойтесь воспользоваться оружием.

Когда она прижала эти страшные вещи к своей груди, Зларин наклонился и прильнул к ее губам крепким неловким поцелуем. Подняв голову, он на мгновение встретился с ее глазами, затем резко повернулся и, перепрыгивая сразу через две ступеньки, бросился вниз по лестнице к ожидавшему его автомобилю.

Глава 12

Вокзал Ватерлоо был забит возвращающимися и отъезжающими солдатами. Наталья чувствовала себя попавшей в море хаки. Она стояла у барьера, ожидая прибытия поезда Джулиана, и ее со всех сторон толкали оттопыренными на спинах ранцами и вещевыми мешками. Муж не предполагал, что она придет, да у нее и не было особой причины встречать его на вокзале. Он не ранен на фронте, как многие другие, и не возвращается с другого края света. Но не в этом дело. Просто она ужасно по нему соскучилась и к тому же не хотела, чтобы его мать присутствовала при их встрече.

— Людям нашего положения не подобает стоять в ожидании у вокзальных барьеров, — еще дома сказала ей Диана, решив, что Наталья не знает этого и должна с пониманием отнестись к ее замечанию.

— А следовало бы, — ответила Наталья, не сомневаясь, что Диана не хотела ее обидеть и лишь старалась ей помочь. — Все встречи должны происходить в первый же возможный момент, а расставания — в последний. Когда я покидала Белград, моя семья, несмотря на огромный риск, пришла проводить меня на вокзал, и мне было бы очень плохо, если бы они не сделали этого.

Наталья попыталась было представить себе, как она возвращается в Белград, но у вокзального барьера нет с нетерпением ожидающих ее родителей и Катерины. Нет, такое даже невозможно представить.

— Какой риск? — с любопытством спросила Диана. — Сербия еще не воевала тогда, когда Джулиан вернулся в Англию. Чем же могла рисковать твоя семья, провожая вас?

Наталья не в первый раз молча себя выругала, вспомнив о своем обещании Джулиану никому не говорить о Гаврило и об обстоятельствах, при которых они покидали Белград.

— Был риск, вот и все, — сказала она, слегка смутившись. — И не важно, что подумает твоя мать. Джулиан будет рад меня увидеть на вокзале. Я уверена.

Ее свекровь считала вульгарными встречи на перроне среди толпы и говорила ей об этом, но это не остановило Наталью. Несмотря на жизнерадостность и веселость Дианы, общение с ней не могло заменить ей Джулиана. Она соскучилась по нему: по его ироничной манере говорить, по его рассудительности и способности ее утешить. Она также соскучилась по его страстным ласкам. Через час они снова будут вместе в постели. Она вспомнила о будущем ребенке и с беспокойством подумала, не опасны ли для плода любовные объятия. Может быть, на ранней стадии беременности это не вредно? Ей хотелось, чтобы рядом с ней был человек, у которого можно было бы об этом спросить; с кем можно было бы вообще поговорить. Диана была несведущей в этих делах, как и она сама, и, уж конечно, невозможно было заводить разговор на эту тему с леди Филдинг.

Когда поезд уже приближался к вокзалу, Наталья прижалась к барьеру. Чем дольше была разлука с ее матерью, тем сильнее она по ней скучала. Мама рассказала бы все, что надо знать о беременности. При мысли о матери горло Натальи сжалось. Ей хотелось, чтобы она была рядом с ней при родах. Что, если мама не сможет приехать? Что, если война все еще не кончится?

Поезд, пыхтя, остановился, и, когда двери вагонов открылись, Наталье показалось, что целая армия высыпала на платформу. Нахлынувшая было тоска по родине отошла на второй план. Где-то здесь в людской толпе, устремившейся теперь к барьерам, был Джулиан. Что, если она уже его пропустила? А вдруг он не заметил ее в этой суматохе?

— Сюда, Джимми! Сюда! — закричала стоящая рядом девушка, размахивая руками так неистово, что едва не сбила с Натальи шляпку с желтым пером.

Наталья ее поправила и приподнялась на цыпочки, чтобы лучше разглядеть лица прибывших военных. Она надела свою шляпку, которая никак не соответствовала такому холодному декабрьскому дню, в надежде, что Джулиан заметит и узнает ее по ней. Где же он? Что, если он изменил свои планы? А вдруг его вообще не было в поезде?

— Наталья! Наталья!

Джулиан быстро шел к ней по платформе. Высокий, широкоплечий и невероятно красивый в офицерской форме.

Наталья ощутила гордость и восторг. Он выглядел просто великолепно.

Через секунду Джулиан оказался с ней рядом и крепко ее обнял, оторвав от земли. Наталья вдруг обнаружила, что по ее щекам текут слезы, и она, счастливая, прильнула к мужу.

— О, Джулиан! — радостно воскликнула она. — Я так рада, что ты вернулся! Я ужасно по тебе соскучилась!

Он поцеловал ее, не обращая внимания на окружавшую их толпу. Наталья обхватила его шею и, приоткрыв рот, со страстью поцеловала.

Наконец оторвавшись от нее, он глухо произнес:

— О, Наталья! Не могу выразить, как я ждал этого! Мне кажется, я мог бы легче перенести разлуку, находясь во Франции или в Бельгии, но когда до дома всего несколько часов езды на поезде и ты не можешь туда поехать — это ужасная мука.

— Для меня тоже, — горячо сказала Наталья, когда Джулиан взял ее под руку и они начали пробираться сквозь толпу на улицу. — Есть известия от Эдварда? Он писал тебе после того, как уехал во Фландрию? Эдвард прислал мне открытку с такими бодрыми сообщениями, что я не поверила ни одному слову. Ты что-нибудь слышал о событиях в Сербии? Сюда поступает так мало новостей оттуда. Все больше о боях в Бельгии. Что значит, когда в газетах пишут, что положение тупиковое? Как это может быть? Я не понимаю, и никто не может мне объяснить.

Джулиан усмехнулся.

— Я все тебе объясню, когда приедем домой. Рад, что ты подружилась с Дианой. Я знал, что так и будет.

— Меня интересует Сербия, — начала она снова, не желая отвлекаться на разговор о Диане. — Ты можешь узнать у своих друзей в Форин оффис, что там происходит? В газетах пишут, что Болгария заявила о своем нейтралитете, и это меня настораживает, потому что Болгария всегда была заодно с австрийцами и только и выжидает подходящего момента, чтобы нанести Сербии удар в спину. Неужели это непонятно?

«Мерседес» Филдингов ждал их. Только шофер теперь был другой — слишком пожилой для службы в армии. Он открыл им дверцу, затем сам неуклюже сел за руль и осторожно двинулся к Пиккадилли. Джулиан и Наталья сидели сзади, переплетя пальцы и тесно прижавшись друг к другу.

— Я ужасно по тебе соскучилась, — повторила она, вспомнив свои страдания за бесконечными чаепитиями в присутствии его матери. Затем подумала, стоит ли сейчас сказать ему о ребенке, и решила подождать, пока они не насладятся любовью. Она не хотела рисковать, потому что он мог отказаться от близости, узнав, что она беременна.

Джулиан крепко сжимал ее пальцы. Хотя во время занятий в военном училище не было возможности поехать в Лондон, курсанты посещали ближайший городок и пользовались там услугами проституток, но он не поддавался соблазну. Джулиан любил Наталью, скучал по ней и старался сохранить себя для нее в чистоте. По всему было видно, что она тоже соскучилась, и это радовало. Но почему она еще ни разу не сказала, что любит его? Это была мучительная загадка.

Свободной рукой он притянул ее лицо к себе.

— Я люблю тебя, — сказал он низким голосом.

Стоял серый холодный день, и в сумраке автомобиля глаза Натальи подозрительно блестели.

— Я знаю, — ответила она, плотно прижав ногу к его ноге. — Я очень тебя ждала.

На мгновение Джулиан поддался искушению напрямую спросить ее, любит ли она его. И только опасение, что он может не получить желаемого ответа, заставило его промолчать. Лучше не знать и жить с надеждой, чем рисковать ее лишиться. У них было целых пять драгоценных дней, и ему не хотелось их портить. Затем, вероятно, он снова увидит ее только через несколько месяцев. А если положение на фронте не изменится, то, возможно, и через несколько лет.

— Я поговорю кое с кем и, может быть, узнаю о положении на Балканах, — сказал он, зная, что это должно обрадовать Наталью.

— Спасибо. — Она еще теснее прижалась к нему. Джулиан, как всегда, сделает все наилучшим образом. Наталья постаралась не думать о будущей разлуке. Его пребывание во Фландрии будет сильно отличаться от учебы в военном училище в графстве Суррей. Что, если его ранят или... убьют? Она отбросила эти мысли. Его не убьют. Война скоро кончится. Джулиан вернется к своей дипломатической службе и, возможно, опять добьется назначения в Белград.

Перспектива снова оказаться дома ее воодушевила. Мама наверняка устроит грандиозный бал в честь ее возвращения. Снова будут приемы в королевском дворце и дневные прогулки с Беллой и ребенком в Калемегданских садах. Малыша окрестят в соборе, где будут присутствовать крестные родители — члены королевской семьи. Крестным, конечно, будет Александр или князь Данило из Черногории. Она подумала о том, согласится ли будущая жена Александра, старшая дочь русского царя, быть крестной матерью. Тогда это значит, что царь и царица также будут присутствовать на крестинах.

При мысли о таких торжественных и пышных крестинах Наталья удовлетворенно вздохнула, начиная испытывать скорее удовольствие от перспективы заиметь ребенка, чем страх.

Неверно истолковав вздох Натальи, Джулиан поднес ее руку к своим губам и поцеловал.

— Теперь уже скоро, любовь моя. Примерно час я должен посвятить своим родителям, а потом мы снимем номер в тихой загородной гостинице.

— И мы будем там вплоть до твоего отъезда? — спросила она, широко раскрыв глаза.

Джулиан усмехнулся.

— До последней минуты.

Перспектива быть совершенно свободной от леди Филдинг необычайно обрадовала Наталью.

— О, как чудесно! — блаженно воскликнула она. — Белле очень нравится за городом. Мы сможем брать ее в длительные прогулки и...

Джулиан совсем забыл о Белле.

— Пожалуй, трудно будет найти жилье, где принимают постояльцев с собаками, — начал он с сомнением в голосе, помня, какой непослушной была Белла.

Наталья сникла.

— Но она будет ужасно тосковать, если мы ее оставим! Ей будет так одиноко без меня ночью!

Их взгляды встретились, и Джулиан спросил с подозрением:

— Что значит, ей будет одиноко ночью?

Наталья немного смутилась.

— Она спит со мной. Мне было так плохо одной, когда ты уехал... Кровать такая большая, а Белла такая маленькая...

На этот раз глубоко вздохнул Джулиан. Следовало бы помнить о собаке. Четыре месяца назад Белла была еще маленьким щеночком, но теперь она уже почти взрослая. Понимая, что следующие пять ночей им придется провести втроем с вконец испорченным спаниелем, он сказал со стоическим смирением:

— Хорошо. Белла поедет с нами, но будет спать на полу. Понятно?

— Да, — сказала Наталья, хорошо зная, что Белла все равно поступит по-своему. — Она будет спать на полу. Я обещаю.

Как хорошо было выбраться из Лондона. Джулиан подбросил монету и направился на северо-восток. Хотя его «морган» с парусиновым верхом был не таким шикарным, как «мерседес» Филдингов, Наталье он больше нравился. Она сидела, подложив снизу толстый мохеровый плед и укутавшись в меховую шубу, которую Джулиан купил ей к Рождеству. Белла устроилась у нее на коленях. Наталья любовалась сельскими видами. По сравнению с Сербией здесь все было опрятным и ухоженным, поля и дома фермеров казались игрушечными. Между высокими живыми изгородями пролегали тропинки, которые тянулись до самого леса на горизонте, а лес, в свою очередь, сменялся высокими горными кряжами, за которыми снова следовали вспаханные поля или небольшие деревни среди лугов. Впереди она увидела поместье с парком, ферму, церковь с домом священника, гостиницу, ряд небольших домов, а в центре деревни стоял большой дуб или тис, который, казалось, рос здесь тысячу лет.

Гостиница, у которой остановился Джулиан, была крыта соломой, вход в нее прятался под навесом, а окна были с необыкновенными ромбовидными стеклами.

Когда они вошли внутрь, Наталье показалось, что она перенеслась в средневековье. Впервые она подумала, что вполне могла бы ежегодно проводить в Англии месяц-другой где-нибудь в сельской местности, а не в доме родителей мужа.

Джулиан тотчас сделал знак портье принести чаю. Испытывая нетерпение поскорее забраться в постель, но стараясь не выдавать своих намерений, они сказали, что выпьют его в своей комнате, и начали медленно подниматься по витой лестнице, держась за руки и мысленно умоляя, чтобы никому не нужный чай принесли как можно скорее, а затем они могли бы запереться в спальне и забыть обо всем на свете. За ними по пятам следовала Белла.

— Ребенок? — Мгновение назад Джулиан в полном изнеможении лежал обнаженный рядом с Натальей, но сейчас сел в постели так резко, что подушка упала на пол. — Ребенок? — повторил он, недоверчиво глядя на нее.

Наталья хихикнула. Она лежала на спине, ее черные как смоль волосы разметались по подушке, обнаженная грудь с шелковистыми розовыми сосками казалась еще больше, чем он помнил.

— Да, ребенок. Наш ребенок.

— Ты уверена? — Его лицо преобразилось от радости. — Когда ты обнаружила? Когда он должен родиться? Слава тебе Господи! Вот уж не думал... не ожидал...

Его реакция была такой бурной, что Наталья испытала необычайно волнующее чувство.

— Ты доволен? — спросила она, хотя в этом вопросе не было никакой необходимости, и приподнялась на подушках.

— Доволен? Конечно! Я просто на седьмом небе! — Не в силах сдерживаться, Джулиан спустил свои сильные мускулистые ноги с постели, подошел к окну и широко раскрыл его, не обращая внимания на легкие снежинки, кружащиеся в воздухе. Где-то вдалеке слышался церковный звон, призывающий к вечерней службе. Коровы в соседнем сарае призывно мычали в ожидании дойки.

Наталья вздрогнула под порывом холодного воздуха, ворвавшегося в комнату.

— Я хочу, чтобы ребенок родился на моей родине, в Белграде, — сказала она, протягивая руку к простыням и одеялам, сбившимся в изножье кровати с балдахином, и натянула их на себя.

Джулиан повернулся к ней, и она в который раз подумала, как великолепно он выглядит обнаженным.

— В Белграде? Мы не сможем вернуться туда еще несколько лет, — сказал он с тревогой в глазах. — Война зашла в тупик, и разговоры о том, что она кончится к весне, так же надуманны, как и прежние слухи, предполагавшие ее окончание к Рождеству. — Он повернулся и закрыл окно. — Даже если война кончится, передвижение по Европе будет затруднено.

Джулиан подошел к кровати и сказал, стараясь утешить Наталью:

— Не стоит думать, что мы вообще туда не вернемся. Мы сделаем это при первой же возможности. — Он снова лег и прижал ее к себе. — Но мы не сможем вернуться в Белград до рождения ребенка, дорогая. И даже потом, думаю, пройдет немало времени, прежде чем мы снова там окажемся.

Он не мог видеть лица и выражения глаз Натальи. Его руки обнимали ее тело, а ее голова покоилась на его груди.

— Разве ты не намерен добиваться нового назначения в Белград сразу после окончания войны? — спросила она, и ее голос прозвучал несколько странно.

Это из-за того, что ее голова прижата к его груди, решил он и сказал:

— Было бы чудесно, если бы мне это удалось, но повторное назначение в страну у нас не одобряется. В лучшем случае мы могли бы попасть в другую славянскую столицу, например, в Петербург.

Наталья лежала не шевелясь. Ей вовсе не хотелось оказаться в Санкт-Петербурге. Она вообще никуда не хотела, кроме Белграда. Снова вернулись все ее опасения относительно ребенка. Как она сможет оставить мужа и вернуться домой, если у нее будет ребенок? Джулиан не позволит взять его с собой. Бурная радость из-за известия о том, что он скоро станет отцом, свидетельствовала о его самозабвенных родительских чувствах. Придется, очевидно, оставить ребенка с ним и одной вернуться домой.

Наталья подумала о Белле и о своей горячей привязанности к ней. Она не могла оставить ее где-либо ни при каких обстоятельствах, но если она не способна расстаться с Беллой, то как же бросит ребенка?

— Думаю, нам надо отметить это замечательное событие, снова занявшись любовью, — сказал Джулиан, касаясь губами волос Натальи и продолжая крепко ее обнимать.

Наталья отвечала на его ласки, но на этот раз не так страстно, как раньше. Где-то внутри у нее затаился холодок. Она стала женой Джулиана и покинула семью и родину, потому что отец поддался панике из-за ее дружбы с Гаврило Принципом. Но в такой спешке вовсе не было необходимости. Австрийцы так и не выдали ордер на ее арест. Суд уже закончился. Если бы ее не заставили выйти замуж, она сейчас была бы с матерью в Швейцарии и знала, что при первой же возможности они вернутся в Белград. Чувство обиды и холодной решимости ее не покидало. Несмотря на все трудности, она все-таки вернется в Белград, а когда это произойдет, никогда больше его не покинет.

Рождество в доме Филдингов отметили очень прозаично. Новый год — не лучше. Турция тоже вступила в войну, и ее войска попытались перекрыть для Англии Суэцкий канал. Хотя турки потерпели неудачу, но эта попытка означала, что многочисленные русские и британские войска могли застрять в Синайской пустыне, в то время как они были нужны в другом месте.

В другом месте — для Натальи означало в Сербии. В феврале пришли новости, что в стране разразилась эпидемия брюшного тифа. Туда были направлены многочисленные представители Британского Красного Креста и Шотландской скорой помощи, Наталья не спала ночами, тревожась о своей семье. Возможно, кто-то из ее родных уже умер или умирает.

В конце месяца Джулиан написал, что ранен в бедро и отправлен в госпиталь. Диана очень сожалела, что не смогла попасть туда в качестве медсестры, и решила, что пришло время предложить свои услуги Красному Кресту. Наталья последовала за ней.

Диане сказали, что, поскольку у нее нет опыта, то разумнее всего обратиться в госпиталь, где она могла бы поработать в качестве стажера, а Наталье, которая уже явно была на восьмом месяце беременности, посоветовали присоединиться к одной из многочисленных женских групп, занимающихся шитьем. Она еще раньше познакомилась с одной из таких групп, собиравшейся в отеле «Клэридж», и, посмотрев на дам средних лет из высшего общества, аккуратно и усердно шьющих одежду для солдат и бедняков, решила, что они вполне могут обойтись без нее.

— Солдатам и так трудно воевать, а в одежде, которую я сошью, будет еще труднее, — угрюмо заметила Наталья, обращаясь к Диане, вернувшейся домой после первой недели, проведенной в госпитале. Та сидела усталая, опустив ноги в таз с горячей водой.

В начале марта из Франции пришли совсем безрадостные вести. Списки раненых вселяли ужас, и, казалось, войне не будет конца.

Наталья пока была относительно спокойна, зная, что Джулиан находится в безопасности в госпитале и его не отправят на фронт из-за тяжелого ранения, но, с другой стороны, молила Бога, чтобы рана оказалась не слишком серьезной и он не остался на всю жизнь хромым.

А в конце марта она встретила Никиту.

***

Наталья настойчиво продолжала посещать церковь в Кэмдене, где собирались сербы-изгнанники, хотя, к ее великому разочарованию, атмосфера там была довольно прозаичной. Леди Филдинг считала возмутительными эти ее хождения, особенно сейчас, когда невестка ждала ребенка, но Наталья не обращала на это внимания. Поскольку Диана теперь была занята в госпитале, жизнь снова стала тоскливой и скучной. Беременность не позволяла Наталье, как раньше, совершать дальние прогулки, чтобы как-то сменить обстановку, и потому несколько часов общения с соотечественниками на родном языке были для нее приятным разнообразием среди серых будней.

Увидев Никиту, она сразу поняла, что встретила единомышленника. Он был всего на несколько лет старше ее, высокий и стройный. Весь его облик говорил о том, что он привык к опасностям и всегда готов ввязаться в какую-нибудь потасовку. С копной густых вьющихся черных волос и с длинными, как у девушки, ресницами, обрамляющими темные горящие глаза, он казался очень на нее похожим. По всему было видно, что ему, так же как и ей, претила слишком благопристойная обстановка в церкви.

С ее большим животом место Натальи было среди других замужних женщин, занимающихся рукоделием, разговорами и наблюдением за многочисленными детишками, бегающими вокруг. Мужчины стояли или сидели группами в другом конце помещения. Их жены редко к ним подходили, как будто они были незнакомы.

У Натальи не было времени на то, чтобы приобщаться к догматам англиканской церкви. Она смотрела на вновь прибывшего, чувствуя, что в Белграде он вполне мог посещать «Золотой осетр», и поняла, что наконец нашла родственную душу. Не обращая внимания на свое положение, Наталья направилась к нему через весь зал.

Мужчина, видя, что она идет к нему, явно смутился.

— Привет, — сказала Наталья с обезоруживающей простотой, как будто они находились в Конаке на традиционном чаепитии или на Летнем балу у Василовичей. — Меня зовут Наталья Филдинг. Я не видела здесь вас раньше. Есть ли у вас какие-нибудь новости о том, что происходит в Сербии? Давно ли вы оттуда?

— Я не серб, а хорват, — сказал он, подозрительно глядя на нее и думая, что, возможно, один из мужчин, стоящих рядом с ним, является ее мужем. Он огляделся, но не увидел никого, кто был бы похож на англичанина — ведь с таким именем, как Филдинг, ее муж не мог быть славянином.

— Хорват, босниец или серб — не имеет значения, не так ли? — сказала Наталья, стараясь не замечать его смущения. — Когда кончится война и Габсбургская империя перестанет существовать, мы все будем жить в единой стране. Надеюсь, вы верите в будущее государство, объединяющее всех южных славян?

Мужчина посмотрел на нее с явным интересом, перестав тревожиться.

— В государство, где хорваты, боснийцы, сербы и словенцы будут иметь равные права? Да. Именно поэтому я нахожусь в Лондоне. Я член Югославянского комитета*.

— Югославянского комитета?

Наталья никогда не слышала о такой организации. Ее охватило волнение.

— Что это такое?

— Его цель — создание Югославянской федерации. Я член этого комитета и нахожусь в Лондоне, чтобы организовать здесь его штаб-квартиру, — ответил ее собеседник.

Наталья была в восторге. Этот молодой человек, оказывается, такой же борец за национальное единство, как Гав-

* Политическая организация югославянских эмигрантов в Лондоне в 1915–1918 гг.

рило, Трифко и Неджелко. Он создает в Лондоне организацию, и она станет ее членом. Теперь не придется скучать. Она будет активно действовать, приближая день, когда все южные славяне объединятся, независимо от своих религиозных убеждений. Жизнь обещает снова стать интересной, как в Белграде, когда она каждую неделю встречалась со своими друзьями в «Золотом осетре».

Однако где-то в глубине ее сознания прозвучал предупреждающий звоночек.

Именно встречи в «Золотом осетре» поставили ее в чрезвычайно затруднительное положение. Разве она не говорила Катерине, что очень сожалеет об этом? Разве не клялась, что больше никогда не допустит подобной глупости?

— Разумеется, мы будем собираться не здесь, — сказал ее новый друг, презрительно окинув взглядом помещение. — Люди, которые приходят сюда, далеки от политики.

— Но я в ней разбираюсь, — невозмутимо сказала Наталья, игнорируя предупреждающий звоночек и страстно желая снова участвовать в волнующих событиях.

— Вы? — Впервые за время разговора он оставил свой грубоватый угрюмый тон и усмехнулся. У него были очень ровные, белые зубы. — Вы женщина. Вам следует сидеть с другими женщинами и заниматься детьми и вышиванием.

Наталья не выдержала.

— Как вас зовут? — спросила она, решив сбить с него спесь.

— Кечко. Никита Кечко.

— Возможно, вам будет интересно узнать, Никита Кечко, что я встречалась с Гаврило Принципом, Трифко Грабецом и Неджелко Кабриновичем в «Золотом осетре» в Белграде, — сказала она, совершенно забыв о данной Джулиану клятве никогда никому не говорить о своей дружбе с Принципом. — И я встречалась с Гаврило в Сараево накануне того дня, когда он стрелял в эрцгерцога. Ну что, вы по-прежнему считаете, что я должна заниматься только детьми и рукоделием?

Он не сводил с нее глаз, и Наталью внезапно охватило чувство, которого она не испытывала уже много месяцев и которое считала невозможным сейчас, на восьмом месяце беременности.

— Докажите это, — резко сказал Никита.

Ворот его рубашки был расстегнут, открывая крепкую загорелую шею. Ей захотелось коснуться губами смуглой кожи, запустить руки под рубашку и погладить его плечи и грудь. Брюки плотно облегали фигуру Никиты, кожаный ремень сидел низко на узких бедрах. Наталья подумала, как он выглядит обнаженным, каков он в постели.

Впервые в жизни она устыдилась своих мыслей. Как она могла так возбудиться, когда оставались недели, а может быть, и дни, до рождения ребенка? В этом было что-то неестественное. Не говоря уже о супружеской верности.

Наталья подумала о раненом Джулиане, лежащем сейчас в госпитале во Франции. О какой верности может идти речь? Их брак не был заключен по обоюдному согласию. Она вышла замуж не по любви, а только ради того, чтобы не разлучить родителей, и потому не обязана хранить верность мужу. Это была интересная мысль, которая может иметь важное значение в будущем. Однако шел уже девятый месяц ее беременности, и потворствовать похотливым мыслям было не толбко неприлично, но и просто ненормально. С трудом оторвавшись от своих размышлений, Наталья сказала, отвечая на его вопрос:

— Гаврило очень стеснителен с женщинами. У Трифко на них нет времени, а Неджелко их обожает.

— Матерь Божья, — тихо произнес Никита. — Значит, вы их знаете!

Выражение его глаз изменилось, и Наталья поняла, что теперь он начал воспринимать ее всерьез. Она подумала, откуда он знает Гаврило, Неджелко и Трифко; встречался ли он с ними в Сараево до того, как они покинули Боснию и перебрались в Сербию, или, может быть, виделся с ними в Белграде.

Прежде чем она успела задать вопрос, он сказал:

— Так вот почему вы в Лондоне! — Его насмешливый покровительственный тон сменился уважительным. — Вы скрылись от выдачи австрийским властям?

Наталья впервые подумала, что ее бегство может стать событием, о котором потом будут рассказывать легенды.

— Да, — ответила она, упиваясь своей значительностью. — Но я хочу вернуться назад при первой же возможности.

Его взгляд скользнул по ее вздутому животу.

— А ваш муж? Он англичанин?

Никита слегка повернул голову, и Наталья заметила тонкий белый шрам на его левой брови. Она решила, что, возможно, это след от удара ножом. Он вполне мог участвовать в кровавой драке. В его облике чувствовалось нечто жестокое и очень опасное.

— Да. Он был дипломатом в Белграде и...

— Ники!

Наталья не успела договорить, когда перед ними вдруг возникла плотная бородатая фигура в сапогах, бриджах и в безрукавке с национальной вышивкой.

— Я должен идти, — быстро сказал ей Никита. — Мы еще встретимся. Здесь же. Я представлю тебя членам Югославянского комитета.

Наталья не была огорчена тем, что их беседа прервалась. Они успели сказать друг другу самое важное. Настроение у нее поднялось, ведь ее должны представить активистам движения. Она снова будет в центре событий, деятельно участвуя в судьбе своей страны.

Выйдя на оживленную улицу, Наталья подумала о том, как отнесется Джулиан к новостям, о которых она ему напишет. «Мерседес» с шофером ждал ее и, пересекая тротуар, она нахмурилась. Джулиан, конечно, будет недоволен. Когда шофер с трудом вылез из-за руля и открыл для нее ближайшую заднюю дверцу, Наталья решила, что лучше всего ей не писать во Францию о своем знакомстве с Никитой и о предстоящем участии в работе Югославянского комитета.

Глава 13

Майор Зларин устремился вниз по каменным ступенькам лестницы, а Катерина стояла ошеломленная, провожая его взглядом, и прижимала к груди пистолет, который он сунул ей в руки. Она едва верила в то, что произошло. Ни с того ни с сего, без малейшего поощрения с ее стороны он вдруг сделал ей предложение. Это просто невероятно. И что еще невероятнее — она его приняла.

По лестнице поднимались несколько солдат, неся раненого товарища, и Катерина прижалась к стене, чтобы не мешать им пройти. О чем она думала, черт побери? Как она могла согласиться выйти замуж за человека, которого едва знала и к которому даже ни разу не обратилась просто по имени? На такие вещи была способна только Наталья. Она ведь почти не знала Джулиана до замужества. Но у Натальи по крайней мере было важное основание вступить с ним в брак. А что, собственно говоря, толкнуло ее на такой неосторожный, опрометчивый поступок?

Была только одна, но очень весомая причина. Если она выйдет за Зларина, ей перестанут сватать Макса. Катерина сжала пистолет. Возможно, она поступает безрассудно, но не так уж неосознанно.

Паника на улице возрастала, отдаленный грохот орудий усиливался. Катерина не испытывала сожаления из-за того, что согласилась выйти за майора. Она повернулась и побежала вверх по лестнице в свою палату. Надо сообщить матери, Сиси и Хельге, что сербская армия отступает к югу и что вскоре Белград оккупируют австрийцы. Надо также уведомить мать о важном событии в ее, Катерины, жизни.

— Боже милостивый, — прошептала Сиси, когда девушка сообщила ей весть об отступлении. — Что с нами будет? Что нам делать?

— Заниматься своим делом, — решительно ответила ей Зита; ее красивое лицо выглядело смертельно усталым. — Наш долг ухаживать за ранеными, даже если это будут вражеские солдаты.

Катерина продолжала держать в руке пистолет, опустив его ствол вниз и слегка прикрывая складками юбки, так что ни мать, ни Сиси его не увидели. Первой заметила пистолет Хельга.

— Мой Бог! Это майор дал вам его? — спросила она с широко раскрытыми от ужаса глазами.

Катерина слегка пошевелила рукой, и пистолет стал полностью виден. Все три женщины с испугом уставились на него.

— Да, на крайний случай.

— Тебе не следовало его брать. — Лицо Зиты сделалось серьезным, вокруг рта резче обозначились морщины. — Что, если ты в панике выстрелишь и убьешь кого-нибудь?

Впервые Катерина подумала о том, вполне ли мать осознает, что будет с ними, когда придут австрийцы.

— Если бы я не взяла у майора пистолет и если бы он не был уверен, что у нас по крайней мере есть оружие, чтобы защитить себя, он ни за что не позволил бы нам остаться в городе, — сказала Катерина. — Он арестовал бы нас и заставил силой сесть в поезд, идущий с войсками на юг.

— Майор Зларин говорил, откуда отходит армия? — спросила Зита, решив оставить тему, не сулившую ничего хорошего. — Папа и Макс тоже будут отступать через Белград? Есть ли хоть какая-то возможность их увидеть?

— Они отступают в другом направлении, мама, — сказала Катерина, прежде чем у Зиты появилась надежда. — Все силы с северо-запада отойдут к Руднику.

— А что потом? — спросила Сиси, плохо разбиравшаяся в обстановке.

— Они будут держаться там до тех пор, пока не прибудет подкрепление, — сказала Зита, моля Бога, чтобы союзники не оставили Сербию, — а когда это произойдет, наши войска отбросят австрийцев за Саву и Дунай, и ни один австриец, ни один венгр никогда больше не ступит на нашу землю.

— Нам лучше разойтись по своим палатам, — сказала Хельга, когда мимо них, спотыкаясь, проковылял солдат, опираясь на самодельный костыль. — Раненые волнуются.

— Будем надеяться, что пока у них нет для этого серьезных оснований, — тихо сказала Сиси. — Возможно, это не очень удобно, но мне кажется, тебе следует носить пистолет на ремне под юбкой, Трина. Тогда ты его не потеряешь.

Катерина кивнула, благодарная Зларину, что он обеспечил ей хоть какую-то защиту.

В палатах царил хаос. Весть об отступлении армии и эвакуации войск из города распространилась с быстротой молнии. Раненые, которые едва могли сидеть, пытались встать, намереваясь покинуть госпиталь. Медсестры, напуганные, как и больные, тем, что могут сделать с ними австрийцы, умоляли всех успокоиться. Некоторые солдаты, которые не могли передвигаться даже на костылях, тянулись к окнам, распахивали их и криками подбадривали солдат, проходивших по улице к вокзалу: «Возвращайтесь скорее и утопите этих ублюдков в Дунае!»

Никто не бросил в адрес отступающих ни единого оскорбительного слова. Все понимали, что эти люди с трудом повиновались приказу, столь необходимому для удержания позиций, отодвинутых немного южнее в глубь страны, до прибытия подкрепления от союзников.

— Они вернутся, — уверенно заявил пожилой слепой серб, у которого были ампутированы обе ноги. — И войдут в город во главе с самим королем. Несмотря на возраст, он сражается рядом с солдатами. Давайте вместе крикнем троекратное ура королю Петру и князю Александру! Они из рода Карагеоргиевичей, а Карагеоргиевичей еще никто не побеждал!

Раздались оглушительные крики «ура!», и Катерина вспомнила, что она не только Василович, но наполовину и Карагеоргиевич, и в этот момент была очень этим горда.

Когда крики отгремели, наступила необычная тишина. Последний поезд ушел на юг, и на улицах больше не было видно солдат. Медсестры ухаживали за ранеными, обмениваясь боязливыми взглядами. Неожиданно издалека донесся победный военный марш. Катерина подошла к окну и выглянула наружу. Музыка звучала все громче и громче. Она увидела военный оркестр, за которым тяжелой поступью шли сотни австрийских солдат.

— Идут, — сказала Сиси, хотя всем и так было ясно, что происходит.

Катерина почувствовала, как внутри у нее все сжалось. Спрятанный под юбкой пистолет доставлял ей неудобство. Руки сделались влажными, но она продолжала переодевать юную девушку, тяжело раненную осколком снаряда.

Пациент в конце палаты, оперевшись о стену и выглянув в окно, отрывисто сказал:

— Они идут со знаменами и, черт бы их побрал, направляются к королевскому дворцу.

Катерина закончила свое дело, руки ее дрожали. Через несколько минут желто-черный флаг Габсбургов будет развеваться над Конаком.

Теперь в городе опять стало шумно. Австрияки шли к центру города с ликующими криками и свистом. Был слышен скрип дверных петель, раздавались крики протеста и ругань.

По каменным ступенькам лестницы прогремели шаги. Дверь в конце палаты резко распахнулась, и в комнату ворвались три австрийца с винтовками наперевес.

Никто не шевельнулся.

— Теперь этот госпиталь поступает в распоряжение австро-венгерских вооруженных сил, — рявкнул один из троих, офицер. — Все его обитатели отныне пленные. Да здравствует Австро-Венгерская империя! Да здравствует император Франц-Иосиф!

— Чтоб ему гореть в адском огне! — непокорно крикнул молодой парень, воевавший под командованием майора Зларина, у которого ампутировали полноги.

Реакция австрийцев была мгновенной. Двое солдат, сопровождавших офицера, бросились к постели раненого и застыли в изножье, наставив на него винтовки. Когда парень попытался вскочить с кровати, они прицелились и выстрелили ему прямо в сердце.

Зита больше не колебалась. Впервые в жизни ее покинули хладнокровие и сдержанность. Прежде чем Катерина успела остановить ее, она подскочила к офицеру и со всей силой ударила его по лицу.

— Убийца! — крикнула она, сверкая глазами. — Палач! Вот, значит, до чего опустилась могущественная австро-венгерская армия? До хладнокровного убийства беззащитных раненых мальчишек? Неужели у вас не осталось ни капли чести? Собственного достоинства?

Оба солдата бросились к ней с поднятыми винтовками. Катерина нащупала под юбкой пистолет. Неужели придется им воспользоваться сейчас? Так скоро? Даже если она начнет стрелять, это не спасет мать. Она не сможет застрелить троих австрийцев, прежде чем по крайней мере один из них не откроет ответный огонь.

Ужасная дилемма разрешилась, когда офицер, не отрывая взгляда от Зиты, сделал знак своим подчиненным опустить винтовки.

— Австро-венгерская армия не потерпит оскорблений от всякой балканской швали, — отрывисто сказал он, чувствуя по речи Зиты, что она не обычная медсестра. Эта женщина высокомерна и самоуверенна, как аристократка, и он оценивающе прищурил глаза. Поскольку был отдан приказ брать заложников, он возьмет ее первой и, вполне вероятно, попадет в самую точку. Но в данный момент ему нужно было наладить с ней отношения. Сотни австрийских солдат были ранены при попытке взять город, и теперь было крайне необходимо обеспечить за ними уход.

— Если вы ответственны за эту палату, ваш долг следить, чтобы нас здесь не оскорбляли, — продолжил офицер, размышляя, как бы побыстрее выставить всех больных на улицу. — Если подобное повторится, виновные, будь то мужчина или женщина, будут казнены.

Он осмотрел комнату и, увидев Сиси, резко сказал:

— Она пойдет с нами. Если не будет достигнуто полное взаимопонимание, она не вернется.

— Нет! Ни за что! — решительно сказала Зита, быстро подошла и встала между Сиси и солдатами, которые уже было двинулись к ней.

— Для раненых будет лучше, если я пойду с ними, — спокойно и твердо сказала Сиси, кивнув на австрийцев.

Зита в нерешительности посмотрела на Хельгу. Та кивнула с несчастным видом:

— Да, — сказала она по-немецки, давая, как всегда, практичный совет. — Так будет лучше.

К ней тут же подскочил офицер.

— Вы! Вы немка?

Хельга пожала плечами.

— Да, — ответила она по-немецки.

Хельга стояла у кровати мужчины, у которого были изуродованы голова и лицо, и касалась его плеча, стараясь утешить. В изножье кровати лежал мундир солдата сербской армии.

— Ты предательница, — сказал офицер ледяным голосом, а затем обратился к своим солдатам: — Расстреляйте ее.

На этот раз Катерина без колебаний приподняла свою юбку и лихорадочно схватилась за пистолет. Но было уже поздно. Почти одновременно раздались два выстрела, и Хельга подалась вперед — из ее рта и груди сочилась кровь.

— Нет! — закричала Зита, бросившись к ней. При этом она заметила то, что собиралась сделать ее дочь, и еще раз крикнула: — Нет! — на этот раз по другому поводу.

В ту же минуту в палату ворвался отряд австро-венгерских солдат с винтовками на изготовку. Задыхаясь от рыданий, Катерина опустила юбку. Протест матери ее не смутил. Но стрелять сейчас было бессмысленно. Этим ничего не добьешься. Хельгу уже не спасти. Они могли лишь поплатиться собственной жизнью и, возможно, жизнью всех раненых.

Никто не заметил ее попытки. Раненых и умирающих штыками сгоняли с кроватей, Сиси вывели из комнаты, Зита держала на коленях голову Хельги и плакала.

Беспроглядный мрак опустился на госпиталь, а прошло всего полчаса с начала австрийской оккупации. Катерина опустилась на колени рядом с матерью у тела Хельги и подумала, какой ужас еще ждет их впереди. Она благодарила Бога, что Натальи нет с ними и что ей не придется терпеть выпавшие на их долю испытания.

Часы оккупации обернулись днями, а дни начали складываться в недели... Катерина не раз мысленно извинялась перед Злариным. Он был абсолютно прав, когда говорил, что ни она, ни ее мать не имеют никакого представления о том, каково жить под властью врага. Над Конаком развевался желто-черный флаг Габсбургов. Пьяные солдаты грабили полуразрушенные и уцелевшие дома. Убийства гражданского населения стали массовым явлением. Пожилых женщин вешали, а тех, что помоложе, насиловали. Но пока отомстить было невозможно.

Высшие армейские чины заняли особняк Василовичей, и Зита с Катериной почти не уходили из госпиталя. В течение страшных десяти дней у них не было никаких известий о Сиси, а затем она вернулась в госпиталь без конвоя, еле держась на ногах.

Первой ее увидела Катерина. Она поставила поднос с медикаментами и бросилась к ней.

— Сиси! — задыхаясь, прошептала она и обняла подругу. — О Боже! Мы уж думали, что больше никогда тебя не увидим! — Слезы облегчения текли по лицу Катерины. — Где они тебя держали? Что с тобой было? Как ты себя чувствуешь?

Катерина поняла, что последний вопрос был излишен. Сиси выглядела совершенно измученной. Ее кожа потеряла былую свежесть, лицо казалось изможденным, а под глазами образовались темные круги.

Усадив подругу на ближайший стул, Катерина испуганно спросила:

— Они мучили тебя, Сиси? Они тебя били?

— Они меня насиловали, — сказала Сиси едва слышно с ужасающим безразличием. — Я не хочу, чтобы об этом знала твоя мать. Я не хочу, чтобы кто-нибудь вообще знал об этом, кроме тебя.

— Но, Сиси, она должна знать!

Сиси покачала головой:

— Нет. Я не могу говорить с ней об этом, Катерина. Я не хочу, чтобы меня расспрашивали. Чтобы люди смотрели на меня с сожалением и постоянно мне напоминали об этом... — Ее голос слегка осекся, впервые обнаружив плохо скрываемые чувства. — Мне необходима горячая вода и мыло. Есть здесь что-нибудь? Могу я принять ванну? Тысячи ванн?

Сиси негде было остановиться, кроме госпиталя, но здесь было полно раненых австрийских и венгерских солдат. Катерина подумала о том, сможет ли Сиси ухаживать за ними. Девушка начала снова работать в палатах, и Катерина заметила, что она так же заботливо относится к австрийцам и венграм, как раньше к раненым сербам.

В конце второй недели оккупации начали распространяться слухи о том, что союзники наконец смогли снова поддержать оружием и боеприпасами сербскую армию.

— Если это правда, наши солдаты опять двинутся с боями на север, — сказала Зита с жестким блеском в глазах. — Они прогонят этих скотов и убийц из Белграда и утопят в Саве!

Катерина, вспомнив, как австрийские солдаты выгоняли штыками на улицы обезумевших от ужаса старух и их казнили, всем сердцем согласилась с матерью.

Настроения австрийцев изменились. Триумф сменился явной тревогой. Стали поступать вести о победах сербской армии на фронте. Было ясно — враг будет вынужден оставить город, а это значит, что скоро придет долгожданное освобождение. Раненые австрийцы и венгры старались подняться с постели, как когда-то раненые сербы, чтобы покинуть город и укрыться в безопасности за Савой.

Суматоха на улицах нарастала, и грохот пушек становился все явственнее.

— Австрийский штаб скоро покинет наш дом, — сказала Зита Катерине. — Я хочу узнать, какой ущерб нам причинили. Кроме того, твой отец прежде всего направится туда, если вернется, и я хочу оставить для него записку, чтобы он знал, где нас искать.

Катерина не возражала. После всех пережитых ими ужасов пройти по улицам, заполненным убегающими в панике австрийцами, когда сербская армия была уже почти рядом, казалось так же безопасно, как прогуляться по Калемегданским садам в мирное время.

Однако Сиси заронила в нее сомнение.

— Австрийцы не уйдут с пустыми руками, — сказала она, когда Катерина ей сообщила, куда отправилась Зита. — Они собираются взять заложников. Когда ваша мать придет в свой особняк, им станет ясно, что она — его хозяйка. Ее схватят и увезут за Саву.

— Мама полагает, что австрийские военачальники уже покинули город, — сказала Катерина, но ее охватила тревога. — Она думает, наш дом уже пуст.

— Дай Бог, чтобы она оказалась права. Но даже если командиры дали деру, там могут оставаться низшие чины. А если и они покинули дом, возможно, там хозяйничают мародеры.

Катерина встревожилась не на шутку. Конечно, в доме могут быть грабители. О чем только она думала, позволив матери уйти одной в такой неспокойной обстановке?

— Я иду за ней, — сказала она, быстро скинув белый передник с красным крестом на груди. — Если никто из нас не вернется, не ходи нас искать. Сначала дождись, когда в город войдут наши войска.

Выйдя в коридор, заполненный ранеными, стремящимися покинуть госпиталь, Катерина попала в толчею и с трудом выбралась на улицу. Было ясно, что битва за Белград уже идет на окраинах, и австрияки стремились как можно скорее удрать из города.

Выйдя на улицу Князя Милана, она ужаснулась при виде страшных повреждений. Почти каждый второй дом был разрушен; университет, гордость города, был полностью уничтожен; мостовая испещрена воронками; повсюду обнажились подвалы — стены домов рухнули под обстрелом из крупнокалиберных орудий, и в земле зияли глубокие дыры.

Королевский дворец, несмотря на повреждения, все-таки устоял, как и их собственный дом. Сначала ей показалось, что их особняк пуст, но затем, быстро миновав вестибюль и войдя в одну из гостиных, она услышала громкий крик матери.

Катерина бросилась назад с заряженным пистолетом в руке. Откуда раздался крик? Сверху или снизу? Может быть, из итальянской гостиной? Из кабинета отца? Из бального зала?

— Мама! — крикнула она прерывающимся от волнения голосом. — Мама! Где ты?

Со стороны кабинета отца донесся животный женский крик, послышался грохот падающей мебели, а затем неистовый голос матери:

— Убегай скорее, Катерина! Беги! Беги!

Катерина побежала к кабинету, сжимая тяжелый и скользкий пистолет во влажной руке. На этот раз она намеревалась использовать его без колебаний, и ничто ее не остановит.

Ее мать лежала на полу с окровавленным лицом. Лиф ее платья был разорван, обнажив грудь, юбки задраны кверху. Верхом на ней сидел австрияк, пытаясь ее изнасиловать.

Он даже не поднял головы и не взглянул на Катерину, когда та вбежала в комнату.

— Если ты ее дочка, — сказал он с явным презрением, стараясь добиться своей цели, — то дожидайся своей очереди.

Катерина не колебалась. Она подняла пистолет, держа его обеими руками, и спустила курок. Солдат слишком поздно осознал опасность. Он повернул голову, и похоть, отражавшаяся на его лице, сменилась удивлением.

Пуля попала ему прямо в переносицу. Это был превосходный выстрел, словно Катерина всю жизнь упражнялась в стрельбе. Из пробитой головы хлынула кровь, и солдат рухнул на спину.

— Убери его! — пронзительно закричала Зита. — Ради Бога, убери скорей!

Катерина бросила пистолет и подбежала к матери.

— В доме есть еще солдаты? — возбужденно спросила она, схватив мертвеца за плечи. — Если есть, то в нашем распоряжении всего несколько минут, а может, секунд!

Зита покачала головой, выбираясь из-под убитого и едва сдерживая рыдания.

— Нет! Кажется, нет! О Боже, Катерина! Что нам теперь делать?

Катерина с трудом оттащила тело солдата в сторону.

— Пока нам ничего не надо делать, — сказала она, стараясь овладеть собой. — Австрийцы со всех ног удирают из города. Через час здесь никого из них не останется, так что этого типа никто не хватится. А пока мы спрячем тело, — сказала Катерина, испытывая ужас при мысли о том, что в любой момент может кто-то войти. — Я отволоку его ко входу в погреб и столкну вниз. А ты пойди наверх и посмотри, не осталось ли что-нибудь из твоей одежды в шкафах. Ты не можешь выйти на улицу в таком виде, а нам надо вернуться в госпиталь. Оставаться здесь нельзя.

Зита прижала тыльную сторону дрожащей ладони к своим губам; по ее лицу текли слезы.

— Господи, сделай так, чтобы твой отец и Макс оказались в войсках, которые войдут в город. Макс и майор Зларин были правы. Нам не следовало здесь оставаться. Последние две недели мы даже не ухаживали за нашими ранеными, а обслуживали австрийских и венгерских солдат. Нам надо было уехать в Ниш вместе с Вицей и Евдохией.

— Нет, — решительно возразила Катерина, осознавая, что мать на грани нервного срыва. — Мы белградки и наше место здесь. Пройдут годы, и ты будешь гордиться тем, что мы остались в городе. А сейчас пойди и найди другую блузку.

Мать в полубессознательном состоянии ее послушалась, а Катерина снова ухватилась за плечи мертвеца. Она так и не рассказала матери о предложении майора Зларина выйти за него замуж и о своем согласии. Пока Катерина тащила тело из кабинета отца к погребу, она решила, что, пожалуй, надо это сделать до возвращения сербской армии в город. Если отец и Макс окажутся среди победителей и встреча с ними произойдет через несколько часов, лучше, чтобы мать уже не считала Макса своим будущим зятем.

Австриец был страшно тяжелым. Время от времени Катерине приходилось останавливаться, чтобы перевести дух. Ковер был весь в крови, и она подумала, что, возможно, ее усилия напрасны. Любой вошедший в дом сразу поймет, что здесь произошло. Она вспомнила также, что их дом служил штабом и, значит, здесь не могли допрашивать пленных. Кровь на ковре могла вызвать нежелательное любопытство.

Добравшись до погреба, Катерина с облегчением откинула его крышку. Возможно, и не было особой необходимости прятать труп, но все-таки лучше его убрать, чем потом сожалеть. Австрийские офицеры могли вернуться и обнаружить своего убитого товарища, а ей не хотелось, чтобы в отместку расстреляли кого-нибудь невинного.

Катерина из последних сил подтянула громоздкое тело к верхней ступеньке каменной лестницы и столкнула его вниз. Оно скрючилось и соскользнуло в темноту. Тяжело дыша, она повернулась и захлопнула за собой крышку. Если повезет, то убитого обнаружат не скоро.

Мать ждала ее в вестибюле, одетая в не подходящее для данной ситуации блестящее платье и зимнее пальто.

— Если нас освободят, я хочу выглядеть соответственно такому радостному событию, — сказала Зита оправдываясь.

Она уже не была похожа на женщину, которую едва не изнасиловали. Хотя ее лицо все еще было бледным, в глазах не осталось следов недавнего потрясения. Зита снова полностью владела собой.

Заметив перемены, которые произошли в состоянии ее матери за столь короткое время, Катерина почувствовала облегчение. Мать облачилась в свой самый элегантный наряд не только в честь освобождения города, но и для того, чтобы вернуть себе чувство собственного достоинства после унижения, которому она недавно подверглась. Пурпурный цвет платья и пальто навел Катерину на мысль, что они выбраны не случайно. Пальто было узким и сантиметров на тридцать короче такого же узкого платья, доходившего до лодыжек. Лацканы и манжеты были оторочены черной тесьмой и, надень мать еще и шляпу, она выглядела бы так, словно собралась в Конак на традиционное чаепитие.

Зита угадала мысли дочери, и улыбка слегка тронула ее губы.

— Я действительно собираюсь в Конак до конца дня. Уверена, что король Петр отдал приказ никому не спускать флаг Габсбургов, пока он сам не сделает этого. Я хочу быть там, когда он его сорвет и бросит себе под ноги.

Они вышли во двор, и Зита сказала, перестав улыбаться:

— Я все думаю, как себя чувствует Петр со своим артритом после стольких месяцев войны? Другой остался бы с правительством в Нише и не стал бы терпеть лишения в окопах наравне с солдатами, которые на сорок лет его моложе.

Глаза Катерины потемнели от страха. Она подумала об отце. Хотя ему было всего сорок восемь, он уже не молод, а зима последние несколько недель стояла сырая и холодная.

Выйдя на улицу Князя Милана, они поняли, что бои уже идут в городе. Над их головами свистели пули, и женщины свернули в первые попавшиеся ворота, прижавшись к стене высокого каменного дома.

— Может, лучше вернуться домой? — сказала Зита, уступая дочери право решать, что делать.

Катерина покачала головой:

— Нет. Нам надо добраться до госпиталя. Если не спешить и быть осторожнее, это нам удастся.

По улице с ревом промчались штабные австрийские автомобили, направляясь к реке.

— Они удирают! — ликующе воскликнула Зита. — Все, до последнего австрияка! О Боже, хорошо бы вместе с наступающими в город вошел и Алексий. И Александр. И Макс.

Катерина осторожно выглянула из-за угла. По улице двигалась колонна австро-венгерских войск, спешащая вслед за удирающими офицерами. Катерина отпрянула, подумав о том, сколько еще продлится это бегство и когда они смогут продолжить свой путь.

— Я хочу поговорить с тобой о Максе, — сказала она матери, в то время как в нескольких шагах от них с грохотом двигались вражеские войска.

Зита повысила голос до крика, чтобы ее было слышно.

— Отец расскажет тебе все, что ты хочешь узнать! Когда состоится свадьба! И где вы будете жить!

К царящему вокруг шуму добавился треск стрельбы. Катерина глубоко вздохнула. Она ни за что не стала бы вести такой важный разговор в столь нелепых обстоятельствах, но сейчас была вынуждена это сделать, потому что решила покончить с тем, что ее волновало.

— Я не собираюсь выходить замуж за Макса! — крикнула она, в то время как над их головами прогремели новые залпы. — Если папа согласится, а по-моему, он не будет против, я выйду за майора Зларина!

Изумлению матери не было границ.

— За Зларина? — переспросила она, не веря своим ушам. — Но когда вы успели познакомиться? И где? Я не понимаю!

Несмотря на опасность, которая им угрожала — улицы были полны вражеских солдат, а над головами свистели пули, — Катерина не могла удержаться от улыбки. Никогда в жизни она не видела мать такой озадаченной.

— За твоей спиной ничего не происходило, не волнуйся, — сказала она, когда поток удирающих австрияков начал иссякать. — У меня не было с ним встреч, о которых ты бы не знала. Он попросил меня выйти за него замуж, когда пришел в госпиталь и вручил мне пистолет. И я согласилась. — Катерина снова осторожно выглянула на улицу. Путь был свободен, и она решительно добавила: — Теперь пошли. Надо торопиться.

— Подожди! — Мать схватила ее за руку. — Как это понять: он попросил выйти за него замуж, когда вручил тебе пистолет, и ты согласилась? А до этого он разве не говорил тебе о своих чувствах? Давно ли ты тайно в него влюблена? Почему не рассказала об этом мне?

— Не сейчас, мама. Нам надо поскорее вернуться в госпиталь. Слышишь отдаленные крики «ура!»? Как по-твоему, сербская армия уже у ворот города?

Взявшись за руки, они побежали, стараясь выбирать путь покороче. На каждой улице и в каждом переулке жители Белграда высыпали из своих домов, чтобы увидеть возвращение победителей.

— Вот они! — раздался крик. — Вот они! — И прежде чем Катерина и Зита успели добраться до госпиталя, в город уже вошла кавалерия, радостно приветствуемая благодарным населением.

— Может быть, нам остаться здесь и присоединиться к ликующей толпе? — крикнула Катерина матери, заглушаемая со всех сторон приветствиями: «Живио! Живио!»

Зита энергично кивнула, почти забыв о недавно пережитом тяжелом испытании и чувствуя радостное головокружение от возвращения родной армии.

Из открытых окон женщины и девушки бросали цветы. Белые, желтые и ярко-оранжевые хризантемы падали и падали к ногам героев, пока вся мостовая не превратилась в ковер из лепестков.

Рядом с Катериной девушка с радостным лицом держала в руках шарф, который вышивала для своего жениха, чтобы надеть на него в день свадьбы. Пробравшись сквозь толпу, она выбежала вперед и повязала его вокруг шеи одного из солдат. Другие девушки начали делать то же самое, и вскоре марширующие солдаты стали похожи на армию разнаряженных женихов.

Когда со стороны Савы снова зазвучали выстрелы, никто не испытал тревоги. Все знали, что это их войска гонят австрийцев и венгров за реку.

Когда на улице появился князь Александр верхом на коне, радостное возбуждение достигло апогея. По лицу Катерины струились слезы. Впервые за несколько недель ей отчаянно захотелось, чтобы Наталья была в Белграде и разделила вместе с ней радость этого чудесного момента.

Затем грянули громкие крики: «Король! Король!», и появился обшарпанный автомобиль с открытым верхом. Катерина едва не надорвала горло, выкрикивая приветствия. Ее пожилой, страдающий артритом дядя участвовал в сражениях бок о бок с простыми солдатами. Никогда раньше Катерина не испытывала такой гордости, что принадлежит к роду не только Василовичей, но и Карагеоргиевичей. Никогда еще в Сербии со времен Фридриха Великого не было короля, который в таком возрасте воевал бы вместе со своими войсками.

Зита в ярко-красном пальто и платье выделялась в толпе. Петр ее заметил и, не веря своим глазам, приказал офицеру остановить автомобиль.

Зита сжала руку Катерины.

— Пошли, — сказала она, забыв о своей прежней холодной, полной достоинства сдержанности. — Мы Карагеоргиевичи, и сейчас пришло наше время. — И прежде чем Катерина успела возразить, Зита потянула ее за собой сквозь толпу на середину улицы прямо к автомобилю.

Петр удивленно вскинул свои седые брови.

— Зита! Дорогая девочка! Не думал, что ты в городе! И Катерина с тобой! — Он жестом пригласил их сесть в его автомобиль. — Вы ведь обе должны быть в Нише...

— Мы работали в госпитале, — сказала Зита, садясь на заднее сиденье. Она была чрезвычайно довольна тем, что переоделась в элегантный наряд и выглядела сейчас как член королевской семьи, а не как какая-нибудь судомойка.

Катерина села рядом с матерью, чувствуя, что она-то выглядит именно как судомойка. Ее грубое темно-синее платье было испещрено пятнами крови, а влажные от пота волосы выбились из собранного на затылке пучка и свисали на висках и на шее.

Но толпа не обращала на это внимания. Судя по поведению короля Петра, эти женщины принадлежали к королевской семье и они добровольно оставались в городе, перенося все невзгоды вражеской оккупации.

Когда мотор потрепанного автомобиля снова взревел, его заглушили громкие крики: «Живио! Живио!», относящиеся к мужественным женщинам так же, как к королю и его солдатам.

— Алексий ведет своих людей вслед за кавалерией, — сказал Петр, жестами отвечая на приветствия, когда они приблизились к Конаку. — И молодой Макс также направляется в город со своим войском. Он и его люди сражались как дьяволы. Я хочу присвоить ему звание бригадира. Он будет самым молодым бригадиром в армии, а скоро, возможно, станет и самым молодым генералом.

При мысли о том, что она вскоре снова может оказаться в обществе Макса, Катерина с мученическим видом посмотрела на мать. Он склонил на свою сторону ее отца и готов обручиться с ней. Кто теперь сможет переубедить Алексия?

Зита правильно поняла взгляд дочери и коснулась ее руки, стараясь утешить.

— Не волнуйся, милая. Как только я увижу отца, я поговорю с ним о предложении майора Зларина и о твоем желании его принять.

Катерина не стала поправлять мать, сказав, что она уже приняла предложение майора. Если Зита считает, что события развиваются нормально и ее дочь ждет согласия отца, чтобы принять предложение Зларина, то пусть так и будет. Все это лишь будет способствовать тому, что отец в конце концов откажется от мысли о Максе как о будущем зяте. Алексий всегда был любящим, терпимым отцом, и она уверена — он с уважением отнесется к ее выбору и даст ей свое благословение.

Она подумала о том, где сейчас майор Зларин и нет ли его среди тех, кто с боями прорывался на север и освободил город.

Когда штабной автомобиль въехал во двор королевского дворца, за ним устремилась восторженная толпа. Какой-то студент уже сбросил на землю габсбургский флаг. Достаточно сдержанный, чтобы не выказывать своего разочарования от того, что ему самому не пришлось это сделать, Петр любезно позволил гордому своим поступком молодому человеку вручить ему полотнище. Подержав его секунду и как бы убедившись, что в руках у него именно ненавистный вражеский флаг, он под яростный рев толпы швырнул желто-черную тряпку на землю, плюнул на нее и растоптал ногами.

Катерина почувствовала, что пребывание в Конаке после австрийской оккупации явилось для нее испытанием еще более тяжелым, чем посещение собственного дома. Хотя их особняк достаточно пострадал, он не был разграблен, в то время как все комнаты в Конаке были пусты.

— Они пригнали из Венгрии фургоны, ваше величество, — сказал королю расстроенный лакей. — Ничего не осталось. Забрали даже ваш личный фотоальбом.

Сцепив за спиной скрюченные артритом руки, король Петр с изможденным лицом пошел по комнатам своего разграбленного дворца.

Катерина и Зита, чувствуя, что он хочет в одиночестве все осмотреть, остались в опустошенной Большой гостиной.

Они все еще находились там, когда появился усталый, но ликующий Алексий.

Зита бросилась в его объятия; по ее лицу текли слезы радости.

— О мой любимый! О дорогой! — шептала она, задыхаясь, между поцелуями. — Здоров ли ты? Не ранен? Ты останешься в Белграде? Худшее уже позади? Война идет к концу?

Он крепко ее обнял. Его волосы, прежде тронутые сединой только на висках, теперь полностью побелели.

— Нет, я здесь не останусь, — ответил он глухо, зная, что лучше сразу все сказать. — Враг отброшен за Саву, но его еще надо прогнать за Дрину.

Алексий неохотно отпустил Зиту и повернулся к Катерине; его глаза блестели от нахлынувших слез.

— Здесь было очень страшно, дорогая? — спросил он, обнимая ее и тихо покачивая, прижав к груди, как это обычно делал, когда она была маленькой девочкой. — Вероятно, я допустил оплошность, позволив вам обеим остаться в Белграде?

Катерина подумала о том ужасе, который ей и матери пришлось пережить час назад. Она сомневалась, что Зита посвятит мужа во все подробности происшедшего.

— Нет, — сказала она, не желая, чтобы он чувствовал себя виноватым в том решении, которое они приняли вопреки его желанию.

— В нашем доме убит австрийский офицер, — сказала Зита, старательно избегая взгляда Катерины. — Его тело сбросили в погреб.

Алексий медленно отпустил Катерину, не сводя глаз с жены.

— Тебе нечего беспокоиться об этом, папа, — сказала Катерина. — Мы расскажем обо всем позже. Вот если бы можно было убрать тело...

Несмотря на приподнятое настроение в связи с изгнанием австрийцев и на радость от встречи с отцом, ее лицо побледнело от напряжения. Было очевидно, что она и Зита стали свидетельницами ужасных событий, но не хотели об этом говорить. Алексию было понятно это нежелание. Он и сам не хотел рассказывать о том, что ему пришлось пережить после того, как они расстались.

— Я немедленно пошлю людей убрать труп, — сказал Алексий. — Кстати, как ты относишься к майору Зларину? Когда наши части соединились под Рудником, он мне сообщил, что хочет на тебе жениться. Он очень извинялся, что объяснился с тобой, прежде чем попросил моего разрешения, но я его уверил, что при таких обстоятельствах подобное поведение вполне понятно. — Впервые за последние месяцы легкая улыбка тронула его губы. — Я испытывал искушение сказать ему, что уже не впервые молодой человек пренебрегает правилами хорошего тона, делая предложение одной из моих дочерей.

Катерина попыталась в ответ улыбнуться, но не смогла. Отец имел в виду предложение Джулиана, которое тот сделал Наталье в ночь, когда Катерина была уверена, что он собирается объясниться с ней. Уже многие недели она старалась не думать о Джулиане и сейчас ее охватило волнение. Если она не избавится от мыслей о нем, то никогда не сможет выйти замуж за майора, и в этом случае ей придется жить с сознанием того, что она огорчила отца, не согласившись на брак с Максом.

— Майор Зларин тоже находится в частях, вошедших в город? — спросила она, пытаясь выбросить из головы Джулиана.

Алексий кивнул, а затем, обхватив одной рукой Зиту за талию, а другой взяв за руку Катерину, серьезно сказал:

— Я хочу, чтобы вы обе внимательно меня выслушали. Белград снова в руках сербов, но еще не вся Сербия освобождена. Необходимо разгромить австро-венгерские войска на северо-западе. Надо освободить Шабац, а также другие города и села. Поэтому из числа тех войск, что вошли в Белград, здесь останутся немногие. Мы уходим немедленно, чтобы закрепить успех последних нескольких дней и окончательно вытеснить вражеские войска из страны.

Зита прижалась к мужу, понимая, что большей близости, чем поцелуи, которыми они только что обменялись, не будет. Как бы прочитав ее мысли и разделяя ее чувства, Алексий крепко обнял жену.

— То, о чем я хочу вас попросить сейчас, возможно, не понравится вам обеим. В нашей семье уже была одна поспешная свадьба без традиционного ритуала и торжества. Теперь я хочу попросить, чтобы и другая свадьба состоялась без промедления.

Зита отпрянула от него с ужасом.

— О чем ты говоришь? Неужели ты хочешь, чтобы свадьба Катерины и майора Зларина была такой же... как у Натальи?

— Я предлагаю не тратить времени на приготовления, — мягко сказал Алексий. — Но это не значит, что бракосочетание должно состояться тайно во дворце, как в случае с Натальей. На этот раз венчание будет в церкви, но мне хочется, чтобы это произошло в ближайшие несколько часов, прежде чем я покину город.

— Но почему? — в отчаянии спросила Зита, надеявшаяся, что по крайней мере одна из ее дочерей выйдет замуж как полагается, без нелепой спешки. — Я не понимаю!

— Война идет не только между Сербией и Австрией. Это мировая война, и она не кончится ни к Пасхе, ни даже к следующему Рождеству. Трудно сказать, когда мы увидимся вновь, и поэтому я хотел бы, чтобы Катерина обвенчалась до моего отъезда. Теперь понятно?

По озадаченному лицу жены было видно, что она ничего не поняла. Он нежно заключил ее в свои объятия. Ему не хотелось напрямую объяснять причину своего желания поскорее выдать Катерину замуж за Зларина, но, видимо, другого выхода не было.

— Я уже не молод, — мрачно сказал он. — На фронте идут тяжелые, продолжительные бои, и вполне вероятно, дорогая, что я могу не вернуться.

Зита издала полный боли протестующий крик, но Алексий непреклонно продолжал:

— Теперь, надеюсь, ты понимаешь, почему я хочу видеть Катерину замужем, прежде чем снова отправиться на фронт?

Она кивнула, на ее ресницах блеснули слезы.

— А майор Зларин? — сказала она с дрожью в голосе. — Он что скажет?

— Я уже с ним разговаривал, и он дал свое согласие. Родители майора умерли, так что с его стороны никто не будет шокирован столь поспешным бракосочетанием, по крайней мере это его не беспокоит.

Катерина чувствовала себя так, словно у ее ног разверзлась бездонная пропасть, и она вот-вот в нее упадет.

— Но, папа... — начала она, напуганная тем, что он может погибнуть на войне, а также перспективой скоропалительной свадьбы с почти незнакомым человеком. — Мы ведь даже еще не помолвлены официально! И ты не погибнешь! Я в этом уверена! Когда война кончится и ты вернешься в Белград, тогда мы и отпразднуем свадьбу!

— Я сомневаюсь, что эта война кончится в ближайшие годы, — сказал Алексий с горечью. — И хотя надеюсь, что ты права и мне повезет вернуться живым, тем не менее нельзя быть ни в чем уверенным. Мне будет гораздо спокойнее, если я увижу тебя замужней до своего отъезда, Катерина.

Она была уже на краю пропасти и начала туда сползать. Ей нечего было возразить, не открыв отцу, что она вовсе не влюблена в своего жениха.

— А как же Макс? — забеспокоилась Зита. — Надо сообщить ему и как можно скорее.

— Я возьму это на себя, — сказал Алексий, довольный тем, что самая трудная часть разговора позади и теперь надо ускорить бракосочетание. — При других обстоятельствах Макс мог бы быть шафером Зларина, но в данном случае, вероятно, он не захочет вообще присутствовать на церемонии.

— Так, значит, все-таки будет шафер? — удовлетворенно сказала Зита, радуясь, что на этот раз бракосочетание не будет отступать от традиций, как у Натальи. — А у Катерины будет подружка невесты, сопровождающая ее в церковь?

— Мы постараемся соблюсти все обычаи, возможные в настоящее время, — пообещал Алексий.

— Думаю, проблем с подружкой невесты не будет. Сейчас, когда Белград освобожден, многие возвращаются из Ниша, хотя пока неизвестно, когда приедет Вица и другие члены нашего семейства.

— Это не имеет значения, — сказала Катерина, радуясь, что по крайней мере одна проблема легко разрешима. — Я хочу, чтобы подружкой невесты была Сиси. Мне не нужен никто другой.

— Тогда чем скорее ты и Сиси согласуете с Хельгой свои наряды, тем лучше, — ответил Алексий.

Катерина и Зита со страхом посмотрели на него.

Заметив испуганные выражения их лиц, он резко спросил:

— В чем дело? Где Хельга?

— Она мертва, — сказала Зита дрогнувшим голосом. — Ее застрелили у нас на глазах как предательницу, потому что она ухаживала за ранеными сербами.

— Боже милостивый! — прошептал Алексий с побелевшим лицом и привлек обеих женщин к себе, представив, что им пришлось пережить.

***

Пока лихорадочно готовились к свадьбе, Катерина размышляла о том, испытывала ли Наталья такое же нарастающее волнение, как и она. Должно быть, да, ведь Наталью даже не предупредили заранее и ей не пришлось самой выбирать жениха.

Когда Зита предложила, чтобы в данных обстоятельствах дочь нарушила традицию и побеседовала со своим женихом до начала церемонии, Катерина отрицательно покачала головой. Она опасалась, что, увидев его, может отказаться от своего намерения, хотя никто не заставлял ее выходить за майора, и это был ее выбор. Но она по-другому представляла свое вступление в брак.

Катерина надеялась, что к тому времени, когда они поженятся, им удастся получше узнать друг друга, что война закончится, что Наталья вернется в Белград и будет на ее свадьбе главной подружкой невесты.

Тем не менее, видимо, ей придется обойтись без особых приготовлений, как и Наталье. В сложившейся обстановке мать нигде не могла достать для дочери подвенечное платье, и потому Катерина сказала, что наденет один из своих летних нарядов. Она выбрала платье из белого шифона и украсила его приколотыми к корсажу бутонами белых оранжерейных роз.

Катерина отправилась в церковь из королевского дворца. Улицы все еще были полны народу, и быстро распространилась молва о том, что невеста — племянница короля Петра и что она добровольно оставалась в городе во время оккупации, а сейчас выходит замуж за офицера, который командовал воинскими частями, защищавшими город в сентябре и октябре.

Сопровождаемый на всем пути приветственными криками с пожеланиями счастья и любви, ее экипаж катился по изрытым воронками улицам, и лошади с особой осторожностью выбирали путь.

Выйдя из коляски у собора, Катерина увидела строй солдат, застывших в ожидании, чтобы ее приветствовать. Впервые за последние месяцы ружья и пистолеты использовались не для убийства, а давали залп за залпом в воздух, возвещая по старинному обычаю о прибытии невесты.

Никто из членов ее семейства еще не вернулся из Ниша, и Катерина вошла в собор, зная, что единственными гостями на свадьбе будут ее родители и несколько сослуживцев майора. В пропахшем ладаном соборе было почти пусто, и поэтому ей в глаза сразу же бросилось присутствие нежданного гостя.

Он стоял в глубине к ней спиной.

Катерина сжала руку отца. Он говорил, что Макса не будет на церемонии. Он говорил также, что сообщил ему о ее помолвке и о предстоящем обручении со Злариным, и Макс воспринял новость с завидным мужеством.

Она отвела взгляд от его затылка и посмотрела туда, где ее ждал майор. Он тоже стоял к ней спиной. Внезапно ее охватило необычайное волнение, с которым она все время боролась, узнав, что свадьба будет скоропалительной. Катерина споткнулась, едва дыша, и только твердая рука отца удержала ее от падения.

Макс повернул голову и посмотрел прямо на нее. Когда их глаза встретились, она вдруг увидела за внешней грубостью и бесцеремонностью его явную робость и застенчивость. Катерина подумала о том, почему она раньше этого не замечала. А вот мать сумела разглядеть в нем эти черты в тот вечер, когда он заехал с ними попрощаться. Макс вдруг перестал казаться Катерине странным и отталкивающим. Напротив, он выглядел таким родным, внушал уверенность и спокойствие.

Она отвела от него взгляд и посмотрела на своего будущего мужа. Тот по-прежнему стоял к ней спиной, прямой как шомпол, и совершенно чужой.

Катерина подходила к нему все ближе и ближе, и ей впервые пришло в голову, что, возможно, она совершает сейчас самую большую ошибку в своей жизни, чреватую неожиданными последствиями.

Глава 14

Наталья никогда так не скучала по матери и не нуждалась в ее присутствии, как во время беременности. Она не представляла себе, что ее ждет и как надо себя вести. Никто не подготовил ее к будущим родам. Когда она обратилась за советом к врачу, тот сказал, что обо всем позаботится сам, а ей всего лишь надо быть просто «хорошей девочкой». Никакой пользы из разговора с ним она не извлекла. Мысленно Наталья предполагала, что вполне могла бы поговорить о своих страхах со свекровью, но в действительности не решалась даже подойти к ней. Диана почти все время проводила в госпитале, и от нее тоже было мало проку.

— Раненые солдаты не рожают детей, — говорила она прагматично. — Все, что я знаю, — при этом требуется много горячей воды и полотенец.

— Зачем, черт побери? — спрашивала Наталья, и ее замешательство усиливалось. — Я не собираюсь принимать ванну во время родов, а ребенок тоже не нуждается в большом количестве воды. Вероятно, достаточно будет большого таза.

Диана, знавшая о тазах еще меньше, чем об акушерстве, ободряюще сказала:

— Не стоит беспокоиться. Придет время, и ребенок родится, как это обычно бывает, вот и все.

Лежа в специально приготовленной комнате и в течение трех часов корчась от боли, Наталья поняла, что Диана была большой оптимисткой. Возможно, другие дети рождаются на свет легко, но только не ее ребенок.

— Сколько все это продлится? — спросила она акушерку. — Я мучаюсь уже три часа. Разве этого недостаточно, чтобы ребенок появился на свет?

— Три часа — это не время, миссис Филдинг, — сказала акушерка усмехаясь. — Наблюдающий вас врач ушел, значит, до родов еще далеко.

— Ушел? — Наталья забыла про схватки и нестерпимую боль в нижней части спины. Она приподнялась на подушках. — Что значит ушел? Он ведь не покинул этот дом, не так ли?

Акушерка улыбнулась еще шире. Молодые матери всегда требуют к себе повышенного внимания, а эта вообще думает, что от ее постели никто не должен отходить.

— Доктора очень занятые люди, миссис Филдинг, — спокойно сказала она, приготавливая ножницы, мыло и прочие принадлежности к возможному приходу врача. — А сейчас особенно, когда так много раненых. Вам надо отдохнуть и собраться с силами.

Наталья с ужасом посмотрела на нее. Собраться с силами? О Боже, для чего? Если это еще не роды, то что же тогда ей еще предстоит?

В течение последующих двух часов она мысленно обвиняла в своих страданиях всех на свете. В первую очередь Джулиана, сделавшего ее беременной; его мать, не обеспечившую ей врача, который мог бы хоть немного ускорить процесс; своего отца, настоявшего на том, чтобы она покинула Белград, и убедившего ее, что для этого лучше всего выйти замуж за Джулиана; Гаврило, из-за которого она вынуждена была уехать из родного города; Катерину, не удержавшую ее от встречи с ним в «Золотом осетре».

— Мы с вами, миссис Филдинг, — сказал доктор ободряюще, в то время как она тужилась и тужилась, тяжело дыша.

Наталья была рада это слышать. Больше она никогда в жизни не станет рожать. Какая ужасная боль и какой униженной она себя чувствовала, вынашивая ребенка.

— Еще немного, миссис Филдинг! — подбадривал ее доктор. — Я уже вижу головку ребенка! Теперь расслабьтесь, тужьтесь и расслабляйтесь.

Наталья смотрела на него сквозь ресницы, на которых скопились капли пота, почти со злобой. Он был явно не в своем уме. В Сербии обычно роды принимали одни повивальные бабки, и теперь Наталья поняла почему. Ни одна женщина не стала бы давать в подобные моменты такие нелепые советы. Врач мог бы с таким же успехом попросить ее слетать на Луну. Ее тело уже было ей неподвластно, и все, что она могла сделать, так это уповать на волю Божью.

Боль достигла наивысшей точки, и Наталья не знала, сможет ли выдержать. Казалось, ее разрывали надвое средневековые палачи. Внезапно из нее хлынула какая-то теплая жидкость, раздался громкий крик новорожденного, и все кончилось. Наталья пылко благодарила Бога, затем взглянула на покрытого слизью пищащего младенца.

Он был прекрасен. До родов Наталья не была готова к тяжелым испытаниям, а теперь оказалась совершенно не подготовленной к внезапно нахлынувшей любви к этому живому комочку человеческой плоти, который был ее сыном. В одно мгновение она забыла о своей клятве никогда больше не беременеть. Если в результате появляется на свет такое чудо, она готова рожать каждый год. Она даже представить себе не могла, что младенец может быть таким великолепным, таким невероятно очаровательным.

Казалось, прошла вечность, прежде чем у ребенка отрезали пуповину, обмыли его, припудрили, надели рубашечку с оборками и муслиновый подгузник. Наконец, когда Наталья уже изнывала от нетерпения, его завернули в пеленку и вручили ей.

Волосики младенца еще были влажными и прилипали к голове, так что трудно было сказать, какого они цвета. Во всяком случае, они выглядели темными, гораздо темнее, чем у Джулиана. Цвет глаз также было почти невозможно определить. Диана говорила, что все дети рождаются с голубыми глазами, но у ее сынишки глазки явно не были голубыми. Скорее серыми, цвета английских колокольчиков перед тем, как им распуститься. Наталья подумала, на кого он будет больше похож: на англичанина или на славянина, и будет ли она огорчаться, окажись он скорее британцем.

Младенец захныкал, стараясь высвободить из пеленки свои крошечные пальчики. Наталья осторожно ему помогла, почти мгновенно найдя ответ на свой вопрос. Не важно, чьи черты он унаследует, ее или отца. Это не имеет никакого значения. Это ее сын, и главное, чтобы он был здоров. Она подумала о том, сколько времени еще пройдет, прежде чем у нее появится возможность вернуться с ребенком в Белград. Когда ему исполнится несколько месяцев, надо будет его окрестить.

— Как ты собираешься его назвать? — спросила Диана, когда ей разрешили повидать Наталью с ребенком.

— Стефаном.

Тщательно выщипанные брови Дианы удивленно взметнулись вверх.

— Стефаном? Так зовут твоего отца?

Наталья посмотрела на детскую кроватку, несколько секунд не отрывая взгляда от ребенка.

— Нет. Папу зовут Алексий, а мой сын будет Стефан Алексий.

— Нельзя так просто назвать новорожденного в честь твоего отца, — рассудительно сказала Диана. — Иначе мой папа может сильно обидеться. А что ты скажешь о Джулиане? Может быть, он захочет, чтобы сына назвали в его честь?

Наталья слегка нахмурилась. Она никогда всерьез не обсуждала с Джулианом имя будущего ребенка.

— Стефан Алексий Джулиан, — внесла она поправку.

Диана решила воздержаться от предложения не забыть и имя ее отца. Общеизвестно, что молодые матери очень обидчивы, и ей не хотелось доводить Наталью до слез после родов.

— А почему все-таки Стефан? — снова спросила она. — Кто-то из Карагеоргиевичей носит такое имя?

Наталья покачала головой:

— Нет. В этом роду наиболее распространены имена Георгий и Александр. Я хочу так назвать сына в честь Стефана Душана, коронованного в 1346 году царя всех сербов. Тогда Сербия была большой империей.

— Звучит неплохо, — сказала Диана с иронией, радуясь, что первое имя царя не такое заковыристое, как второе. Для ее матери и имя Стефан непросто выговорить, но второе, Душан, могло бы просто ее убить.

— Младенца будем крестить в церкви Святого Джеймса, когда Джулиан получит очередной отпуск, — сказала свекровь ледяным тоном после того, как вопрос был вынесен на обсуждение и Наталья рассказала о своих планах окрестить Стефана в белградском соборе. — Возможно, пройдут годы, прежде чем поездка на Балканы станет безопасной, к тому же нельзя отправляться в такое тяжелое путешествие с маленьким ребенком. Об этом и говорить нечего.

Наталья вспомнила о роскошном Восточном экспрессе и сделала то, что всегда делала, когда назревал конфликт с леди Филдинг. Она решила промолчать. Это был единственный способ спокойно выйти из сложившейся ситуации. Дай она хоть раз волю своему характеру, то свекрови вряд ли бы поздоровилось.

Через месяц после рождения Стефана Наталья снова встретилась с Никитой в англиканской церкви. На этот раз он ее приветствовал как старую знакомую, с радостью заметив, что ее огромный живот исчез.

— Мы здесь не останемся, — сказал он, окидывая пренебрежительным взглядом собравшихся мужчин, а также их жен и дочерей. — Я хочу познакомить тебя с другими людьми.

— Хорошо, — сказала Наталья в радостном предвкушении от встречи с его друзьями.

В кафе, куда ее привел Никита, собралось много молодых патриотов-балканцев.

Наталья чувствовала себя на седьмом небе. Здесь было почти так же, как в «Золотом осетре», только вместо нескончаемых разговоров за кофе и стаканчиком сливовицы ее новые друзья часами беседовали за чашкой английского чая.

Ее родственные отношения с королем Петром сразу обеспечили ей почетное положение, как это было и с Гаврило, Трифко и Неджелко. Ее расспрашивали о взглядах короля на создание нового государства южных славян и, что еще важнее, о политике князя Александра, являющегося регентом.

Как и прежде, Наталья не представляла, что на это ответить. Они с Александром просто болтали, играли в теннис и возились с Беллой, не касаясь политики. И как прежде, так и теперь она старалась, чтобы никто не заподозрил ее в неведении относительно политических взглядов двоюродного брата. Поскольку почти все друзья Никиты были хорватами, а не сербами, чаще всего речь шла о равном партнерстве сербов и хорватов в новом государстве южных славян. Эта болтовня не волновала Наталью. Самое главное — должно возникнуть новое государство, подобное той великой империи, которой когда-то правил царь Стефан. А теперь царем будет Александр.

Тогда, когда Наталья не встречалась с Никитой и его друзьями, она с ужасом думала о тех тяжелых испытаниях, которые выпали на долю англичан, сражавшихся во Фландрии и на Галлипольском полуострове. Во многих отношениях жизнь Натальи в Лондоне была почти такой же, какой она была в мирное время. Нанятая свекровью няня регулярно гуляла со Стефаном, катала его в коляске по парку. Хотя Диана по-прежнему работала в госпитале, у нее оставалось достаточно свободного времени, которое она проводила, завтракая с друзьями в известных ресторанах и посещая вечеринки с танцами до утра. Вопреки яростным возражениям свекрови Наталья часто ходила вместе с Дианой.

— Джулиан не стал бы возражать, — говорила она подруге. — Он не захотел бы, чтобы я умирала от скуки.

— У тебя столько новых интересных друзей, что, мне кажется, тебе не приходится скучать, — сказала Диана с завистью. — Ники в самом деле будет членом правительства в созданном после войны новом королевстве южных славян?

Наталья слегка нахмурилась. Никита давно попросил ее называть его просто Ники, и ей было неприятно, когда Диана тоже называла его так, стараясь создать впечатление, что он является и ее близким другом. Что касается того, будет ли Ники членом югославянского правительства, Наталья не могла припомнить, чтобы когда-либо говорила с Дианой на эту тему. Тем не менее, если в ее глазах он выглядит таким представительным, в этом нет ничего плохого.

— Думаю, все члены Югославянского комитета займут правительственные посты, — авторитетно заявила она.

Наталью раздражало то, что Диана узнала о существовании Ники. Это произошло случайно. Они с Дианой наслаждались в кафе мороженым. Увлеченные беседой, они вышли на улицу и наткнулись на Ники. С этого момента Диана, словно одержимая, говорила только о нем.

— Ты уверена, что он не принадлежит к роду Карагеоргиевичей? — спросила она, как только они с ним распрощались. — У него дьявольские черные глаза, как у балканского разбойника.

— Нет, он не Карагеоргиевич, — раздраженно ответила Наталья. — Он даже не серб, а хорват. А что ты имела в виду, сравнивая Карагеоргиевичей с балканскими разбойниками? Князь Александр совсем не похож на разбойника. У него очень интеллигентный вид.

— Прошу прощения, — сказала Диана, испугавшись, что невольно нанесла ей оскорбление. — Я думала, что говорю комплимент. Например, Байрон тоже был неистовым, злым и опасным человеком.

— К Карагеоргиевичам это не относится, — возразила Наталья, стараясь не вспоминать о семейных легендах, связанных с убийствами, похищениями людей и мошенничеством. — Мы члены королевской семьи, а не какие-то простолюдины.

— Конечно! — горячо согласилась Диана, рассчитывая, что в будущем ей удастся погостить в королевском дворце в Белграде. — И я ни на что не намекаю. Просто Ники такой порывистый, и волосы у него темные и вьющиеся, как у Байрона, который, переодевшись албанцем, сражался с турками за независимость Греции.

Наталья знала о Байроне и о его связях с Албанией и Грецией весьма поверхностно и, не желая выказывать свое невежество в английской поэзии и британской истории, решила промолчать.

— Он выглядит необыкновенно романтично, — продолжила Диана после небольшой паузы, покупая букетик гардений у продавца цветов. — Как ты с ним познакомилась? Он был другом Джулиана в Белграде?

— Я встретилась с ним в клубе сербских эмигрантов, — сказала Наталья, умышленно оставив без ответа вторую часть вопроса Дианы. — Он друг мистера Уикхэма Стида, редактора «Таймс».

Диана вовсе не была обескуражена тем, что Наталья познакомилась с молодым человеком, которому не была представлена надлежащим образом.

— Джулиан будет очень доволен контактами, которые ты установила, — сказала она простодушно, в то время как они продолжали бродить в толпе, заполнявшей улицы Лондона в конце уходящего лета. — После войны это будет чрезвычайно для него полезно, когда он вернется в Форин оффис.

Наталья издала какой-то неопределенный звук, который Диана должна была воспринять как согласие. В душе она очень сомневалась, что Джулиан будет ею доволен. Напротив, ее новые связи скорее всего вызовут его крайнее неодобрение.

В конце ноября Джулиан прислал письмо, в котором сообщал, что получил отпуск и будет дома к Рождеству. Несмотря на дурные предчувствия по поводу его отношения к ее дружбе с Ники, Наталья была очень рада. Он ободрит и утешит ее, как всегда, а новости с полей сражений были таковы, что она очень нуждалась в ободрении и утешении.

Военная операция Антанты на Галлипольском полуострове закончилась полным провалом. Босфор и Дарданеллы захватить не удалось, и Сербия, как и прежде, оказалась отрезанной от союзников. Еще хуже были новости из самой Сербии. Всю осень австро-германские войска атаковали на фронте вдоль Дуная, в то время как четырехсоттысячное болгарское войско прорывалось с востока. Поражение оказалось катастрофой. Когда новости о событиях в Сербии наконец достигли Лондона, стало известно, что сербская армия отступает в Албанию через заснеженные горы без продовольствия и зимней одежды.

Наталья сначала не поверила, а затем впала в отчаяние. Как это могло случиться? Почему союзники не обеспечили Сербию продовольствием, оружием и боеприпасами? При мысли о том, что командование австро-германских войск расположилось в королевском дворце, а по улицам Белграда вновь расхаживают вражеские солдаты, она испытывала физическую боль. Ее страданий не облегчало даже существование Стефана. Что с ее отцом? Неужели он тоже бредет в лохмотьях через опасные обледенелые перевалы в Албанию? С ним ли Макс и Сандро? А что с ее дядей? Сможет ли он, страдая артритом, пережить это тяжкое отступление в таком пожилом возрасте?

— А где сейчас твоя мать и сестра? — осторожно спросила ее как-то Диана. — Они все еще в Белграде?

Лицо Натальи стало еще бледнее.

— Не знаю. Возможно, они уехали в Ниш, хотя и этот город сейчас уже может быть занят врагом.

Обе замолкли, не желая выражать вслух свои думы о том, как, должно быть, страдают сейчас сербы.

Наталью не предупредили о прибытии Джулиана, и он вошел в дом, когда его никто не ждал. Служанка побежала сообщить о новости в детскую, где Наталья теперь проводила почти все свое время. Она быстро вручила сына няньке и бросилась на лестницу, за ней по пятам следовала Белла.

Джулиан все еще находился в холле, у его ног лежал ранец, сына приветствовала мать. Наталья окликнула его с верхней площадки лестницы и он, подняв голову, посмотрел на нее, забыв о матери.

— Джулиан! О, Джулиан!

Он бросился к ней навстречу, а она устремилась вниз, прямо в его объятия.

Наталья, словно в тумане, видела холодный неодобрительный взгляд свекрови и широко раскрытые глаза домашней прислуги. Но это ее не волновало. Джулиан наконец-то вернулся домой, и он обязательно узнает от своих друзей-дипломатов, что происходит в Сербии и где находится ее семья.

— О, как я по тебе соскучилась! — искренне прошептала она, когда он наконец ее отпустил.

Прежде чем он успел ей ответить, леди Филдинг сказала ледяным тоном:

— Может быть, все-таки пройдем в гостиную? Прихожая неподходящее место для семейной встречи, и, пожалуйста, не могли бы вы утихомирить эту собаку, которая носится как бешеная и раздражает своим лаем?

— Джулиан еще не видел Стефана, — возразила Наталья, совершенно не обращая внимания на недовольство свекрови Беллой. — Ты должен пойти наверх, Джулиан, и поздороваться со своим сыном. Это просто удивительное создание. Он почти не плачет, и они с Беллой обожают друг друга.

Взяв мужа за руку, она повела его вверх по лестнице, а Белла продолжала взволнованно крутиться у них под ногами. И только тут Наталья поняла, как тяжело он ранен.

— Ты хромаешь! — воскликнула она, широко раскрыв глаза. — Ты не писал мне об этом. Ты сообщил, что тебя признали годным к активной военной службе!

— Именно так, — сказал он. — Хромота сейчас не в счет. Не обращай внимания. Я уже привык. — И, сжав ее руку, он продолжал подниматься по лестнице в детскую.

К ее восторгу и гордости, когда Джулиан склонился над колыбелью Стефана и осторожно его поднял, примешалась тревога. Она внимательнее присмотрелась к мужу и была потрясена происшедшими в нем изменениями. Он был по-прежнему необычайно красив, высок и широкоплеч, а сочетание темно-золотистых волос и карих глаз, как всегда, производило неотразимое впечатление, но его лицо прорезали глубокие морщины, которых прежде не было. Джулиан сильно похудел и выглядел совершенно изможденным.

— Привет, старик, — ласково поздоровался он со своим фыркающим сыном, неуклюже держа его на руках. — Мы еще не знакомы. Я твой папа.

Наталья заставила себя забыть об ужасах, которые, очевидно, ему пришлось пережить с тех пор, как они виделись в последний раз, и с гордостью сказала:

— Разве он не великолепен? У него были почти голубые глаза, когда он родился, а теперь стали карими. Но волосы совсем не похожи на твои. Даже при рождении было ясно, что по цвету они ближе к моим, чем к твоим. Я никак не пойму, чего в нем больше, английского или славянского. Впрочем, он явно будет красавцем, не так ли?

— Еще каким, — согласился Джулиан, глядя на сына так, словно он больше никогда его не увидит. — И мне нравится имя. Кажется, Стефан был последним царем Сербии?

Наталья кивнула:

— Я была уверена, что ты не станешь возражать. Я назвала его в честь тебя и моего отца: Стефан Алексий Джулиан.

Джулиан очень осторожно положил Стефана назад в кроватку.

— Нам надо спуститься вниз, — сказал он с сожалением. — Я еще не видел отца, а если мы сейчас запремся в нашей комнате, то это надолго.

— Расскажи, что с тобой было, когда тебя ранили, — сказала Наталья, глядя ему в глаза, в то время как он ее обнял. — Наверное, было намного хуже, чем ты писал? Ты теперь всегда будешь хромать?

— Это имеет для тебя большое значение?

Наталья покачала головой.

— Нет, — сказала она с явной искренностью. — Самое главное — ты жив.

Джулиан ощутил огромное удовлетворение, и не потому, что его хромота не оттолкнула ее, а потому, что в ее ответе он почувствовал любовь к нему.

В постели она пылко отвечала на ласки мужа, и это лучше всяких слов убедило его в ее любви. Порой, когда его блаженство достигало необычайных высот, он забывал о тех ужасах, которые ему пришлось пережить, и ему казалось, что до Фландрии так же далеко, как до луны.

На домашней вечеринке, которую Диана и Наталья устроили в его честь, играли два оркестра. Один — американский, негритянский, другой — гавайский. Еда разительно отличалась от окопного армейского пайка. Вместо жесткой говядины — авокадо, черепашье мясо и крабы, а вместо эмалированных кружек с горьким чаем — шампанское, всевозможные красные сухие вина и бренди.

Хотя танцы продолжались до зари и все приглашенные были довольны, вечеринка не очень-то радовала Джулиана. Все казалось странным и чрезмерным, и трудно было поверить, находясь в комнатах, благоухающих орхидеями и розами, что в это время на другом берегу Ла-Манша в невообразимых условиях тысячами гибнут люди.

Наталья почувствовала его внутреннее неприятие празднества, которое устроила Диана, и полностью была с ним согласна. Ей тоже трудно было веселиться при мысли о страданиях, которые испытывала отступающая сербская армия.

— Можешь ли ты узнать, находится ли мой дядя все еще в войсках? И не Сандро ли ведет армию через горы в

Албанию? — спрашивала она, когда они лежали, обнявшись, в постели, усталые и пресытившиеся любовными ласками.

Ему удалось узнать очень мало.

— С высшим сербским командованием нет связи уже несколько месяцев, — сказал Джулиан, вернувшись с Уайтхолла. — Ходят слухи, что король Петр и князь Александр находятся в войсках и пробиваются с ними через Альпы в Албанию. Но нет никаких сообщений и даже слухов о том, что творится в Белграде и Нише.

Отсутствие информации, даже несмотря на дипломатические связи Джулиана, очень огорчало Наталью, но это еще было не все. Безответственная болтовня Дианы вынудила ее рассказать мужу о Ники.

— Хорватский националист? — спросил он, ошарашенный. — И это после всего того, что случилось? После дружбы с Принципом ты снова делаешь глупость, связавшись с хорватским националистом! Неужели ты не можешь понять, что интересуешь этих людей только потому, что они хотят использовать твои родственные связи?

— Ты ошибаешься, — упрямо сказала Наталья, огорченная тем, что им приходится спорить. — Для Ники и его друзей главное то, что я южная славянка, как и они.

— Быть просто славянкой еще ничего не значит! — выпалил Джулиан, запустив пальцы в свою шевелюру. — Не будь ты из семьи Карагеоргиевичей, члены Югославянского комитета не стали бы тратить на тебя ни дня!

— Ты не понимаешь, — напряженно сказала Наталья, очень сожалея, что Диана узнала о Ники и теперь о ее знакомстве с ним стало известно Джулиану. — В Югославянский комитет входят весьма достойные люди! Даже редактор «Таймс» одобряет их цели! К этой организации присоединился бы и мой папа...

— Твой отец был бы против твоих связей с националистами любой масти, — мрачно возразил Джулиан. — Неужели ты забыла, что произошло совсем недавно? Ты едва не предстала перед австрийским судом за соучастие в убийстве эрцгерцога Франца-Фердинанда!

— Ты ошибаешься, — повторила она. — Не было ордера на мой арест. Австрийцы не потребовали моей выдачи.

Джулиан резко отвернулся, засунув сжатые в кулаки руки глубоко в карманы брюк. Когда Алексий написал ему о том, что австрийцы потребовали выдачи Натальи, он решил не рассказывать ей об этом, чтобы не волновать. Сейчас он испытывал огромное искушение рассказать, как близка она была к тому, чтобы предстать перед судом вместе с Гаврило Принципом и его дружками.

Наталья подошла к нему сзади и примирительно провела руками по его предплечьям.

— Давай не будем ссориться, — сказала она грудным голосом. — Осталось всего четыре дня до твоего возвращения на фронт. Не будем их портить.

Его гнев мгновенно испарился.

Последние дни отпуска Джулиана пролетели с невероятной быстротой. Только что они сидели на ковре перед пылающим камином, весело играя со Стефаном и Беллой, и вот уже служанка укладывает ранец Джулиана, а он снова надевает свое ужасное хаки.

Наталья сидела на кровати, наблюдая за ним. Ею овладело беспокойство.

— Ты так ничего и не рассказал, — тихо произнесла она.

Он повернулся к ней от зеркала на туалетном столике.

— О чем?

— О войне. О Фландрии.

Джулиан снова медленно повернулся к зеркалу, приводя в порядок свой воротничок.

— О чем тут говорить? — сказал он наконец. — Это не поддается описанию. Никакие слова не могут передать того, что там происходит.

Наталья молчала, а он, застегнув воротничок, подошел к ней, сел рядом и взял за руку.

— Хуже всего день за днем сидеть в окопах среди крыс, гнили и вони, в постоянной грязи и терять людей.

— Когда началась война, говорили, что она закончится к Рождеству, — сказала Наталья, прислонившись к его надежному широкому плечу. — Вот уже второе Рождество, а война все продолжается. Когда же наступит конец? Не может же она длиться вечно?

Наталья повторила слова его матери: «Как долго продлится война? Когда наступит конец?» На эти вопросы хотели бы получить ответ мужчины, женщины и дети во многих странах, но его не было. Война превратилась в смертоносную мельницу, перемалывающую людей. Ее начало уже терялось в далеком прошлом, а конца не предвиделось.

— Не знаю, — с горечью сказал Джулиан. — Одному Богу это известно.

Наталья сжала его руку.

— Сколько еще у нас времени?

— Меня уже ждет автомобиль. Пять минут. Самое большое — десять.

— Люби меня, — сказала она страстно. — Еще раз до отъезда!

У него не было времени раздеваться. Он занялся с ней любовью, как с французской проституткой; его мундир царапал ей кожу, а пуговицы френча оставляли отметины на теле.

Это было дикое, первобытное совокупление, в котором отсутствовала нежность, а преобладало только влечение.

— О Боже, как я люблю тебя! — задыхаясь, воскликнул он, достигнув пика наслаждения. — Только тебя! Навсегда!

Наталья страстно его поощряла хриплым голосом, и когда он издал свой торжествующий возглас, она тоже не смогла сдержаться, и казалось, их крики исходили из самого сердца.

Когда Джулиан ушел, она долго сидела у окна, уставившись невидящими глазами на парк и размышляя о том, когда они встретятся вновь; скоро ли кончится война и они смогут вместе поехать в Белград, взяв с собой Стефана.

Глава 15

Когда Катерина вышла из собора под руку с мужем, она не представляла, куда они теперь поедут — ситуация была такова, что о медовом месяце не было и речи. Австро-венгерская армия пока не предпринимала активных действий, но не было сомнений, что она перейдет в атаку при первой же возможности. Ее интересовало, останется ли майор в Белграде и где они будут жить в этом случае.

— Ты слышишь стрельбу? — спросил он, слегка нахмурившись, в то время как жители Белграда выкрикивали поздравления в их адрес. — Очевидно, наша армия добивает остатки вражеских войск.

При виде новобрачных сослуживцы Зларина начали салютовать, стреляя в воздух, и Катерина не могла слышать даже собственного голоса.

В Конаке был наспех организован свадебный стол, и поскольку австрийцы разграбили дворец, Катерина не была уверена, найдутся ли стол и стулья даже для немногочисленных гостей.

Размышляя о том, что ее свадьба оказалась такой же необычной, как и у Натальи, она позволила мужу усадить ее в ожидающий их экипаж и слегка вздрогнула, когда он коснулся ее руки.

Щеки Катерины зарделись при мысли о предстоящей близости. Как она сможет пережить все это? По крайней мере Наталья была достаточно знакома с Джулианом и могла, не испытывая неловкости, называть его по имени. Сможет ли она называть Зларина просто Иваном?

Волнение нарастало по мере того, как экипаж удалялся от собора. Почему бы Зларину ей не улыбнуться и не попытаться как-то облегчить ее положение? Неужели он не понимает, как ей сейчас трудно? Он мог бы помочь ей. Достаточно было ему сказать, что она вполне может называть его по имени. После этого ей стало бы гораздо легче справиться со своей застенчивостью. На его месте Джулиан все решил бы шутя.

Катерина крепко сжимала руки на коленях. Она не должна думать о Джулиане. Мысль о нем вызывала у нее невыносимую боль. Теперь он женат на Наталье и счастлив, потому что, вероятно, очень желал этого брака.

Экипаж продолжал катиться по изрытым снарядами улицам, все еще заполненным ликующими горожанами и солдатами, а Катерина размышляла о том, счастлива ли Наталья. Впрочем, не было причин в этом сомневаться. Хотя Англия также участвовала в войне, она не подверглась вторжению вражеских войск, как Сербия. Жителей Лондона не выгоняли на улицу, не насиловали и не расстреливали, как это было совсем недавно в Белграде во время нескольких недель австрийской оккупации. Наталье не пришлось пережить те ужасные сцены, свидетелями которых стали она и Зита.

Помимо всего прочего, у Натальи есть Джулиан, который ее любит и заботится о ней. Как она может быть несчастливой? Правда, Наталья не любила Джулиана, когда они вступали в брак, но это потому, что она была еще слишком юной и не думала о нем или о ком-то другом как о будущем женихе. Теперь, когда они поженились, Катерина не сомневалась, что Наталья его полюбила. Для сестры все складывалось как нельзя лучше. Неблагоразумная дружба с Гаврило Принципом и их опасная встреча в Сараеве обернулась для нее не катастрофой, а, наоборот, благом.

Солдаты, приветствовавшие их винтовочными залпами у собора, продолжали беспорядочно скакать верхом рядом с их экипажем, а Катерина смотрела на человека, за которого только что вышла замуж, со все возрастающим опасением. Он продолжал слегка хмуриться, очевидно, думая о бое у реки.

Зларин был в мундире, и его самоуверенный подбородок и могучее телосложение придавали ему внушительный вид.

Он командовал частями, которые противостояли врагу на берегах Савы в сентябре и октябре. Поэтому он был героем в глазах жителей Белграда, и Катерина знала, что многие женщины ей завидуют.

Когда она задумалась о том, как продолжить беседу и перевести ее в более интимное русло, он вдруг сказал с явной озабоченностью:

— Ты еще мне не рассказала, как тебе и твоей матери жилось во время оккупации. Было очень тяжело? Пришлось ли воспользоваться пистолетом, который я тебе подарил?

Катерина колебалась. С одной стороны, она желала с ним пообщаться, а с другой — ей не хотелось омрачать такой день рассказами о пережитом в последние несколько недель.

— Ты оказался прав, когда говорил, что будет гораздо хуже, чем я могла себе представить, — сказала она наконец. — Так и произошло. И мне пришлось воспользоваться пистолетом. Я уже рассказала обо всем отцу, и тебе расскажу, конечно, но только не сейчас. Я не хочу вспоминать тот ужасный день. Хорошо, что австрийцы ушли и... — она снова заколебалась, и ее щеки слегка порозовели, — и что сегодня у нас свадьба.

С большим удовлетворением Катерина заметила, как смягчилось его обычно задумчивое лицо.

— Сожалею, что не смог устроить свадьбу как полагается, — сказал он с такой искренностью, что опасения Катерины начали рассеиваться. — Ты, конечно, знаешь, что твой отец очень хотел, чтобы венчание состоялось именно сегодня?

Она кивнула, чувствуя, что краснеет еще больше.

— Он полагает, что война продлится еще довольно долго, возможно, несколько лет, — сказала Катерина, надеясь, что Зларин понимает, почему отец предложил им обвенчаться так поспешно, и не думает, что на этом настояла она. — Отец говорит, что, возможно, пройдут годы, прежде чем он снова окажется дома, и я думаю... — ее голос слегка дрогнул, — ...я думаю, ему хотелось увидеть, что я устроила свою жизнь. По-моему, он боится — если мы не поженимся сейчас при нем, то он может до этого не дожить.

Иван кивнул:

— Он ничего такого мне не говорил, но я понял — он опасается за твое будущее, хотя я, конечно, счастлив выполнить его просьбу.

Почувствовав, что его слова прозвучали как-то напыщенно, он коснулся ее руки в перчатке и сказал более мягко:

— Я понимаю, тебе пришлось нелегко из-за такой поспешной свадьбы.

— Да, — откровенно призналась Катерина, робко ответив на пожатие его руки. — Но поскольку мы оба это понимаем, думаю, вместе мы со всем справимся.

Их экипаж свернул во двор королевского дворца, и Иван ответил ей с такой же искренностью:

— У меня не было возможности сказать тебе об этом раньше, но я очень польщен тем, что ты приняла мое предложение.

Катерина испытала некоторую неловкость. Хотя Иван не сказал прямо, но она понимала, что он имел в виду ее родство с королевским семейством. В обычное время брак между девушкой из дома Карагеоргиевичей и простым армейским майором посчитали бы в высшей степени мезальянсом. Она должна была бы выйти замуж за человека из их семейного круга или за богатого и титулованного представителя европейской знати.

Впервые Катерина задумалась о том, из каких соображений, по мнению Ивана, она приняла его предложение. Может быть, он решил, что она влюбилась в него с первого взгляда, так же как он в нее? А если так, стоит ли его разочаровывать? Следует ли быть с ним честной и сказать, что пока она еще его не любит, но уверена, что скоро это произойдет? И рассказать ли ему о Максе?

Их экипаж, качнувшись, остановился во дворе, и ее окружили десятки людей, желающих их поздравить. За ними во двор свернули и другие экипажи из свадебного кортежа.

Выйдя из коляски, Иван повернулся и подал Катерине руку. В этот момент она испытывала настоящее счастье. Сербская армия успешно действовала на фронте, дядя и Сандро вернулись в Белград, возможно, все Василовичи и Карагеоргиевичи скоро снова будут вместе, родители встретились, и ее брак с Иваном Злариным должен успокоить отца.

Сопровождавшие их коляску верхами сослуживцы Ивана спешились и построились для торжественной встречи жениха и невесты. Когда они это сделали, молодая женщина протиснулась сквозь строй и с ребенком на руках подбежала прямо к Катерине, вручив ей младенца. Зная, что по обычаю ребенок должен быть мальчиком, Катерина его поцеловала, в то время как собравшиеся приветствовали ее громкими криками.

Затем, когда она вернула ребенка его матери, ей вручили другие древние символы счастья и процветания. С караваями пшеничного хлеба и бутылками красного вина Катерина вошла во дворец, нагруженная как крестьянка, возвращающаяся с рынка.

Сидя за свадебным столом, она думала с оптимизмом о будущей замужней жизни. Однако этому положил конец появившийся офицер. Он осторожно вошел в комнату и попросил разрешения поговорить с Иваном.

Окинув длинный праздничный стол счастливым взглядом, Катерина вдруг заметила в его дальнем конце Макса, который уныло пил бокал за бокалом.

— Их пятеро, — услышала она голос молоденького офицера, обращавшегося к Ивану. — Они все австрийцы и почти мальчишки. Их нашли в дворцовых конюшнях.

Иван раздраженно пожал плечами.

— Расстреляйте их, — приказал он.

Катерина забыла о явно переживавшем из-за ее замужества Максе. Теперь все ее внимание было приковано к Ивану. Она повернулась к нему, глубоко потрясенная.

— Ты уверен, что надо обязательно расстрелять этих парней? Может быть, следует отправить их в лагерь для военнопленных?

— Если бы австрийцы не вели себя как скоты в Шабаце, возможно, я бы так и сделал, — сухо сказал Иван. — Они поубивали там всех пленных и раненых, и в ответ вчера я отдал приказ не брать пленных в Белграде.

Он снова повернулся к ожидающему его распоряжений офицеру.

— Расстреляйте их, — повторил он. — Немедленно.

— Есть!

Офицер отдал честь, и Катерина ощутила необычайное волнение. Она сама убила австрийца, но это не было просто хладнокровным убийством, да еще в день свадьбы.

— Я понимаю, что ты чувствуешь по отношению к австрийским головорезам, — напряженно сказала она. — Они совершили много преступлений и здесь, в Белграде. Но при всем этом я не хочу, чтобы кого-то казнили в день моей свадьбы. Я этого никогда не смогу забыть.

— Сожалею, что мое решение тебя расстроило, — сказал Иван с явной искренностью. — Постарайся об этом не думать, но не сомневайся — этот молодой офицер очень дисциплинирован и в точности выполнит приказ.

Все сидевшие за столом гости тактично отводили глаза, делая вид, что ничего не происходит. Только Макс откровенно наблюдал за их разговором с непроницаемым выражением лица.

— Я не хочу, чтобы он это делал, — сказала Катерина с нарастающим ужасом. — Не хочу, чтобы кого-то казнили!

Макс, пошатываясь, поднялся. Никто не обращал на него внимания. Все, хотя и делали вид, что заняты своими разговорами, тем не менее прислушивались к жениху и невесте.

— Я принял решение и бессмысленно его обсуждать, — сказал Иван, едва сдерживаясь. — Давай наслаждаться нашим свадебным пиром. Сейчас не время говорить о посторонних вещах.

Между тем Макс пьяной походкой направился к двери. Иван дипломатично его не замечал.

— Ты видела, сколько свадебных подарков мы получили? — спросил он, стараясь переменить тему разговора. — Куда только мы все это денем?

Катерина об этом не думала. Сейчас это меньше всего ее волновало.

— Кажется, ты не понимаешь, как твое решение важно для меня. Пожалуйста, ради меня...

Со двора донесся ружейный залп.

Шафер Ивана поднялся из-за стола.

— Пора танцевать! — громогласно объявил он. — Где цыганский оркестр? Музыку!

Послышался еще один залп, и Катерина поняла, что дальнейшие просьбы бесполезны. Цыгане приготовились играть, и по обычаю молодые должны были возглавить свадебный хоровод.

Катерина похолодела. Как могла она танцевать, когда двоих молодых парней уже казнили, а остальные трое, слыша отдаленную музыку, ожидают расстрела? Почему Иван так непреклонен? Неужели он опасается, что, проявив милосердие в день их свадьбы, обнаружит свою слабость?

Иван взял ее за руку и вывел из-за стола.

— Мы должны танцевать первыми, — сказал он, словно ничего не случилось.

Чувствуя, что все взгляды обращены сейчас на нее, Катерина заставила себя уступить его просьбе, все время прислушиваясь, не прозвучит ли очередной залп. Но, ничего не услышав, она с горечью подумала, что, вероятно, двух выстрелов хватило на всех.

Когда заиграл оркестр, образовался большой круг. Катерина посмотрела на мужа и увидела, что его густые широкие брови как всегда слегка нахмурены. Может быть, ему тоже показалось странным, что прозвучали только два ружейных залпа? Катерина молчала. Взаимопонимание, которое едва возникло между ними, теперь исчезло и, видимо, надолго. В этот момент она поняла, что, вероятно, ошиблась, надеясь со временем его полюбить. Иван был слишком суров и непреклонен. Ей оставалось только притворяться любящей женой, как сейчас, когда музыка совершенно ее не трогала, но она продолжала танцевать.

Когда танец наконец закончился, Катерина увидела Макса, возвратившегося в комнату. Он бесцеремонно направился к ним, и она с растущей тревогой поняла, что он собирается поговорить с Иваном.

— Мои поздравления, — сказал он ему, не протянув руки и совершенно не обращая внимания на Катерину. — Добро пожаловать в семью Карагеоргиевичей, майор Зларин.

— Благодарю, майор Карагеоргиевич. Для меня это большая честь...

— Правда, наша семья славится своей кровавой историей, — продолжал Макс, резко его прервав. — Если послушать наших недоброжелателей, вы можете подумать, что все мы просто варвары, в том числе и король Петр, и князь Александр. Но это, конечно, неправда. Мы выглядим такими только на поле боя. В данном же случае, не желая, чтобы присутствующие подвергли сомнению честь Карагеоргиевичей, я попытался отменить ваш приказ о казни пятерых пленных.

Иван в бешенстве втянул ноздрями воздух, а Макс невозмутимо продолжал:

— К несчастью, я подоспел слишком поздно, и двоих парней уже расстреляли, а им было не больше семнадцати. Тем не менее трое оставшихся отправлены в лагерь для военнопленных.

— Вы превысили свои полномочия, майор! — Голос Ивана дрожал от гнева. — И пойдете за это под трибунал!

— Не думаю, — спокойно сказал Макс. — В нашей стране нет трибунала, который мог бы судить кого-либо из Карагеоргиевичей. Особенно того, кого вот-вот должны повысить в чине, присвоив звание бригадира. И с вашим трибуналом, думаю, будет легко договориться. Всего хорошего, майор.

Так и не взглянув на Катерину, он повернулся и отошел от них, явно намереваясь совсем уйти.

— Давай потанцуем, — быстро сказала Катерина, прежде чем гнев Ивана успел вырваться наружу. — Заиграли мой любимый танец.

Иван был вне себя от ярости; его ноздри побелели, а губы сжались в узкую полоску. На мгновение Катерина подумала, что он не собирается танцевать, однако Иван кивнул и отрывисто сказал:

— Да. Конечно.

Опасность миновала. Когда они снова начали танцевать, Катерина почувствовала облегчение, понимая, что если бы Иван публично поссорился с Максом, это погубило бы его карьеру. А поскольку все закончилось без лишнего шума, она знала, что Макс не станет болтать о случившемся, так как тоже заинтересован поскорее все замять.

Катерина испытывала к Максу чувство огромной благодарности. Он один из всех понял чудовищность приказа Ивана. В то время как муж кружил ее под музыку и юбки белого шифонового платья вились вокруг ее лодыжек, она размышляла о том, сможет ли когда-нибудь достойно отблагодарить своего двоюродного брата.

Эту ночь и три последующие они провели в Конаке. Сандро предложил им провести медовый месяц во дворце, и Катерина была очень ему признательна. Это означало, что она по крайней мере пробудет в знакомой обстановке несколько самых напряженных дней и ночей в своей жизни.

Предчувствие ее не обмануло. Когда ночью Иван вошел в их спальню из туалетной комнаты с блестящими от воды гладкими черными волосами и в шелковом халате, надетом на голое тело, его первые слова не сломали лед напряженности между ними.

— Я должен кое в чем признаться, — отрывисто сказал он.

Катерина сидела в постели в изысканной вышитой ночной рубашке, обхватив руками колени. Ее сердце, и без того стучавшее учащенно, забилось еще сильнее.

— Да? — удивленно сказала она слегка охрипшим от волнения голосом, радуясь, что по крайней мере предстоящий разговор на какое-то время отсрочит неизбежный момент, когда он ляжет к ней в постель, и подумала, что, может быть, уже пора ему сказать, почему она так быстро приняла его предложение.

Разграбленная комната освещалась свечами. Ее срочно обставили самой необходимой мебелью, но ни дивана, ни кресел не было, и Иван продолжал стоять в двух шагах от кровати, глубоко засунув руки в карманы халата.

— Я на четырнадцать лет тебя старше, и мы вступили в брак очень... поспешно. Наверное, могло бы показаться неестественным, если бы в прошлом у меня не было женщин, но я не собираюсь утруждать тебя признаниями во всех своих связях. Большинство из них были просто юношескими увлечениями.

Он сделал паузу, подыскивая нужные слова, и Катерина поспешно сказала:

— Нет необходимости говорить о прошлом! Я и не жду этого. Мне никогда не приходило в голову, что...

— Но об одной связи ты все-таки должна знать, — сказал он, прервав ее с такой же неумолимостью, с какой за свадебным столом отказал ей в просьбе помиловать австрийцев. — Это касается женщины, с которой в будущем тебе, вероятно, придется встретиться, и с моей стороны было бы оплошностью не рассказать о ней.

Катерина почувствовала, что ее щеки запылали. Что бы там ни было, ей не хотелось об этом знать. Вместо того чтобы как-то расслабиться и сблизиться в первую брачную ночь, он усиливал и без того возникшую скованность в их отношениях.

— Пожалуйста, Иван, — взмолилась она, — в этом действительно нет никакой необходимости... Лучше расскажи о своем детстве, где ты жил, чем любил заниматься...

Иван сурово нахмурился, и Катерина поняла — он не хочет ее слушать и никогда не сможет понять. Со своей непреклонностью он просто на это не способен.

— Зара — моя двоюродная сестра, — неумолимо продолжал он. — Она овдовела десять лет назад, и тогда начались наши... отношения. Но после того, как я впервые тебя увидел, между нами все кончено.

Катерина поняла, что пришло время и ей сделать признание, но не могла. Гордость не позволит Ивану смириться с мыслью, что она вышла за него без любви, и если раньше Катерина надеялась, что сможет его полюбить в дальнейшем, то теперь сомневалась, что это когда-либо произойдет.

Выражение его глаз и тон голоса изменились, когда он глухо произнес:

— Ты самая красивая женщина, какую я когда-либо видел, Катерина.

Она поняла, что он хочет заняться с ней любовью, хотя взаимопонимания так и не было, и еще крепче сжала руками свои колени. Бесчисленное множество женщин испытало подобную судьбу, но по крайней мере муж ее любил, был в расцвете сил, хорош собой и слыл героем.

Иван подошел к кровати и задул свечу на ночном столике. В непроглядной тьме она услышала шелест ткани, когда он снимал свой халат.

Она поняла — чтобы не показаться смешной, нельзя продолжать сидеть, обхватив ноги руками. Катерина вытянулась на постели, и ее сердце тревожно забилось, когда муж лег рядом с ней.

Иван тяжело дышал, и она подумала — вероятно, он тоже волнуется, но когда он уверенно ее обнял, стало ясно, что это не так.

— Я люблю тебя, — страстно прошептал он, прижимая ее к своему горячему и сильному телу.

Это было тело чужого ей человека, тем не менее, когда его губы прижались к ее губам, она старалась ему отвечать, но внезапно ощутила слабый лимонный запах до боли знакомого одеколона. Нахлынули воспоминания о том, как Джулиан беседовал с ней в Конаке во время традиционного чаепития, как танцевал с ней на Летнем балу, как они гуляли при луне в саду среди благоухающих роз.

Иван все настойчивее ее ласкал, и Катерина поняла, что от судьбы не уйдешь. В полной темноте она представила, что это Джулиан лежит рядом с ней и она отвечает на ласки Джулиана. Катерина понимала, что потом будет чувствовать себя виноватой и испытывать стыд. Но все это будет потом, а главное то, что происходит сейчас. И это надо пережить.

Когда через четыре дня Иван Зларин отправился вместе со своей частью к северо-западной границе, Катерина была подавлена. Она сознавала, что теперь ей нечего ждать от жизни, и, зная, что ее мать и Сиси начнут проявлять любопытство, старалась избегать лишних разговоров, проводя почти все дни в госпитале.

Вскоре ей пришлось там дневать и ночевать. Во время оккупации среди австрийских солдат началась эпидемия сыпного тифа, которая через несколько недель охватила всю страну.

Однажды утром, устав до изнеможения после еще одной бессонной ночи, Катерина с испугом сказала Сиси:

— Кажется, я тоже заболела. Чувствую себя ужасно.

Сиси вытерла с ее лба пот.

— Ты действительно плохо выглядишь, — откровенно сказала она. — Дай-ка я измерю тебе температуру.

— Нет! Ко мне опасно прикасаться!

Катерина схватила какой-то тазик и ее стошнило. Сиси налила ей стакан воды и заставила выпить лекарство.

Рука Катерины слегка дрожала, когда она взяла стакан. Она знала, ухаживая за тифозными больными, какому риску подвергается, и полагала, что готова к любым последствиям. Теперь же поняла, что ошибалась, и ужасно перепугалась.

— Позволь измерить тебе температуру, — повторила Сиси, — и частоту пульса. — Потом она спросила: — Сегодня утром ты впервые почувствовала себя плохо?

Катерина покачала головой:

— Нет, еще вчера. Я думала, это просто от усталости. Но у меня нет сыпи, и, по правде говоря, я не чувствую жара, только эту отвратительную тошноту.

— Вероятно, ты будешь испытывать такое состояние в течение некоторого времени, — сказала Сиси без тени тревоги. — По крайней мере месяца три или около того.

Катерина уставилась на нее широко раскрытыми глазами.

Впервые за время эпидемии тифа в Белграде Сиси улыбнулась.

— Какая же ты наивная, Трина. У тебя не тиф. Просто ты беременна.

— Беременна? — Катерина не могла в это поверить. Она коснулась лба тыльной стороной ладони. Ни малейшего жара. Пощупала пульс. Несмотря на усталость, он был ровным и с хорошим наполнением. Катерина почувствовала облегчение и радость. Она не больна. У нее будет ребенок. Этого она хотела больше всего на свете.

Тиф свирепствовал всю весну, и на фронте наступило затишье.

В июле поступили сведения о концентрации вражеских сил в Венгрии, и прошел слух, будто бы они намереваются двинуться через Сербию к Константинополю.

В конце лета Сербия ожидала неизбежного нападения. Князь Александр обратился за помощью к союзникам, и ему пообещали, что помощь придет из Болгарии. Александр, зная, что Болгария только и ждет подходящего момента, чтобы вступить в войну на стороне германской коалиции, возражал против этого, но тщетно. Даже когда в Болгарии началась мобилизация, союзники отказывались верить в ее намерения.

В октябре, когда триста тысяч австрийских и германских войск начали мощное наступление на фронте, проходящем по Дунаю, а Болгария одновременно двинула на запад свою четырехсоттысячную армию, Сербия оказалась брошенной союзниками.

К ноябрю стало очевидно, что поражение неизбежно. Эту новость Катерине сообщила Зита.

— Сегодня Сандро объявил, — сказала она, входя в детскую, где Катерина кормила маленького Петра, — что остатки нашей армии отступают на всех фронтах.

Катерина прижала к себе сына.

— Но куда? И что будет с нами? Австрийцы вели себя как варвары в течение нескольких недель, пока находились в Белграде. Что будет, когда вся страна окажется в их власти?

Зита выглядела бледнее обычного.

— Сандро намеревается повести оставшиеся войска через горы в Албанию. И, несмотря на болезнь, король будет его сопровождать.

Катерина осторожно отняла сына от груди и, придерживая его одной рукой, застегнула блузку.

— А папа и Иван? Они тоже уйдут?

— Сандро ничего не сказал об Иване. Но твой отец и мы с тобой должны уйти.

Катерина почувствовала, как кровь отхлынула от ее лица.

— Через горы? Зимой? Возможно ли это? Петру всего два месяца!

— А что будет, если мы останемся? — спросила Зита. — Сомневаюсь, что кто-нибудь из нас выживет. Там по крайней мере мы будем вместе.

Взглянув в глаза матери, Катерина поняла, что у них нет выбора. Год назад они едва уцелели во время австрийской оккупации, длившейся всего несколько недель, а более долгую наверняка не переживут, ведь они из семьи Карагеоргиевичей. Она подумала о горах, и холодный ужас проник в ее сердце. Тропы, по которым им придется идти, непроходимы не только для автомобилей, но даже для воловьих упряжек. Они смогут передвигаться только верхом, взяв с собой минимум продовольствия.

24 ноября во главе огромной колонны из двухсот тысяч человек, преследуемые вражескими войсками, они тронулись в путь.

День за днем они брели через снега и обледенелые, продуваемые ветрами высокогорные плато и спускались в узкие ущелья между темными базальтовыми скалами. Многие умирали от холода, болезней и голода. Каждое утро Катерина просыпалась в страхе найти Петра мертвым в устланной пуховым одеялом походной колыбельке. Каждое утро ребенок жалобно плакал.

Когда добрались до озера Шкодер, больной и обессиленный князь Александр принял решение переправить морем остатки армии на остров Корфу. Там она сможет отдохнуть, переформироваться и пополнить запасы продовольствия и снаряжения.

Катерина уже забыла о времени. Алексий раздобыл где-то свежих лошадей и воловью упряжку и, когда она уселась рядом с Зитой с ребенком на руках, ее мысли унеслись в блаженные беззаботные дни в начале 1914 года. Она снова посещала традиционные чаепития в королевском дворце, гуляла с Натальей в Калемегданских садах, танцевала с Джулианом на Летнем балу.

Когда они наконец сели на французский корабль, направляющийся на остров Корфу, Катерина задумчиво сказала Зите:

— Скоро снова Рождество. Если бы Гаврило Принцип не застрелил эрцгерцога и Австрия не объявила нам войну, Сандро уже был бы официально помолвлен с великой княгиней Ольгой.

— И сотни тысяч, а может быть, даже миллионы людей не погибли бы, — добавила Зита глухим голосом. — Подумать только! Как ты считаешь, Принцип представляет себе чудовищные последствия своего поступка?

— Он сидит в тюремной камере. — Катерина оглядела ободранных, истощенных людей, стоящих вокруг. — Как он может представить себе страдания других людей? Тот, кто этого не видел, не сможет такое вообразить.

Только через несколько дней Сандро сообщил ей о смерти Ивана.

— Сожалею, Трина, — мягко посочувствовал он.

Они стояли на балконе виллы, которая теперь была жилищем Василовичей. Вдали под ярким солнцем, словно зеркало, блестело Эгейское море.

— Благодарю за то, что нашел время сам сообщить мне об этом, Сандро, — ответила Катерина, не осмеливаясь дать волю бушующим внутри чувствам, но не смогла сдержаться.

— О Боже, Сандро! — воскликнула она. — Когда только кончится эта война! Когда мы вернемся к привычной жизни?

— Этого уже никогда не будет, — мрачно сказал он. — Весь мир изменился, и прошлого не вернуть.

— Но что-то ведь должно остаться из прежней жизни! — запротестовала она. — Когда кончится война, мы снова соберемся все вместе, одной семьей. Наталья вернется домой и...

Слова замерли у нее на губах, когда она увидела выражение его глаз.

— В чем дело? — испуганно спросила она. — Почему ты так на меня смотришь? Что я такого сказала?

Сандро побледнел и с трудом произнес:

— Пусть лучше твой отец сам тебе расскажет...

— Что расскажет? — Никогда еще, с тех пор как началась война, она не испытывала такого ужаса. — Что-то случилось с Натальей? И это надо было от меня скрывать?

Бледное февральское солнце блеснуло на его темных волосах и на золотом пенсне, когда он с трудом начал говорить:

— В последние дни перед началом войны австрийцы потребовали выдачи Натальи. Они заподозрили ее в связи с Гаврило Принципом и полагали, что она встречалась с ним за день до убийства в Сараево.

За спиной Катерины в доме заплакал маленький Петр. Впервые со дня его рождения она не бросилась к сыну.

— Но теперь это не имеет никакого значения! — озадаченно возразила она. — Когда кончится война и австрийцы потерпят поражение, кого заинтересуют их подозрения!

— Вероятно, это так, но какова бы ни была послевоенная ситуация, весь мир постарается выяснить истинную роль Сербии в убийстве эрцгерцога Франца-Фердинанда. Если связь Натальи с Гаврило Принципом всплывет наружу, всем станет ясно, что дом Карагеоргиевичей и, следовательно, Сербия участвовали в заговоре, а значит, несут ответственность за развязывание самой кровавой в мире войны. И я смогу защитить Сербию, только заявив, что с момента сараевского убийства Наталья была объявлена персоной нон грата. Не должно быть ни малейших подозрений, что, зная о ее связи с Принципом, я и мое правительство смотрели на это сквозь пальцы.

— Я не понимаю... — Катерина почувствовала, что кровь отхлынула от ее лица. — Что значит персона нон грата?

— Это значит, что Наталья никогда больше не будет принята при нашем дворе, Трина. Путь в Белград ей будет заказан. — Его голос дрогнул. — И она никогда не сможет вернуться на родину.

Глава 16

Всю весну в доме Филдингов царил траур: в феврале пришла телеграмма о том, что Эдвард погиб в бою. Леди Филдинг редко выходила из своей спальни, тем самым показывая свое горе, хотя Наталья считала, что она не способна на глубокие чувства. Сэр Арчибальд погрузился в длительное мрачное молчание. Диана больше не ходила на вечеринки в свободное от дежурства в госпитале время, но подолгу гуляла в одиночестве по парку.

Наталья тоже горевала по Эдварду, но они были знакомы недолго и не слишком близко, и потому горе не захватило ее целиком.

Проходили недели, а Диана по-прежнему вела уединенный образ жизни, и одиночество Натальи становилось невыносимым. Конечно, у нее был Стефан, но ему было всего лишь девять месяцев от роду и, хотя она любила его всем сердцем, он не мог заполнить все ее время.

Наталья все чаще встречалась с Ники. Она познакомилась с ним, будучи беременной, но ее сразу же к нему потянуло. Через несколько недель после рождения Стефана она поняла, что это влечение взаимно. Вопрос был только в том, что теперь с этим делать.

Впрочем, Наталья знала, чего хотела. Любовные ласки Джулиана пробудили в ней тягу к сексуальным наслаждениям, а прошло уже целых полгода с тех пор, как он побывал в отпуске. Глубоко чувственная натура, она все больше страдала от воздержания и не была уверена, что это необходимо.

Во время одной из ежедневных прогулок со Стефаном по парку Наталья задумалась о своем странном браке. Она не выбирала Джулиана и, следовательно, морально не обязана хранить ему верность. Будь она влюблена в него и выйди она замуж по доброй воле, с соблюдением всех правил, тогда другое дело. Наталья подумала о матери и о Катерине. Они ни за что не согласились бы с ее доводами и пришли бы в ужас.

Пока Стефан сидел в коляске и с удовольствием грыз прорезывающимися зубами кольцо, она, нахмурившись, в глубоком раздумье смотрела на озеро. Была ли действительно у нее причина вступить в брак с Джулианом? Если бы она не согласилась выйти за него замуж, ее мать была бы вынуждена жить с ней в Женеве. И только благодаря ее жертвенности мать осталась в Белграде. При таких обстоятельствах имела ли Зита моральное право ее осуждать?

Что же до Катерины... Наталья вздохнула. Катерина по природе была слишком честной, и трудно было себе представить, чтобы она совершила поступок, которого ей пришлось бы стыдиться или испытывать из-за этого чувство вины. Разве она может понять, что такое постоянное, безрассудное, непреодолимое сексуальное влечение? Катерина никогда ни в кого не была влюблена, но когда придет ее время, Наталья сомневалась, что это будет любовь с первого взгляда. Катерина слишком благоразумна, чтобы позволить сердцу возобладать над рассудком. Когда сестра надумает выходить замуж, ее избранником, несомненно, будет в высшей степени достойный человек, и брак состоится только после длительного благопристойного ухаживания. Катерине вряд ли когда-нибудь придется бороться со своей совестью, как это сейчас происходит с ней, Натальей. Ее жизнь в браке всегда будет простой и безмятежной.

Довольная тем, что не надо беспокоиться по поводу мнения матери и Катерины о ее возможной любовной связи с Ники, Наталья перестала хмуриться. Так или иначе, мучиться она не собирается. Обстоятельства ее брака таковы, что ее нынешнее поведение, которое в нормальных условиях можно было бы считать возмутительным, в данном случае вполне естественно.

Наталья наблюдала за уткой, которая плавно покачивалась на поверхности озера в лучах яркого солнца, позолотившего ее перья. Главное, конечно, в том, что Джулиан ни за что с ней бы не согласился.

Мимо промчался ребенок на роликовых коньках. Она была так поглощена своими мыслями, что едва его заметила. Но почему она должна считаться с Джулианом? Он ведь не хочет поступиться своими интересами ради ее счастья, а твердо заявил, что после войны не намерен возвращаться в Белград и рассчитывает получить назначение в Париж или в Санкт-Петербург. В таком случае разве она не имеет права вступить в связь с человеком, который хорошо ее понимает, и при иных обстоятельствах вполне мог бы стать ее мужем?

Ответ на этот вопрос был столь очевидным, что от радостного предвкушения по ее спине пробежали мурашки. Она, конечно, не станет причинять Джулиану неприятности. Он был самым лучшим ее другом, и она относилась к нему с большой нежностью. Она позаботится о том, чтобы он никогда не узнал о ее отношениях с Ники. Просто надо действовать очень осторожно.

Ники сразу почувствовал, какое решение приняла Наталья, как только они в очередной раз встретились. Его белые зубы удовлетворенно сверкнули в ослепительной улыбке.

— Мы здесь не останемся, — сказал он властно, как истинный балканец. — Мы ляжем в постель.

Именно этого хотела Наталья, но она не ожидала такой бесцеремонности. Тем не менее, вспомнив об огромной разнице между пылким, нетерпеливым балканцем и сдержанным, утонченным англичанином, она простила Ники его грубую прямоту.

Впервые в жизни Наталья всей душой отдавалась своему чувству.

Между ней и Ники не было никаких барьеров. Ники прекрасно понимал ее страстную любовь к родине и то, почему она оказывала посильную моральную поддержку Гаврило, Трифко и Неджелко. Он понимал, что она никогда не сможет жить на чужбине: в Лондоне, Париже или в Санкт-Петербурге. Он был ее единомышленником.

Испытывая необычайное возбуждение, Наталья пренебрегла традиционной встречей с друзьями в кафе так же, как и супружеской верностью, и пошла с Ники в небольшую комнатушку, которую он снимал.

В июле появились сообщения о страшном сражении на Сомме. Наталья с ужасом ждала, что вот-вот придет телеграмма, извещающая о гибели Джулиана. Но вместо этого в конце августа она получила от него написанную карандашом открытку, из которой следовало, что он по крайней мере жив. Она плакала от радости, сначала озадачив Ники, а затем вызвав у него раздражение.

— Почему ты так за него переживаешь? — сердито спросил он, когда она со слезами на глазах поведала ему эту новость. — Ты ведь любишь меня, а не его.

— Он мой самый лучший друг, — искренне сказала она. — Как же я могу не переживать?

— Он насильно заставил тебя выйти за него замуж, — раздраженно продолжал Ники. — Он англичанин. Как можно иметь в лучших друзьях англичанина?

Наталья рассмеялась над его глупостью и была довольна, что Ники ее ревнует.

— Если бы ты его знал, то понял бы.

— Я его не знаю, — сказал Ники, прижимая ее к себе, — и не хочу о нем говорить.

Позднее, вернувшись домой, Наталья села на кровать, поджав под себя ноги; рядом устроилась Белла. Вступив в связь с Ники, она не предвидела никаких сложностей. Однако сейчас, из-за отношения Ники к Джулиану, дело принимало иной оборот. Что будет, когда Джулиан приедет в очередной отпуск? Что, если Ники будет настаивать на ее разрыве с мужем? Она вздрогнула при мысли об этом и, обняв Беллу, прижала ее к себе. Как бы ей хотелось, чтобы хоть на некоторое время в ее жизни не было проблем.

Весной 1917 года классическое образование Джулиана наконец пригодилось в армии, и его оставили в Салониках: его познания в греческом языке могли там принести больше пользы, чем во Фландрии.

Радость Натальи из-за того, что муж теперь находится недалеко от ее родины, была короткой. Все, что успели отвоевать сербы прошлой осенью, вновь было потеряно. Зима не позволила развить наступление, и теперь сербская армия и союзники находились в Салониках в таком же тупиковом положении, как и войска Антанты во Фландрии.

Новости из России были еще хуже. Там произошла революция. Наталья была потрясена.

— Газеты ничего не сообщают о местонахождении императорской семьи и о том, что с ней сталось, — сказала она Ники, глубоко расстроенная. — Как может существовать Россия без царя? — Она представила себе Сербию без короля Карагеоргиевича, и по ее спине пробежал холодок. — Как может любая страна существовать без монархии?

Ники усмехнулся. Они сидели в кафе, которое стало для них вторым домом. Друзья, с которыми они обычно там встречались, еще не пришли.

— Россия будет прекрасно жить без Романовых, — сказал Ники, и Наталья вышла из себя.

— Ты ведь не думаешь так на самом деле! — Впервые он высказал мнение, с которым она никак не могла согласиться. — Ты не можешь так думать!

Он пожал плечами, забавляясь реакцией Натальи и хорошо понимая, чем вызван ее страх. Если Россия способна легко обойтись без правящей династии, другие страны могут последовать ее примеру.

— Чему тут удивляться? — сказал он рассудительно. — Всю зиму газеты пестрели сообщениями о том, что русские часами, а иногда и сутками стоят в очередях за хлебом. Не хватает угля. Фабрики остановились и те, кто не умер от истощения, умирают от холода. При таких обстоятельствах революция вполне естественна. Чудо, что она не произошла еще несколько месяцев назад.

— Я не согласна, — возразила Наталья, вспомнив о великолепном бракосочетании, которое должно было состояться в Казанском соборе в Петербурге между Сандро и великой княгиней Ольгой и которого теперь не будет. — Царь мог бы отречься от престола и трон перешел бы к царевичу...

Наталья не могла понять чудовищность всего происходящего в России. Как могла такая могущественная династия, как Романовы, полностью лишиться власти, да еще так быстро? И что теперь будет с членами царской семьи? Она погладила Беллу, размышляя, остались ли при них их собаки. Затем подумала о том, поженятся ли Сандро и Ольга? Знает ли Сандро о местонахождении своей невесты? Внезапно другая мысль пришла ей в голову, и Наталья едва не задохнулась от волнения, широко раскрыв глаза.

— Может быть, императорская семья эмигрирует в Британию! — В ее мозгу возникали всевозможные варианты. — И бракосочетание Сандро и Ольги состоится здесь, в Лондоне?

Ники насмешливо фыркнул, но Наталья не обратила на него внимания. Если Сандро и Ольга устроят свадьбу в Лондоне, то ее, несомненно, попросят быть подружкой невесты. Довольная улыбка тронула ее губы.

Ушел в прошлое 1917 год и настал 1918-й. Наталья часто думала о Гаврило. Мог ли он себе представить, к каким разрушениям и человеческим жертвам приведет убийство Франца-Фердинанда? Способен ли он выдержать тот груз ответственности, который лежал на его совести? Но если все сербы, хорваты и словенцы, жившие в вассальной зависимости от Австро-Венгерской империи, станут свободными и равными в королевстве южных славян, Гаврило сможет найти в этом некоторое утешение.

Свое собственное утешение во время продолжавшейся уже четыре года войны Наталья находила в письмах Джулиана, а также в весточках от матери и Катерины с острова Корфу. Когда весной 1916 года от них пришло первое письмо, Наталья заплакала, испытав необычайное облегчение.

— Они живы! — сообщила она Диане со слезами на глазах. — Моя мать и сестра на острове Корфу, и они в безопасности!

Несколько минут спустя Наталья воскликнула с недоверием:

— Не может быть! Катерина вышла замуж!

Она оторвала глаза от письма и посмотрела на Диану с таким изумлением на лице, что та рассмеялась.

— Почему твоя сестра не могла выйти замуж? Она ведь старше тебя? За кого она вышла? У ее мужа, наверное, какой-нибудь высокий титул?

Наталья в полной растерянности снова опустила глаза к письму. Через секунду или две она медленно покачала головой:

— Нет. Его зовут Зларин. Майор Зларин.

Диана рассчитывала минимум на какого-нибудь князька, тем не менее из приличия она скрыла свое разочарование.

— Мама пишет, что он герой, — заметила Наталья, продолжая чтение. — Он и его люди несколько недель защищали Белград, сдерживая натиск австро-венгерских войск.

Наталья снова оторвала взгляд от письма, и ее глаза округлились.

— У нее ребенок!

Диана хихикнула.

— Такое часто случается у женатых людей. Мальчик или девочка?

— Мальчик. — Наталья ошеломленно смотрела на Диану. — Мама говорит, он родился в сентябре 1915 года, всего через два месяца после рождения Стефана! Как это могло произойти? Значит, Катерина вышла замуж за майора Зларина в 1914 году, а ведь они даже не были знакомы, когда я покинула Белград в июне того же года! Она не могла родить ребенка в 1915-м! Это абсолютно невозможно! Мама что-то напутала. Наверное, она хотела написать о 1916 годе или даже о 1917-м.

Диана взяла у нее письмо. Оно было написано по-английски, почерк был крупным, плавным и уверенным.

— Твоя мама не ошиблась, — сказала Диана несколько секунд спустя. — Она пишет, что ребенка назвали Петром и что он родился незадолго до того, как им пришлось совершить ужасный переход через горы к Адриатическому морю.

Она опустила письмо на колени и посмотрела на Наталью.

— Сербская армия отступала в декабре 1915 года, так что твой племянник, должно быть, родился в сентябре. — Диана быстро подсчитала, загибая пальцы с ухоженными, покрытыми красным лаком ногтями. — Катерина могла выйти замуж не позднее декабря 1914 года, а это значит — если знакомство с майором произошло сразу после того, как ты и Джулиан уехали в Англию, то она могла встречаться с ним в течение полугода.

Она слегка нахмурилась.

— В Англии для девушки из высшего общества полгода нельзя назвать подобающим сроком для знакомства, помолвки и обручения, но, возможно, в Сербии все по-другому?

— Нет, — сказала Наталья сдавленным от потрясения голосом. — Знакомство у нас длится довольно долго, затем объявляется об официальной помолвке и, как правило, жених хорошо известен семье.

— Однако всего этого не было в случае с тобой и Джулианом, — заметила Диана, когда официант предусмотрительно вновь наполнил их чашки кофе. — Возможно, любовная история твоей сестры и майора Зларина оказалась такой же необычной, как и у тебя с Джулианом. Вероятно, они полюбили друг друга с первого взгляда и поженились, не будучи помолвленными. А может, они даже сбежали из дома!

Диана добавила немного сливок в кофе и ждала, что ответит Наталья. Но та молчала. Впервые в жизни ей нечего было сказать.

Не успела она оправиться от потрясения после письма матери, как пришло другое письмо с такой же почтовой маркой, на этот раз от Катерины. Наталья дрожащими пальцами надорвала конверт, радуясь, что Дианы нет рядом.

«Дорогая Наталья, не могу поверить, что наконец смогла тебе написать! Произошло так много событий с тех пор, как ты уехала в Англию, что не знаю, с чего начать. Разумеется, мама уже сообщила тебе о моем замужестве, поэтому начну с новостей, которые Сандро сам принес мне несколько часов назад. Иван погиб. Он был убит в бою под Шабацем, но Сандро получил подтверждение о его смерти только когда мы прибыли сюда. Хельга тоже погибла. Ее смерть была ужасной, и я с трудом пишу об этом. Она ухаживала за ранеными, когда Белград был впервые оккупирован австрийцами...»

Наталья прочитала о смерти Хельги; о страданиях Катерины и матери во время австрийской оккупации; об ужасах тифозной эпидемии; о вторжении в Сербию австро-венгерских войск; о страшном переходе через горы... Она была потрясена и поняла, почему Катерина так поспешно вышла замуж. Если бы она, Наталья, не покинула Белград, ей тоже пришлось бы пережить все эти мучения и стать свидетельницей ужасных событий. Однако она избежала подобной участи, и ее переживания за Джулиана, который подвергался опасности сначала во Фландрии, а теперь в Салониках, не шли ни в какое сравнение.

Сознавая все это, Наталья чувствовала себя виноватой. Она всем сердцем хотела бы быть с матерью и Катериной в те мрачные и страшные дни в Белграде, вместе с ними совершить героический переход через заснеженные горы. И сейчас ей очень хотелось бы находиться с ними на острове Корфу.

В октябре пришла самая замечательная новость из всех, что в последнее время поступали в Лондон. Князь Александр со своими войсками снова вошел в Белград.

В течение последующих нескольких недель Наталья испытывала необычайное счастье. Ничто не могло так ее обрадовать, даже сообщение о капитуляции Германии.

— Наверное, скоро Джулиан вернется, — взволнованно сказала Диана, в то время как по всему Лондону и по всей Англии в церквях звонили в колокола.

Наталья натужно улыбнулась. Она всем сердцем желала возвращения Джулиана, однако стремление его увидеть было смешано с невыразимым страхом. Когда он приедет, придется рассказать ему о Ники. Это совсем не входило в ее планы, но теперь у нее не было выбора. Миновал срок последних месячных, и она поняла, что беременна от Ники.

Глава 17

Почти каждый день приходили важные вести. Королевские короны сыпались с голов, как конфетти. Отреклись от трона кайзер, царь Болгарии Фердинанд, австрийский император Карл, и с его отречением наконец-то распалась могущественная империя Габсбургов, просуществовавшая свыше тысячи лет.

Ники торжествовал.

— Появились четыре новых государства, — сказал он Наталье, в то время как они шли по украшенной флагами площади Пиккадилли. — Подумать только! Целых четыре, Наталья! Половина Европы начинает совершенно новую жизнь. Австрия объявила себя республикой, чехи и словаки объединились, венгры образовали отдельное государство, а

Хорватия... Хорватия стала свободной! — Он восторженно обхватил ее за талию и, оторвав от земли, закружил в воздухе.

Прохожие снисходительно улыбались. Молодые мужчины возвращались с войны, и на улицах часто можно было видеть радостные встречи. Несмотря на внутреннюю тревогу, Наталья тоже смеялась, радуясь жизни. Свободной была не только Хорватия, но и ее любимая родина. Через несколько недель, а возможно, даже через несколько дней Ники вместе с другими членами основанного в Лондоне Югославянского комитета отправится в Белград. Наталья тоже собиралась поехать вместе с Ники или последовать за ним позже, после объяснения с Джулианом.

— Теперь, когда Черногория и Босния с Герцеговиной проголосовали за объединение с Сербией, важно, чтобы договор о создании нового союза скорее вступил в силу, — продолжил Ники, опустив Наталью на тротуар. Он обвил рукой ее талию, и они снова двинулись по Риджент-стрит.

— Почему так важно поскорее подписать этот договор? — спросила Наталья, тесно прижимаясь бедром к Ники, в то время как они шли по многолюдной улице.

— Потому что мы хотим закрепить свои позиции, прежде чем Антанта начнет перекраивать границы на свой лад, — сухо сказал Ники. — К счастью, князь Александр уже в Белграде, а члены Югославянского комитета на пути туда. Они не станут зря тратить время...

Наталья уже его не слушала. Она думала о том, когда Джулиан вернется домой и стоит ли ему первому рассказать о ребенке, прежде чем сообщить об этом Ники, или наоборот.

— Ники... — нерешительно начала она.

— ...и еще до Рождества королевство сербов, хорватов и словенцев будет официально оформлено, — заключил он, улыбаясь ей.

Наталья хотела сказать ему о ребенке, но когда его черные, сияющие от радости глаза встретились с ее взглядом, она не смогла это сделать. Пожалуй, лучше рассказать сначала Джулиану. Конечно, новость его ошеломит, более того, он будет потрясен, узнав о ее решении вернуться в Белград вместе с Ники.

Мимо проехал автобус с шутливым объявлением: «До Берлина, плата за проезд — 10 пенсов».

Наталья все думала и думала о сложившейся ситуации и не видела никакого другого решения. Она вышла замуж за Джулиана только ради того, чтобы не разлучать родителей. Джулиан знал об этом и все-таки с радостью согласился на их брак. К тому же он твердо ей заявил, что не намерен после войны ходатайствовать о своем назначении в Белград, и теперь, когда война закончилась, ничто ее не остановит, и она вернется на родину.

Она должна обязательно вернуться. Все свое детство она провела в изгнании и поклялась, что когда наконец сможет ступить на родную землю, ничто ее не заставит добровольно покинуть свою страну. Однако ей пришлось уехать, но не по своей воле. Ее принудил к этому целый ряд злосчастных событий, которые теперь уже в прошлом.

Наталья взглянула на профиль Ники, на его оливковую кожу и широкие скулы. Оба были южными славянами, балканцами. Ники, конечно, будет вознагражден за годы верного служения делу создания объединенного государства южных славян постом в новом национальном правительстве. Как его жена и член семьи Карагеоргиевичей, она будет активно участвовать в создании и развитии нового королевства. Белград станет ее домом, и ребенок, которого она вынашивает, будет рожден там.

Приятные грезы, как всегда, внезапно прерывались, когда Наталья начинала реально оценивать будущее. Как быть со

Стефаном? Она не могла оставить его в Лондоне. В сотый раз она пыталась представить, как к этому отнесется Джулиан. Она была почти уверена, что он не станет пытаться разлучить ее со Стефаном. Он слишком великодушен, чтобы заставить страдать ее и ребенка. Может быть, он согласится лишь навещать его несколько раз в году?

Представив возможность такого решения проблемы, Наталья снова воспрянула духом. Она даже готова сопровождать Стефана во время визитов к Джулиану. Конечно, они уже не будут любовниками, но останутся друзьями. Она не могла себе представить других отношений с ним. Это просто невозможно. Он избавил ее от угрожавшей ей скучной жизни с матерью в Женеве в течение четырех лет; обеспечил ей комфорт и спокойствие; никогда не давал ей повода для разочарования, и казалось немыслимым, что он сделает это сейчас.

Джулиан вернулся домой как раз на той неделе, когда Александр в качестве регента официально объявил о том, что Сербия прекратила свое существование как отдельная, независимая держава и вошла в Объединенное королевство сербов, хорватов и словенцев.

Наталья читала речь Александра в «Таймс», и по ее лицу струились слезы. Все, о чем мечтали сотни тысяч людей, наконец свершилось. Сандро теперь был князем-регентом страны, чья территория превышала даже средневековую империю царя Стефана. Хотя могущественные королевские династии после войны пали, династия Карагеоргиевичей ничуть не пошатнулась и стала более великой, чем в прошлом.

Наталья разглядывала фотографию Сандро в газете и испытывала невероятную гордость. При этом она была потрясена. Он больше не был тем Сандро, которого она помнила. Вместо красивого молодого человека, который часто с ней шутил, с фотографии на нее смотрел преждевременно состарившийся мужчина с мрачным выражением лица. Она понимала, конечно, что снимок был сделан в торжественный момент, когда не до смеха, однако, вглядываясь в его лицо, приходила к выводу, что это не могло быть причиной столь резкого изменения.

Того Сандро, который был ее другом до войны, больше не существовало. Ответственность за страну, захваченную врагом, тяжелейший переход через горы к Адриатическому морю, боль, которую он испытал, узнав о гибели своей невесты Ольги от рук большевиков — все это сыграло свою роль. Неудивительно, что он выглядел таким мрачным и серьезным. И Наталья с грустью поняла, что те дни, когда Сандро шутил и смеялся, безвозвратно канули в прошлое.

Хотя война не прошла бесследно и для Джулиана, в его манере держаться и в выражении лица не было ничего мрачного, когда он вошел в дом Филдингов и окликнул Наталью.

В это время она находилась в детской. Услышав голос Джулиана, Наталья вскочила, рассыпав детали игрушечной железной дороги. С тревожным чувством она бросилась к лестнице, как когда-то во время его отпуска. Впрочем, тогда она не была любовницей другого мужчины. И не была беременной. Отбросив эти мысли, Наталья устремилась вниз навстречу мужу.

Он, перескакивая через две ступеньки, встретил ее на середине лестницы.

— Наталья! О Боже! Наталья!

Джулиан обнял ее и крепко прижал к себе. Она чувствовала биение его сердца рядом со своим, вдыхала почти забытый запах военной формы и слабый знакомый аромат лимонного одеколона.

Наталья пыталась что-то сказать и не могла. Сейчас, и только сейчас, она поняла, как боялась того, что этот момент никогда не наступит, а придет похоронная, извещающая ее о гибели мужа, убитого вместе с миллионами других мужчин.

С сияющими глазами она прильнула к нему, заметив, что виски у него поседели. Но это не важно. Главное — он вернулся целым и невредимым.

— Наталья... — снова начал Джулиан глухим голосом, почти благоговейно, и его лицо преобразилось от радости. Он поцеловал ее со всей страстью, которую ему приходилось сдерживать три бесконечно долгих года.

Когда Наталья поняла, что беременна, она решила рассказать об этом Джулиану сразу же по его возвращении и до того, как они лягут в постель. Она хотела быть с ним честной.

Однако когда они сжали друг друга в объятиях и его губы прильнули к ее губам, привести в исполнение свой план ей оказалось не так просто, как представлялось раньше.

Он оторвался от ее губ и улыбнулся.

— Ты все такая же, — сказал он, разглядывая ее лицо и черные волосы, собранные на затылке, с ниспадающими на виски локонами. — Я говорил твоему отцу, что ты ничуть не изменилась.

— Папе! — Ее золотисто-зеленые глаза удивленно расширились. — Ты разговаривал с папой? Где? Когда?

— В Салониках, перед тем как сесть на корабль, отправляющийся домой. Он тоже собирался отплыть, но на остров Корфу.

— Что он сказал? Он здоров? Не ранен? Собирается ли забрать маму и Катерину и вернуться в Белград? — Вопросы так и сыпались градом. — Он спрашивал обо мне?

Ты рассказал ему о Стефане? Ты сказал, как я по нему скучаю?

— Он чувствовал себя вполне сносно, насколько это возможно после тяжелых испытаний, выпавших на его долю, — мягко ответил Джулиан.

Наталья испуганно посмотрела на него, сообразив наконец, что и он смертельно устал, хотя его улыбка и страстные объятия на время скрыли эту усталость.

— Отец не ранен? — снова спросила она. — Война сильно его состарила?

Джулиан вспомнил об Алексии, изможденном и сильно похудевшем.

— Он не был ранен, но, видимо, ему пришлось туго, — откровенно сказал Джулиан. — Как и все мы, он нуждается в хорошей пище и отдыхе.

Не разжимая объятий, Джулиан посмотрел вниз на пустой холл.

— А где остальные? Я ожидал по крайней мере встречу с оркестром.

Наталья хихикнула, чувствуя, как годы разлуки уходят в забвение.

— Если бы я знала, что ты сегодня приедешь, то организовала бы торжественную встречу. Твой отец, вероятно, дремлет в своем кабинете, а твоя мать и Диана куда-то ушли.

Она не могла сдержать удовлетворения, выдав его своим голосом. Да, она действительно была рада, что они ушли и никто не мешает их встрече.

— Я должен спуститься и повидать папу, — сказал Джулиан, продолжая крепко ее обнимать. — Но прежде хочу сообщить тебе новость.

— Хорошую? — Ее сердце екнуло. — О папе?

Он, смеясь, заглянул ей в глаза, и она увидела золотистые искорки в его зрачках и отражение в них своего лица.

— Твой отец вместе с твоей матерью и Катериной отправляются морем в Ниццу, и мы должны там с ними встретиться.

Наталья от неожиданности едва не задохнулась, и если бы Джулиан не держал ее крепко, упала бы на пол.

— Когда? Как скоро? Почему папа решил устроить встречу в Ницце? Почему он не попросил нас приехать в Белград, чтобы встретиться там с мамой и Катериной?

— Потому что в Белграде пока царит хаос, который будет продолжаться еще несколько месяцев. Но не только в этом причина. Путешествовать по суше через всю Европу фактически невозможно. Железнодорожный транспорт работает крайне ненадежно, все дороги забиты солдатами и беженцами, возвращающимися домой. Для скорой встречи необходимо было найти место, куда мы все могли бы сравнительно легко добраться.

Джулиан замолчал, напряженно ожидая ее реакции. Меньше всего ему хотелось испортить их встречу, сообщив, что ее свидание с семьей не может состояться в Белграде и что до конца жизни она не сможет туда поехать.

Алексий убедил его в этом.

— Политика Александра состоит в том, — сказал он, увидевшись с зятем, — чтобы весь мир считал сербское правительство невиновным в убийстве в Сараево. Александр уверен, что в ходе расследований, которые сейчас ведутся в связи с началом войны, ни его самого, ни его правительство никто не сможет в чем-то обвинить. Учитывая, что в австрийских архивах, вероятно, сохранились копия запроса на выдачу Натальи и доклад офицера, который видел ее с Гаврило Принципом за день до убийства, Александр не нашел иного выхода, как объявить ее персоной нон грата. Поэтому она никогда не сможет вернуться на родину, но лучше пока ей об этом не знать.

Наталья улыбнулась мужу, приняв его объяснения за правду.

— Когда мы уезжаем? Мы можем взять с собой Стефана? Будет ли Катерина со своим сыном Петром? Папа тоже туда приедет? Что...

Внезапно открылась входная дверь и в дом вошла леди Филдинг. Она удивленно открыла рот, увидев на мраморном полу ранец, и Джулиан, быстро поцеловав Наталью в губы, неохотно выпустил ее из своих объятий и поспешил вниз.

Наталья осталась на лестничной площадке; ее мысли настолько перепутались, что она с трудом соображала. Ей очень хотелось снова увидеть Катерину и мать! Они подробно рассказали бы ей о том, что с ними произошло за четыре с половиной года разлуки.

Однако перед ней стояла мучительная дилемма. Как теперь сказать Джулиану о ребенке, которого она носила? Узнав об этом, он может отказаться сопровождать ее в Ниццу. И даже если он поедет с ней, ее мать мгновенно поймет, что у них возникли серьезные проблемы. А что будет, если Джулиан ей расскажет, в чем дело? От волнения у нее сжалось горло. Конечно, потом ее мать все равно узнает, но это может омрачить радость семейной встречи.

Джулиан вместе с леди Филдинг направился в кабинет отца, а Наталья продолжала хмуро смотреть на вновь опустевший холл. Ради своей матери она не должна портить их совместное пребывание в Ницце. У нее опять не было выбора. Признание Джулиану следует отложить. А это значит, что, несмотря на все благие намерения, ее встреча с мужем не может обойтись без любовных ласк.

При этом сразу возникли новые тревоги. Что, если он заметит изменения в ее теле? Что, если догадается? Она провела ладонями по своему плоскому животу. Когда она вынашивала Стефана, беременность стала заметна лишь на четвертом месяце.

Наталья подумала также о Ники. Она не сможет рассказать ему о ребенке, пока не вернется из Ниццы и не сообщит свою новость Джулиану. Наталья раздраженно вздохнула. Она всегда стремилась к беззаботной жизни, а сейчас все так ужасно запуталось.

Открылась входная дверь, и вошла Диана, кутаясь в меха из-за декабрьских холодов. Она резко остановилась, заметив ранец. Увидев, как лицо подруги расплылось в радостной улыбке, Наталья забыла о своих проблемах.

Она побежала вниз по лестнице, восклицая:

— Джулиан вернулся, Диана! Он в кабинете отца и скоро повезет меня в Ниццу на встречу с мамой и Катериной! Разве это не чудесно?

Они отплыли из Дувра и пересекли Ла-Манш, высадились в Булони, затем поездом доехали до Парижа, оставив далеко на западе разрушенную войной Фландрию и Пикардию. Во время длительного путешествия до Ниццы Стефан развлекался тем, что возбужденно колотил ручонками по оконному стеклу каждый раз, когда видел в поле корову или лошадь, а Наталья не уставала радоваться при виде французского флага, развевающегося над фермой или в окне дома.

Ее волнение достигло наивысшего предела, когда поезд наконец прибыл в Ниццу. Она вот-вот встретится со своей матерью и Катериной после стольких лет разлуки.

Вместе с растерявшейся няней, крепко держащей Стефана за пухленькую ручонку, и с Джулианом, быстро шагающим рядом с ней, она едва не выбежала из вокзала.

— О, побыстрее! — нетерпеливо торопила она мужа, когда он остановился около стоянки такси, дожидаясь носильщиков с багажом. — Как думаешь, мама и Катерина уже ждут нас в отеле «Негреско»?

— Полагаешь, они узнают тебя в таком виде? — насмешливо сказал Джулиан.

Наталья провела рукой по своей новой прическе. На макушке волосы лежали, тщательно зачесанные, а ниже, из-под вышитой повязки, щегольски охватывающей голову на индийский манер, выбивались непокорные черные локоны. Вишневое платье и пальто также выглядели очень модно — прямой фасон без малейшего намека на талию. На шее был повязан длинный шарф из черных соболей, концы которого сзади доходили до края одежды.

Наталья хихикнула, вспомнив прежние баталии, возникавшие по поводу ее нарядов.

— Однажды я захотела надеть бальное платье из потрясающей изысканной сиреневой парчи, но ни Катерина, ни Хельга не разрешили мне это сделать, — сказала она, пока в такси грузили их багаж. — И я вынуждена была надеть скромное белое платье, украшенное бутонами роз. Это было в тот вечер, когда мама устраивала Летний бал. И тогда же ты сделал мне предложение.

Джулиан почувствовал, как при этих воспоминаниях у него от волнения перехватило горло, но он постарался этого не выказать.

— Слава Богу, что они отговорили тебя от сиреневого платья. Если бы ты его надела, я, вероятно, предпочел бы Вицу.

Смеясь, они сели в такси. Стефан устроился на коленях у Джулиана. Тот был счастлив. Хотя Наталья так ни разу и не сказала, что его любит, он ничуть в этом не сомневался. Перед ним открывалось великолепное будущее. Он демобилизовался, и его ждала блестящая карьера дипломата, у него будут еще дети — может быть, мальчик, а может, и девочка...

— А вот и отель «Негреско»! — радостно воскликнула Наталья. — Мы прибыли! О, посмотри, не видно ли в каком-нибудь окне маму!

Когда они вышли на яркое зимнее солнышко, Стефан запрыгал от радости и взволнованно закричал:

— Море, мама! Море!

Впервые Наталья не обращала на него внимания. Если бы ее узкая юбка позволяла ей бегать, она, наверное, бросилась бы бегом в роскошный вестибюль.

— Ну скорее же! — снова молила она Джулиана. — Скорее, скорее, скорее!

Они поспешили в отель, оставив няню со Стефаном и не заботясь о багаже. В вестибюле не было видно знакомых лиц, и сердце Натальи тревожно забилось. Что, если их здесь нет? Она знала, что отец, как сказал Джулиан, сразу с острова Корфу поедет в Белград. Что, если Катерина и мама решили отправиться с ним и ждут ее там? Неужели все ее надежды на встречу с родными через несколько минут окажутся напрасными?

Джулиан подошел к стойке портье, и когда он повернулся к ней, она с облегчением увидела, что он улыбается.

— Твоя мама и Катерина пьют чай в Солнечной гостиной.

Наталья закрыла глаза, мысленно благодаря Бога, затем нетерпеливо спросила:

— А где эта Солнечная гостиная? На каком этаже? Попроси посыльного немедленно отвести нас туда! Пожалуйста, Джулиан! Пожалуйста!

— Посыльный не нужен, — сказал он, беря ее под руку. — Я часто бывал здесь в детстве с моими дедушкой и бабушкой.

С этими словами Джулиан повел ее через вестибюль к большой, ярко освещенной комнате, обставленной пальмами в огромных горшках, с вьющимися по стенам виноградными лозами, отчего комната была больше похожа на оранжерею, чем на гостиную. Переступив порог, Наталья заметила на стенах большие зеркала в золотых рамах, а под ногами холодный розовый мрамор. Затем она увидела дорогих ей людей.

Они сидели за небольшим круглым столиком в дальнем углу гостиной. На матери было светлое шелковое платье, а темные волосы были стянуты в изящный греческий пучок. Катерина в длинной яркой юбке и в кремовой шелковой блузке с открытой шеей, рукава которой были изящно отделаны оборками у запястий, выглядела так элегантно, что на какое-то мгновение Наталья засомневалась, действительно ли это ее сестра. Затем Катерина повернула голову к двери, и их глаза встретились.

Наталья радостно вскрикнула. Не обращая внимания на изысканно одетых людей за другими столиками, забыв о своей узкой юбке и о правилах хорошего тона, она пустилась бегом.

Сквозь слезы счастья Наталья увидела, что Катерина и мать поднялись, и сестра бросилась ей навстречу. Официанты с опаской уступали ей дорогу. Руки сестер сомкнулись и, казалось, годы разлуки ушли в прошлое, как это было при встрече Натальи с Джулианом.

— Наталья! Наталья! Неужели это вправду ты? — говорила Катерина, одновременно смеясь и плача. — Твоя прическа! Выглядит чудесно! О, как я по тебе соскучилась! Ты просто не представляешь!

Пожилая пара за ближайшим к ним столиком предусмотрительно придержала вазу с пирожными, опасаясь, что она может опрокинуться от таких бурных излияний чувств, и с интересом наблюдала за встречей сестер.

Наталья услышала позади себя звук нетвердых шажков Стефана и его голосок:

— Мамочка! Мамочка! Пойдем посмотрим на море!

Катерина оторвала свой взгляд от Натальи и перевела его на племянника и на высокого, широкоплечего мужчину, подхватившего его на руки. Наталья же с влажными от слез глазами смотрела на мать.

— Мама... — сказала она сдавленным голосом, оставив Катерину и нерешительно приближаясь к Зите. — О, мама!

Наконец мать смогла ее обнять. Наконец кончилась их длительная и мучительная разлука.

— Думаю, надо заказать шампанское, — сказал Джулиан, продолжая держать Стефана на руках и провожая Катерину назад к столику. Он повернулся к няне, стоявшей с красными от смущения щеками, она была явно недовольна таким неприличным проявлением чувств.

— Было бы неплохо, если бы вы осмотрели заказанный нами номер и проверили, готова ли кроватка для Стефана, — вежливо сказал Джулиан, понимая ее смущение. — Сейчас я представлю малыша его бабушке и тете, а потом приведу наверх.

Няня кивнула в знак согласия и с облегчением покинула гостиную, очень признательная Джулиану, который вел себя, как истый англичанин.

Наталья и Зита уже сидели рядом, взявшись за руки, и Зита смотрела на Стефана.

— Так, значит, ты Стефан, — мягко сказала она, протягивая к нему свободную руку. — Может быть, подойдешь поближе и поздороваешься со мной? Я давно хотела с тобой познакомиться.

Стефан радостно протянул ей свою пухлую ручку.

— Я хочу посмотреть на море, — откровенно сказал он. — Хочу увидеть волны.

Зита улыбнулась, и Наталья впервые заметила паутину морщинок на тщательно напудренном лице матери. Она быстро взглянула на Катерину. Та стояла рядом с Джулианом, и внезапно Наталья увидела явное напряжение на внешне спокойном лице сестры.

— Теперь все в прошлом, — оживленно заговорила Наталья. — С нами больше не произойдет ничего ужасного.

Катерина улыбнулась, но в ее глазах под густыми ресницами затаилась боль.

Подошел официант с шампанским, и Наталья сказала:

— Я всегда надеялась, что мы соберемся все вместе в Конаке, чтобы выпить шампанского за встречу.

Все промолчали.

Наталья улыбнулась, зная, что всем тоже хотелось бы встретиться в Белграде, а не в Ницце.

— Впрочем, не важно, — философски заметила она, наклоняясь к Стефану и усаживая его себе на колени, — наша следующая встреча будет в Белграде!

Зита с ужасом посмотрела на Джулиана поверх склоненной головы Натальи. Поняв по его исполненному муки взгляду, что он еще ничего не сказал жене о ее положении, она сказала немного неуверенно:

— Наверное, Петр уже проснулся и надо привести его сюда. А потом я поведу детей к морю, чтобы показать его Стефану. — Зита снова повернулась к Джулиану: — Не хотите ли пойти с нами?

Он кивнул, понимая, что у моря они смогут поговорить с глазу на глаз.

Катерина с трудом удерживалась от слез при мысли о том, что Наталье неведомо уготованное ей будущее, и, догадываясь о намерениях матери и Джулиана, сказала:

— Я иду за Петром. Хочешь пойти со мной, Наталья?

Наталья сразу вскочила. Конечно, ей хотелось пойти с сестрой. И не только потому, что она с нетерпением ждала встречи с племянником, но и потому, что ей хотелось расспросить Катерину о ее бывшем муже, узнать, когда и где та познакомилась с майором Злариным и почему они так поспешно поженились.

— Я познакомилась с Иваном вскоре после твоего отъезда, — сказала Катерина, поднимая сонного Петра с постели. — Надвигалась война, и папа понял, что его долго не будет в Белграде. Когда Иван получил приказ остаться в городе и защищать его, папа попросил майора позаботиться о маме и обо мне. Иван пообещал выполнить его просьбу, и папа привел его в наш дом, чтобы познакомить с нами.

— И ты сразу в него влюбилась? — спросила Наталья, принимая озадаченного Петра из рук Катерины и сажая его себе на колени.

Катерина заколебалась. Она все еще чувствовала себя виноватой перед Иваном и не знала, стоит ли говорить об их отношениях.

— Нет... вряд ли... — неуверенно сказала она.

Глаза Натальи удивленно расширились.

— Тогда почему же...

Катерина не дала ей закончить. Петр уже совсем проснулся и слушал их разговор. Она поспешно сказала:

— Я все расскажу тебе потом. Когда мы будем одни. — Она начала надевать Петру теплые рейтузы.

— Кто еще из наших уцелел? — спросила Наталья с побелевшим лицом. — Евдохия? Вица?

Катерина кивнула, и Наталья продолжила:

— А Макс? Он жив?

Лицо Катерины потемнело, и Наталья была уверена, что сейчас услышит от сестры о гибели Макса.

— Макс и его люди одними из первых вошли в Белград. Сейчас он там вместе с Сандро. — Катерина на мгновение заколебалась, затем сказала со странной интонацией в голосе: — Он женился. Встретил в Салониках гречанку и...

— Гречанку! — Наталья была удивлена не меньше, чем если бы Катерина сообщила, что Макс женился на турчанке. — И как к этому отнеслась тетя Евдохия?

Катерина опустилась на колени и начала втискивать ручки Петра в рукава пальто, так что Наталья не могла видеть выражения ее лица.

— Одному Богу известно, — сказала Катерина, застегивая пуговицы на пальтишке Петра, а затем добавила: — У них есть сын. Ксан.

Наталья недоверчиво покачала головой:

— Не могу себе представить, чтобы Макс женился. Он был всегда таким унылым и молчаливым. Я обычно боялась с ним танцевать. Он такой неуклюжий и...

— Просто он очень застенчив, — неожиданно сказала Катерина, поправляя темно-синий бархатный воротник на нежно-голубом пальтишке сына.

У Натальи приоткрылся рот от удивления.

— Застенчив? — недоверчиво переспросила она, когда снова обрела дар речи. — Как такой великан может быть застенчивым? Он ведь герой войны!

— Тем не менее, — сказала Катерина уверенно. Она распрямилась. — Пойдем вниз и познакомим Петра со Стефаном.

Наталья продолжала сидеть. Ей надо было выяснить еще кое-что, о чем не хотелось говорить при матери и Джулиане.

— Ты слышала что-нибудь о Гаврило, Трифко и Неджелко? — спросила она с тревогой в глазах. — Тебе известно, где они отбывают наказание — в Боснии или в Австрии?

Заметив выражение лица Катерины, она почувствовала, как ее сердце сжимается от страха.

— В чем дело, Трина? Неужели никто не знает, где они? Неужели...

— Позволь, я отведу Петра в другую комнату, — сказала сестра.

Катерина подвела сына к двери в спальню, открыла ее и сказала:

— Подожди меня здесь, милый. Поиграй пока с моей шкатулкой. Я долго не задержусь. Обещаю.

Когда она вернулась в устланную мягким ковром комнату, ее лицо было мрачным. Наталья со страхом смотрела на Катерину.

— Так в чем же дело? — вновь спросила Наталья дрожащим голосом. — Гаврило болен? Или он...

Катерина села напротив и нежно взяла сестру за руку.

— Он умер, — сказала она глухо, зная, как нелегко сообщать подобную новость.

Наталья попыталась что-то сказать и не могла. Казалось, она падает в бездонную пропасть. Гаврило не мог умереть, особенно сейчас, когда миллионы славян освободились от габсбургской тирании и его считали бы спасителем, а не преступником.

— Он умер в крепости небольшого городка, где-то между Прагой и Дрезденом. Чешский врач, который там его лечил, написал об этом Сандро...

— А Трифко и Неджелко? — прошептала Наталья. — Их тоже нет в живых?

Катерина кивнула, и Наталья глухо застонала, обхватив себя руками.

— Сожалею, Наталья. Это действительно так. — Она немного помолчала, затем тихо добавила: — Они все страдали чахоткой, и болезнь их сгубила.

Катерина не стала говорить об условиях, в которых содержали заключенных, — о холодных, сырых казематах без окон, где мог умереть любой. Не сказала она и о последних мучительных днях Гаврило.

«Ему сломали при аресте ребро и руку, — сообщал доктор в письме, написанном мелким аккуратным почерком. — Он не получил надлежащей медицинской помощи, и рука загноилась. В 1917 году ее ампутировали, и поэтому перестали надевать наручники. Он был закован в ножные кандалы, находился в почти бессознательном состоянии и постоянно кашлял».

Это было слишком тяжело, и Катерина не стала делиться с Натальей подробностями.

— Пойдем вниз, — мягко сказала она. — Надо познакомить Петра со Стефаном.

Наталья глубоко переживала смерть бывших друзей, но старалась не показывать своих чувств, потому что знала — ее мать не хочет вспоминать о том, что явилось причиной их столь долгой разлуки.

Днем, стараясь отвлечься от тяжелых мыслей, пока она не останется одна, чтобы выплакаться вволю, Наталья заметила, что Петр, будучи младше Стефана, одного с ним роста. Она снова подумала о майоре Зларине. Очевидно, он был высоким брюнетом, судя по шелковисто-черным волосам Петра. Наверное, он был красив. Как Ники.

При мысли о Ники она задумалась, рассказать ли о нем Катерине. Ей хотелось, чтобы сестра узнала, какой ответственный пост ее любовник скоро займет в национальном правительстве. Но можно ли довериться сестре? От безуспешных попыток прийти к какому-то решению у Натальи разболелась голова, и она мучительно думала о том, почему в ее жизни все время возникают сложности.

***

Ночью, когда Стефан и Петр мирно спали в соседней комнате, Наталья присела на край Катерининой кровати с чашкой какао в руке. Сестры были в ночных рубашках, и вся обстановка напоминала прежние времена. Правда, Наталья не собиралась оставаться в комнате сестры на ночь.

— Я очень соскучилась по нашим разговорам перед сном, — сказала Наталья с трогательной откровенностью. — Помнишь, как мы делились своими секретами, как хихикали...

Улыбка осветила лицо Катерины.

— Разве? — усмехнулась она.

Наталья вспомнила о своих тайных посещениях кофейни «Золотой осетр» и покраснела.

— Я хотела рассказать тебе тогда о Гаврило, — смущенно сказала она, — но боялась, что ты не одобришь мои знакомства.

Они немного помолчали. Катерина подумала, что их жизнь могла бы сложиться совсем по-другому, доверься ей тогда Наталья, а Наталья страдала от того, что снова никак не могла открыть душу сестре, как хотела, и только потому, что боялась ее неодобрения.

Вместо того чтобы рассказать ей о Ники, она подтянула колени к груди и спросила:

— Может быть, расскажешь мне об Иване? Мама и папа одобрили твой выбор? Вы венчались в церкви? Почему ты так поспешно вышла замуж, если не была влюблена в него с первого взгляда?

— Не я полюбила Ивана с первого взгляда, — медленно произнесла Катерина, — а он влюбился в меня при первой же встрече. После свадьбы он мне в этом признался.

— Но он должен был объясниться в любви до свадьбы! — возразила Наталья, еще более заинтригованная.

Катерина немного подалась вперед, потуже обхватив руками свои колени; ее длинные волосы, свободные от шпилек, шелковистыми прядями спадали на плечи.

— Все началось тогда, когда папа написал маме письмо, в котором сообщал, что Макс хочет на мне жениться и что...

— Макс! — Потрясенная Наталья едва не свалилась с кровати. — Не могу поверить! Макс? Он никогда не проявлял ни малейших признаков любви к тебе. Помнишь, как...

Катерина быстро ее прервала:

— Папа отнесся благосклонно к его предложению. В своих письмах во время упорных боев с австрийцами он надеялся, что я соглашусь стать женой Макса. Он был очень огорчен... — Она смущенно замолчала, а Наталья с увлажнившимися глазами погрузилась в горькие воспоминания.

— Тем, что привело к моему браку с Джулианом?

Катерина кивнула; ее горло сжалось. Затем, вновь обретя способность говорить, она продолжила:

— Единственное, чего хотел папа, так это быть уверенным в моем будущем, и я поняла — если скажу ему, что влюблена в кого-то другого, он не станет настаивать на моем браке с Максом.

— Но при этом ты ни в кого не была влюблена! — Наталья едва могла поверить в то, что услышала. Но не могла же Катерина ей лгать.

— В отсутствие папы Иван добросовестно выполнял данное ему обещание по возможности заботиться о маме и обо мне. Я относилась к нему с большим уважением, и он был очень красив...

Катерина снова замолчала, и Наталья не стала ее торопить. Затаив дыхание, с округлившимися глазами, она ждала продолжения рассказа.

— Когда австрийцы впервые перешли границу и наши войска отступили на юг для передислокации, это было ужасное время, Наталья. Госпитали были переполнены ранеными. Я работала медсестрой вместе с мамой, Сиси и Хельгой, и мы знали, что наши солдаты уходят, и город будет оккупирован. Ивану удалось меня повидать. Он очень просил меня отправиться вместе с мамой в Ниш, но я ему сказала, что это невозможно. С первых дней боев мама твердо решила, что не покинет город...

Наталья глубоко, с удовлетворением вздохнула. Она всегда знала, что ее мать героическая женщина, и вот теперь получила подтверждение этому.

— Я ему сказала, что, если бы он попросил меня о чем-нибудь другом, я бы согласилась без колебаний...

— И? — Наталья едва сдерживала свое волнение. — И что он сказал?

— Он попросил меня стать его женой.

— И ты согласилась? Едва зная этого человека? Ты согласилась только ради того, чтобы не выходить за Макса?

Красивое лицо Катерины исказилось от мучительной боли.

— Да, — сказала она, чувствуя себя виноватой. — На раздумья не было времени, и я надеялась, что в дальнейшем смогу полюбить Ивана, тогда как была совершенно уверена, что не способна полюбить Макса.

Наталья была поражена.

— Я едва могу в это поверить, Трина. Что было бы, если бы ты ошиблась и не смогла полюбить его после свадьбы?

Катерина молчала, ее глаза потемнели от чувств, которые она не могла выразить. Когда-нибудь она расскажет Наталье о свадебном пире и о том ужасном откровении, когда вдруг поняла, что вряд ли сможет полюбить Ивана, в то время как к Максу у нее возникли нежные чувства. Однако сегодня еще не время. Уже за полночь, и она уверена, что Джулиан ждет Наталью в их номере, соседнем с ее комнатой.

Спустя некоторое время Наталья, поцеловав сестру и пожелав спокойной ночи, ушла к Джулиану, а Катерина лежала без сна в темноте, вспоминая ту минуту, когда он ее приветствовал.

Их встреча оказалась не такой страшной, как она опасалась. Война его изменила, как изменила всех, хотя не было заметно каких-либо явных признаков лишений, которые он перенес, воюя во Фландрии. Несмотря на то что на его висках появилась седина, светлые волосы были по-прежнему густыми и упругими, как у барашка, и подлиннее, чем обычно у англичан, которых ей приходилось когда-либо встречать. Она была рада, что он жив и здоров, но к радости примешивалось и другое чувство, которое оказалось гораздо мучительнее, чем она предполагала.

Катерина по-прежнему его любила. Она поняла это в то мгновение, когда Джулиан коснулся при встрече ее руки, и ей стало не по себе, как в тот день, когда она узнала, что он женится на Наталье.

Она ощущала почти физические муки. Это была ноша, с которой ей придется пройти через всю жизнь, ни с кем не делясь, особенно с Натальей.

Наталья тоже мучилась, нуждаясь в исповеди. Через несколько дней после их возвращения в Лондон Ники должен будет отправиться в Белград, и она со Стефаном собиралась поехать вместе с ним или чуть позже, как только представится возможность. Когда это произойдет, вряд ли удастся сохранить в тайне их отношения, и ей хотелось обо всем рассказать Катерине сейчас, чтобы ее предупредить.

Не дожидаясь последнего дня в Ницце, Наталья набралась храбрости. Они гуляли вдвоем по паркам, спускающимся с холмов к порту, которые напоминали Наталье

Калемегданские сады. Джулиан пошел со Стефаном и Петром в морской аквариум. Зита прилегла после обеда.

— Как жаль, что завтра придется распрощаться, — внезапно сказала Катерина.

Хотя январское небо оставалось безоблачным, было довольно прохладно, и ее руки в перчатках были глубоко спрятаны в муфту из волчьего меха.

Наталья поплотнее прижала к горлу шерстяной воротник своего пальто. Оно было застегнуто на перламутровые пуговицы до самого верха, а на голове красовалась подобранная в тон шляпа с эгреткой из ярких перьев.

— Это ненадолго, — сказала она Катерине. — Я хотела рассказать тебе кое-что с первых минут нашей встречи и вот сейчас наконец решилась.

Катерина посмотрела на нее с внезапным опасением. В голосе Натальи прозвучали знакомые вызывающие нотки. Она прекрасно помнила этот тон, многозначительный, предвещавший неприятности.

Они подошли к деревянным скамейкам, с которых открывался великолепный вид на море, и Катерина сказала:

— Давай сядем. Ты опять что-то натворила?

— Я влюбилась, — сказала Наталья, решив не тратить время на предисловие.

Катерина облегченно вздохнула.

— Рада за тебя, — искренне сказала она. — Впрочем, можно было бы и не говорить об этом. Стоит только взглянуть на тебя и Джулиана...

Тонкие брови Натальи взметнулись вверх, почти скрывшись под ниспадающей на лоб челкой.

— Речь не о Джулиане, — сказала она, удивившись наивному предположению Катерины. — Джулиан и я просто друзья. Я влюбилась в славянина. Хорвата. Его зовут Никита Кечко, и он...

Катерина посмотрела на нее странно спокойно.

— Это невозможно, — медленно произнесла она наконец. — Я тебе не верю. Как ты могла кем-то увлечься?

— Это не увлечение, Трина, — раздраженно сказала Наталья. — Я люблю Ники. Уже три года. Он активный член Югославянского комитета, и ему обещана должность в новом правительстве. Он уезжает из Лондона в Белград через несколько дней и я, вероятно, поеду с ним. А если нет, то последую за ним, как только смогу...

— Я тебе не верю! — повторила Катерина с широко раскрытыми, потемневшими от гнева глазами. Подобного выражения глаз сестры Наталья никогда не видела прежде и не могла понять сейчас. — Я не верю, что ты можешь быть такой эгоистичной, глупой и... безнравственной!

Румянец стерло со щек Катерины, и Наталья почувствовала, что кровь отхлынула и от ее лица.

— Безнравственной? — обиженно воскликнула она. — Как ты можешь говорить такое? Да если бы я не пожертвовала собой, выйдя замуж за Джулиана, мама была бы разлучена с папой более чем на четыре года!

— Они и так были в разлуке, — сказала Катерина с неожиданной резкостью. — И у мамы не было бы необходимости сопровождать тебя в Швейцарию или куда-нибудь еще, если бы не твое неосторожное, безответственное поведение...

— Это неправда! — возмущенно парировала Наталья. — Моя встреча с Гаврило в Сараево была лишь роковой случайностью...

— Роковой случайностью? — Вспомнив обо всем, к чему привела эта роковая случайность, Катерина почувствовала, что ее охватывает гнев, на который она, как считала прежде, никогда не была способна. — Эта «роковая случайность» разрушила наш мир! Из-за нее мы теперь никогда не станем той единой семьей, какой были раньше! Никогда!

Никогда! Никогда! И все из-за того, что ты ни разу не задумалась о последствиях своей дружбы со студентами-националистами! Ты и сейчас не думаешь ни о ком, кроме себя! Джулиан тебя любит! Как ты можешь его бросить после всего того, что он для тебя сделал?

Это была самая серьезная ссора между ними, и она возникла так неожиданно, что Наталья не могла поверить в случившееся.

— Джулиан знает, что я его не любила, когда мы поженились, — возразила она, желая, чтобы Катерина поняла реальное положение вещей и то, что теперь самое главное для нее — поскорее вернуться в Белград. — Папа и мама об этом знали, да и ты тоже! Ты не можешь требовать, чтобы я прожила всю свою жизнь без любви...

— Ты никогда не жила без любви! Как и сейчас! — Никогда еще Катерина не говорила так страстно. — Джулиан любит тебя всем сердцем, и это очевидно, стоит только на вас посмотреть. Ты должна быть с ним счастлива. Ты не можешь его бросить... это будет просто безумием!

В нескольких шагах от них по дорожке пробежала белочка и исчезла в кустарнике на склоне горы. Никто из сестер не обратил на нее ни малейшего внимания.

— Это вовсе не безумие, — возразила Наталья, смертельно обиженная. — При сложившихся обстоятельствах это самый разумный и честный поступок.

— При каких это обстоятельствах? — Катерина говорила очень тихим, но неумолимым тоном.

Наталья колебалась, но Катерина не спускала с нее глаз и она поняла, что у нее нет другого выхода, как только рассказать всю правду.

— У меня будет ребенок, — призналась Наталья. — Это ребенок Ники, и я хочу сообщить об этом Джулиану, как только мы вернемся в Лондон. Мне не хотелось портить нашу семейную встречу, и потому я пока еще ничего ему не сказала...

— Боже милостивый, — прошептала Катерина, неуверенно поднимаясь со скамьи с побелевшим лицом. — Боже милостивый!

— ...и я уверена, он меня поймет. Не то, что ты. Мы по-прежнему останемся друзьями. Стефан будет его навещать по праздникам, а может, Джулиан приедет в Белград...

— В Белград?

— Да. Я уже тебе говорила. Ники уезжает из Лондона в Белград. Он будет участвовать в формировании нового правительства, хотя я пока не знаю, в каком качестве...

— И ты намерена последовать за ним?

В голосе Катерины прозвучали странные нотки. Настолько странные, что Наталья вдруг испугалась.

— Да. Я же говорила. Мы можем поехать вместе или я отправлюсь за ним следом через несколько дней вместе со Стефаном...

Катерина подумала о всех страданиях, которые пришлось претерпеть их семье из-за глупости Натальи в прошлом, и о тех муках, которые может принести ее нынешнее дурацкое поведение. Она подумала о Джулиане, о его бескорыстии и честности, а также о том, что если бы он не поспешил жениться на Наталье, то мог бы быть ее собственным горячо любимым мужем.

— Ты никогда не вернешься в Белград, Наталья, — очень медленно и твердо произнесла Катерина. — Сандро запретил тебе въезд в страну.

Наталья недоуменно посмотрела на сестру.

— Я тебе не верю! Ты просто пытаешься меня запугать!

Катерина покачала головой, и Наталья почувствовала, что ее охватывают холодные волны ужаса.

— Этого не может быть! — Ее голос сделался хриплым и едва узнаваемым. — Сандро меня любит! Зачем ему так поступать? Нет абсолютно никакой причины...

— Сандро готов на все, чтобы отстоять честь Сербии. Ему было очень нелегко принять такое решение. Еще до того, как ты покинула Белград, австрийцы потребовали твоей выдачи. В их архивах до сих пор хранится копия этого документа. Если о нем станет известно, мировая общественность свяжет убийство эрцгерцога Франца-Фердинанда с домом Карагеоргиевичей. Сандро решил, что в случае возникновения такой ситуации он заявит, что ты была объявлена персоной нон грата в Сербии сразу же после убийства. Он давно сообщил мне о своем решении. Он также рассказал об этом папе, а папа Джулиану.

— Нет! — Наталья почувствовала, что земля закачалась и уходит у нее из-под ног. — Я тебе не верю! Будь это правдой, Джулиан рассказал бы мне об этом!

— Возможно, он не хотел причинять тебе боль. — Голос Катерины был неумолимо тверд. — Возможно, он ждал подходящего момента, так же как и ты, чтобы сообщить ему о Никите и о своей беременности.

Наталья пыталась что-то сказать и не могла. Ужас сковал ее. Какова будет реакция Ники, если он узнает, что она никогда не сможет вернуться в Белград? Останется ли он в Лондоне? А если нет, и Джулиан отреагирует на ее сообщение так же резко, как Катерина, что тогда? Что делать? Куда деваться?

Но самое главное — как она сможет жить дальше, не имея возможности вернуться на родину? Она даже не могла себе представить такое будущее. Это невыносимо. В ее ушах до сих пор звучали чудовищные слова — «персона нон грата».

— Что же мне делать, Трина? — хрипло прошептала Наталья. — Я не смогу всю оставшуюся жизнь провести в изгнании! Я не смогу жить с такой болью! Я не переживу этого!

На какое-то мгновение их взгляды встретились, и Наталья с ужасом наконец поняла, что выражали серо-зеленые глаза сестры. Это было презрение.

Она судорожно втянула в себя воздух, снова пытаясь протестовать, но Катерина, ни слова не говоря и не протянув руки, чтобы ее утешить, повернулась и медленно пошла по дорожке, по обочинам которой росли крокусы.

Глава 18

Наталья застыла на месте, не в силах произнести ни слова. Она смотрела вслед Катерине, с трудом осознавая весь этот чудовищный кошмар. Как могла Катерина наговорить ей таких ужасных вещей? Как могла она быть такой безразличной? Такой безжалостной?

Прилетели две маленькие птички и, щебеча, устроились поблизости на ветках кустарника. Белочка вернулась на край дорожки и уселась на задние лапки, наблюдая за ней своими глазками-бусинками. Вдали зимнее солнце ярко освещало красные крыши домов неподалеку от порта и отражалось на бескрайней, мерцающей поверхности моря.

Катерина уже скрылась из виду, и Наталья внезапно ощутила ужасный озноб. Скамья, на которой она сидела, была открыта всем ветрам, и холод незаметно пробрал ее до костей. Она с трудом встала. Надо вернуться в отель и поговорить с Джулианом.

Как только она вошла в свой номер и Джулиан посмотрел в ее глаза, ему стало ясно, что Катерина уже ей рассказала о вынужденном изгнании.

— О любовь моя, — сказал он с явным состраданием и быстро подошел к Наталье. — Я не хотел тебе говорить, пока не закончится свидание с твоей матерью и Катериной. Не хотелось омрачать эти радостные дни.

Он нежно ее обнял, стараясь утешить, а она спросила его сдавленным голосом:

— Значит, это правда? Все, что сказала Катерина?

— Я не знаю, что именно она тебе сказала, но ты должна ей верить.

Наталья не обняла его в ответ. Несмотря на пережитый ужас, где-то в глубине души она лелеяла надежду, что Катерина ошиблась и что Джулиан скажет об этом, и все будет хорошо. Ее горе было таким глубоким, что она не могла даже плакать. Казалось, ее душа была мертва и она уже никогда не будет способной на проявление каких-либо чувств.

Приходила мать и посидела рядом с ней. Приходил доктор и дал ей снотворное. Джулиан всеми силами старался ее утешить, обнимая и рассказывая, что они смогут ежегодно встречаться всей семьей в Ницце и что ее родители и Катерина с Петром смогут подолгу видеться с ними, если приобретут собственный дом в Лондоне или в какой-нибудь другой европейской столице.

Наталья понимала, что необходимо ему сказать о будущем ребенке, но не могла этого сделать, как не могла и плакать. Сначала она все расскажет Ники. И надо было сделать это еще несколько недель назад. Она также ему скажет, что они никогда не смогут жить вместе в Белграде, а вместо этого должны будут поехать в Загреб или в Сараево.

На следующее утро Катерина спросила, может ли она попрощаться с Натальей в отеле, чтобы не делать этого на вокзале. Ни Джулиан, ни ее мать не сочли эту просьбу странной, полагая, что Катерина слишком расстроена и не хочет выказывать свои чувства на людях.

Когда она вошла в комнату, Наталья сидела за туалетным столиком в длинном вишневом платье и в пальто, в которых она приехала. Их глаза встретились в зеркале.

— Ты еще ему не сказала? — сурово спросила Катерина.

Наталья покачала головой, не оборачиваясь. Она была подавлена изменениями, происшедшими с Катериной, которая из любящей сестры превратилась в холодную, откровенно враждебную к ней особу.

— Ты хочешь сначала все рассказать Ники? — настаивала Катерина все тем же бесстрастным, безжалостным тоном, которым она сообщила ей о страшном решении Сандро. — Думаешь, если Ники тебя бросит, ты сможешь убедить Джулиана, что это его ребенок?

Со сдавленным криком Наталья развернулась на вращающемся стуле.

— Нет! Как ты можешь так говорить! Я собираюсь рассказать Ники первому, потому что это его ребенок и он должен о нем узнать раньше остальных!

Это было действительно так. Она и не думала скрывать что-либо от Джулиана, даже если Ники ее бросит. И сейчас, глядя в серо-зеленые глаза сестры, она поняла, что если бы и решилась на обман, Катерина не допустила бы этого.

— Почему ты так жестока со мной, Трина? — спросила Наталья, действительно не понимая столь враждебного отношения сестры. — Почему ты не хочешь знать, как тяжело мне быть замужем за человеком, которого я не любила...

Наталья никогда еще не видела, чтобы глаза у Катерины были такими темными, и на фоне отливающих медью волос бледная кожа ее лица казалась фарфоровой.

— В таком случае тебе не следовало выходить за него замуж, — неумолимо сказала Катерина. — Тебе надо было уехать в Швейцарию с мамой, а Джулиан, возможно, полюбил бы кого-нибудь другого, кто действительно его любит.

Изумление Натальи росло с каждой секундой.

— Ты говоришь так, словно кто-то был в него влюблен, когда мы жили в Белграде! Ничего подобного. Все это несерьезно. Возможно, Вица была им увлечена, но...

— Ты ошибаешься, — сказала Катерина с болью. — Был один человек, кто тогда его любил. И сейчас любит.

— Не думаю, — сказала Наталья, но на этот раз не так уверенно. — Откуда ты знаешь? Кто... — Ее голос замер, когда она прочитала в глазах сестры ответ на свой неоконченный вопрос.

Позади Катерины открылась дверь, и вошел Джулиан, держа за руку Стефана.

— Пора ехать, дорогая. Такси уже ждет нас более четверти часа.

— Я не хочу уезжать! — сказал Стефан дрожащим голосом. — Хочу остаться с бабушкой и тетей Триной. Хочу остаться с Петром!

Когда Джулиан подошел к Наталье и свободной рукой взял ее за локоть, она все еще не спускала глаз с Катерины. Теперь она наконец поняла причину столь резкого отношения к ней сестры. Она поняла также, что Катерина никогда не признается в своих чувствах, тем более что сейчас им предстояла разлука, возможно, более длительная, чем предыдущая. Больше не будет задушевных разговоров по ночам с кружкой какао, не будет совместных прогулок.

Горестное чувство от того, что она лишилась любви и дружбы Катерины, обострялось тем, что она была навсегда отлучена от Сербии.

— Трина! — сказала Наталья с дрожью в голосе, безнадежно пытаясь восстановить добрые отношения с сестрой, прежде чем они навсегда расстанутся. — Трина!

На какое-то мгновение она увидела в глазах Катерины ту же боль, что испытывала сама, всего лишь на мгновение за последние сутки. Затем Катерина повернулась и ушла.

Отчаяние охватило Наталью, когда она вышла из отеля под руку с Джулианом. За последние несколько часов она потеряла Катерину и надежду вернуться на родину. Наталья вспомнила, в каком приподнятом настроении она приехала в отель «Негреско», а уезжает с болью в сердце. Единственным ее утешением оставался Ники.

В такси, когда они ехали на железнодорожный вокзал, она ощутила в душе проблеск надежды. Ники не допустит, чтобы она навсегда оставалась в изгнании. У него есть влиятельные друзья в Югославянском комитете, которые играют большую роль в формировании нового правительства. Они могут ей помочь, сделав заявление от ее имени, и когда Сандро узнает о ее горе, он немедленно разрешит ей вернуться.

Вера в то, что она придумала в своем воображении, придала Наталье силы, когда пришло время попрощаться с матерью на перроне вокзала, и она сделала это с похвальным самообладанием. Теперь перед ней снова открывалось будущее. Скоро она будет в Белграде и тогда более обстоятельно поговорит с Катериной о Ники.

Когда поезд отошел от вокзала, Джулиан взял Стефана на колени, вытер ему слезы и пообещал, что он скоро снова увидится с бабушкой, тетей и двоюродным братиком. Наталья посмотрела на мужа и подумала, знает ли он о том, что Катерина его любит.

Она вспомнила, с какой непринужденностью и нежностью он приветствовал Катерину, когда они прибыли в «Негреско», и поняла, что Джулиан ни о чем не догадывается.

Чем больше Наталья думала о невысказанном признании Катерины, тем более невероятным оно ей казалось. Когда же Катерина успела влюбиться в Джулиана? И почему ничего не сказала ей об этом? Расскажи ей Катерина, что влюблена в Джулиана, она, Наталья, ни за что не согласилась бы выйти за него замуж.

Но сестра промолчала. Обе хранили при себе свои секреты, и вот что из этого вышло.

Поезд мчался на север. Наталья решила, что после того, как она расскажет Ники и Джулиану о будущем ребенке, никогда в жизни больше не будет что-либо скрывать. Слишком тяжелы потрясения, которые ей пришлось пережить. В будущем ее жизнь станет открытой книгой, без всяких неприятностей и сложностей.

Воодушевленная своим решением и уверенная, что ее изгнание лишь временное, Наталья взглянула на часы, подсчитывая время, оставшееся до встречи с Ники.

— ...итак, мы едем в Белград в конце недели! — радостно сказал Ники, наливая сливовицу в большие стаканы.

Они находились в его комнате, на кровати стояла большая, наполовину уложенная дорожная сумка. Наталья сидела рядом. Ее сообщение могло очень расстроить Ники. Все эти годы войны он так же, как и она, мечтал вернуться на родину. Глядя, как Ники одним духом опорожнил свой стакан, Наталья почувствовала подступивший к горлу комок. Она не притронулась к сливовице и сказала:

— Мне надо с тобой поговорить. Это очень важно.

Его широкая, ослепительная улыбка исчезла.

— О твоем муже? Ты не хочешь его оставить? Это потому, что ты довольно долго пробыла с ним в Ницце?

Она покачала головой, довольная тем, что он ее ревнует.

— Нет. Речь идет о политических проблемах...

Ники насторожился.

— Ты имеешь в виду князя-регента? — отрывисто спросил он. — Тебе известны его намерения, о которых он еще не сообщал? Относительно внутренней организации нового государства?

Наталья крепко сцепила руки на коленях и сказала:

— Это связано с одним из решений Александра, а не с новым государством.

— Тогда в чем дело? — Ники еще больше нахмурился. — Он написал тебе в Ниццу? Или передал сообщение через сестру или мать?

— Он сообщил через мою сестру. — Во рту у нее внезапно пересохло. — Я уверена, это ненадолго. Как только Александру объяснят истинное положение дел, он...

— Какое положение, о чем ты? — Ники весь напрягся и замер.

Наталья глубоко, прерывисто вздохнула.

— Из-за того, что я виделась с Гаврило в Сараево за день до убийства эрцгерцога, австрийцы потребовали моей выдачи...

Ники глубоко втянул в себя воздух и смотрел на Наталью расширившимися глазами.

— ...Александр опасается, что это может стать достоянием гласности, и тогда мировая общественность решит, что Карагеоргиевичи были связаны с заговором с целью убийства Франца-Фердинанда. Поэтому он мне запретил возвращаться в Сербию.

— О Боже!

Наталья не обратила внимания на это восклицание и быстро продолжила:

— Все это мне рассказала Катерина, но я ей не верю. Александр не мог объявить меня персоной нон грата. Скорее всего это идея премьер-министра. Александр, по-видимому, считает, что я вполне счастлива в Англии, и потому согласился на это, но когда он узнает, как я мечтаю вернуться на родину, он изменит свое решение...

— Но до конца недели этого не случится!

Наталья с болью посмотрела на дорожную сумку и сказала:

— Вместо Белграда мы могли бы поехать в Загреб и там подождать, пока...

— В Загреб?

Она кивнула.

— Я знаю, в Белграде сейчас происходят самые важные события, но Загреб — твоя настоящая родина, и мы могли бы находиться там, пока мой отец и твои друзья из нового правительства не объяснят Александру...

— Как же ты можешь поехать в Загреб? — сказал Ники, прервав ее. — Хорватия и Сербия теперь входят в объединенное государство. Если тебе запрещен въезд в Сербию, то, значит, и в Хорватию тоже. Ты не можешь поехать и в Загреб!

Наталья смотрела на него широко раскрытыми глазами, осознав наконец всю трагедию своего положения.

— Нет... — прошептала она ошеломленно. — Этого не может быть... не может...

— На самом деле это так, — сказал Ники. — Ты попросила сестру поговорить с Александром по ее возвращении домой?

Наталья покачала головой, все еще пытаясь оправиться от нового удара.

— Нет.

Ники пожал плечами и принялся укладывать свои вещи.

— В таком случае чем быстрее ты с ней свяжешься, тем лучше, — сказал он, кое-как запихивая одежду в дорожную сумку.

Наталья ошеломленно наблюдала за ним.

— Ты меня не понял, — сказала она. — Если нельзя вернуться в новое королевство, мы можем подождать в Лондоне, пока Александр не даст разрешения на мое возвращение в Белград.

— Ты — персона нон грата, — сказал он. — А я нет. И не останусь в этой чертовой стране ни на один день! Я не намерен торчать в Лондоне, дожидаясь решения твоих проблем.

Он начал застегивать замок на сумке, а Наталья, чувствуя, как взволнованно бьется ее сердце, снова повторила:

— Ты не понял, Ники. Я не могу оставаться без тебя в Лондоне, потому что... потому что...

— Почему? — Ники усмехнулся и по выражению его лица она поняла, что он подумал о сексе.

— Потому что у меня будет ребенок, — кратко сказала она.

Улыбка сошла с его лица.

— Это не слишком удачная шутка.

— Я не шучу.

Он нахмурился, не отрывая от нее взгляда, и Наталья почувствовала раздражение. Все складывалось не так, как она предполагала. Она думала, он будет гораздо больше расстроен, узнав о том, что она не может вернуться в Белград. И, конечно, не ожидала, что его планы останутся прежними. Но менее всего она рассчитывала сообщить ему о ребенке в такой совершенно неподходящий момент. Ей представлялось, что они нежно обнимут друг друга и Ники будет взволнован и рад, услышав эту новость.

Он нахмурился еще сильнее.

— Так, значит, ты беременна?

Наталья кивнула.

— И поэтому не могу оставаться в Лондоне одна. Как только я получу разрешение на въезд в страну, мы поедем вместе, и ребенок родится в Белграде...

Ники продолжал хмуриться.

— Ты еще не сказала об этом мужу?

— Нет. Но собираюсь рассказать сегодня вечером, когда вернусь домой. — Она оглядела маленькую неприглядную комнатушку. — Нам надо подыскать что-нибудь получше до отъезда в Белград.

— Ты уверена, что ребенок мой?

Вопрос был столь неожиданным и хладнокровным, что на мгновение Наталья подумала, не ослышалась ли она.

— Откуда ты знаешь, что ребенок мой? — повторил он. — Ты провела с мужем достаточно времени. Если ты беременна, вполне возможно, что это его ребенок.

— Нет! — Наталья едва не задохнулась от гнева. — Как ты смеешь делать такие предположения! Я забеременела еще до поездки в Ниццу! Еще до того, как Джулиан вернулся из Салоников!

— Это еще не значит, что ребенок от меня.

Наталья влепила ему звонкую пощечину. На секунду опешив, он нанес ей ответный удар, отчего она едва не упала на кровать.

— Негодяй! — прошипела она, восстанавливая равновесие, на ее ресницах блеснули слезы.

Ники равнодушно пожал плечами.

— Если ты беременна, то это еще не значит, что от меня, — повторил он. — Но даже если это так, для меня нет никакого политического смысла это признавать.

— Политического смысла? — Наталья смотрела на него, как на сумасшедшего. — Политического смысла? Речь идет о ребенке! О нашем ребенке! При чем здесь политика?

— Твой драгоценный двоюродный братец и его премьер-министр мечтают о королевстве сербов, хорватов и словенцев, имея в виду просто Великую Сербию. Однако есть иные влиятельные силы, которые считают, что будущее федеративное государство южных славян должно быть республикой, а не монархией.

— О чем ты говоришь? — Наталья забыла о ребенке и о намерении Ники вернуться в Белград без нее. — В новой конституции ясно сказано, что федеративное государство будет монархией! Это отражено и в названии: «Королевство сербов, хорватов и словенцев»!

— Это временное название, — сухо согласился Ники, — потому что без учреждения монархии новое государство вообще может никогда не родиться. Тем не менее остается место для маневра, и Хорватская национальная партия намерена этим воспользоваться, чтобы соблюсти интересы Хорватии.

— Хорватская национальная партия? — Наталья никогда о такой не слышала. — Значит, говоришь, эта партия намерена действовать против Александра?

— Только в том случае, если Александр будет против радикальной земельной реформы. А я думаю, он будет возражать. В таких обстоятельствах ты понимаешь, в какое затруднительное положение я могу попасть, если распространится слух о моей связи с Карагеоргиевичами, хотя и отдаленной?

Гнев Натальи начал угасать. Чувство, которое она испытывала сейчас, было посильнее гнева. Она была крайне разочарована и чувствовала себя одураченной.

Познакомившись с Ники, она была убеждена, что нашла родственную душу, что у них общие мечты и цели, что между ними существует как духовная, так и физическая гармония. И вот сейчас она поняла, что ничего этого никогда не было. Ники никогда не был предан ни ей, ни членам Югославянского комитета, для него были важны только интересы Хорватии.

Так же как, поддерживая дружбу с Гаврило, Трифко и Неджелко, Наталья не догадывалась об их истинных, террористических намерениях, так и теперь она не сумела разобраться, что взгляды Ники противоречат ее воззрениям.

Наталья стояла напротив Ники, чувствуя, что ее щека все еще горит от его пощечины, и смотрела на этого человека так, словно никогда прежде его не видела. Их души вовсе не были родственными. Он даже не был ей другом. Друг по крайней мере выразил бы ей сочувствие по поводу запрета на ее въезд в Сербию и пообещал бы сделать все возможное, чтобы его отменить. Ники же повел себя по-иному. Ему просто было на нее наплевать. Наталья оглядела комнату, зная, что находится здесь в последний раз. Она выглядела ужасно убогой. Как и их связь. Теперь она наконец поняла, почему Катерина ее презирала. Это было вполне заслуженное презрение.

Наталья не сказала Ники ни слова на прощание. Чувствуя, что задохнется, если не выберется на свежий воздух, она повернулась и бросилась бегом по лестнице на улицу. Ники ее не окликнул, но даже сделай он это, она бы не остановилась. Их роман закончился. Навсегда. И никогда в жизни она больше не будет такой дурой.

— Теперь все кончено, — сказала она Джулиану двумя часами позже в их спальне.

Во время длительного, взволнованного объяснения ее отношений с Ники Джулиан ни разу не прерывал Наталью. Когда она вошла в комнату, он собирался пойти в детскую, чтобы почитать Стефану на ночь сказки Андерсена, и книга все еще была у него в руках.

— Я больше никогда не совершу подобной глупости, — искренне пообещала Наталья, в то время как Белла удобно устроилась у ее ног, — никогда.

Джулиан по-прежнему молчал и не двигался.

— Я очень сожалею, — сказала она. — Я действительно очень сожалею о ребенке. Я понимаю, как это усложняет дело...

Наконец Джулиан обрел дар речи.

— Боже милостивый! — произнес он каким-то чужим голосом. — Ты три с лишним года крутила роман, а теперь сожалеешь!

— Да. Я хотела бы, чтобы этого никогда не было. Чтобы я никогда его не встречала. Я хотела бы...

— Ты полагаешь, ребенок всего лишь создаст некоторые трудности?

Когда их глаза встретились, Наталья вдруг почувствовала неуверенность. Так же как ее сообщение Ники о ребенке вызвало у того непредвиденную реакцию, так и этот разговор развивался непредсказуемым образом.

— Мы не можем больше жить вместе, — резко сказал Джулиан. — Надеюсь, ты это понимаешь?

По выражению ее лица было ясно, что она не понимает.

— Будет лучше, принимая во внимание случившееся, если я найду себе какое-нибудь временное жилье и перееду туда, — продолжал он с напряженным выражением лица и с побелевшими губами. — При этом и Стефан будет меньше страдать...

— Я не могу жить здесь с твоими родителями! Тем более когда они узнают, что ты меня бросил! — Наталья ощутила слабость при одной только мысли об этом. — Твоя мать меня ненавидит! Она по-прежнему считает, что я тебе не пара... — Ее голос затих.

Джулиан не стал констатировать очевидное: его мать была абсолютно права.

— Скандал, связанный с официальным разводом, еще больше расстроит мою мать, и поэтому ради нее я не собираюсь возбуждать дело. Я буду проводить со Стефаном столько времени, сколько позволит моя служба, и приму любое назначение за границу, как только мне его предложат. Надеюсь, Стефан в сопровождении няни сможет навещать меня два или три раза в год.

Он говорил холодным, бесстрастным тоном, внезапно сильно изменившись, как это было с Катериной.

— Я не хочу жить порознь, — неуверенно сказала Наталья. — Я хочу, чтобы мы снова были друзьями...

— Друзьями! — Лицо Джулиана исказилось от боли. — Я ведь твой муж, черт побери! Я знал, что ты не была в меня влюблена, выходя замуж, но потом наши отношения были такими... такими... — Он замолчал, вспомнив об их любовных ласках, затем продолжил: — Не могу представить, как мы могли быть такими счастливыми и так понимать друг друга, если ты меня не любила.

В его голосе послышалась боль, и он, с явным усилием овладев собой, отчего Наталья совсем лишилась присутствия духа, жестко произнес:

— В конце концов я, конечно, подыщу для тебя подходящее жилье, и ты отсюда переедешь. Кроме того, когда Стефан подрастет и поступит в частную школу, надеюсь, он будет проводить каникулы со мной.

Наталья почувствовала, что на лбу у нее выступили капли пота. Сколько ей пришлось вынести за последнее время: сообщение о том, что ей навсегда заказан путь в Сербию; потерю дружбы и любви Катерины; разрыв с Ники. Но самое худшее происходило сейчас.

Рядом с Джулианом она могла бы пережить любые невзгоды, а без него... едва ли. Впервые, хотя и слишком поздно, она поняла, как он был ей нужен. Неожиданно в голове у нее возникли строки из Библии, в которых говорилось о том, как Исайя продал свое право первородства за чечевичную похлебку. Так и она лишилась самого дорогого, что у нее было — любви и уважения Джулиана, ради пошлого любовного приключения.

Неожиданно, когда они продолжали стоять, глядя друг на друга, она вдруг словно прозрела. Джулиан был самым красивым мужчиной, какого она когда-либо видела. Намного красивее Ники с его чисто цыганской внешностью. Он был также самым добрым и великодушным. Даже сейчас он проявлял благородство, не настаивая на разводе, хотя она вполне его заслужила.

Прозрение легло непосильным грузом на ее плечи, и она едва дышала под его тяжестью. Она всегда считала Джулиана самым лучшим и дорогим другом, но сейчас поняла, что он представлял для нее нечто большее. Он был человеком, которого она любила. И любила уже многие годы.

Казалось, весь ее мир изменился, сорвавшись со своей оси. Как же могла она быть так слепа? Так ужасно глупа? Она вспомнила страстный, необузданный отклик, который он вызвал в ней в их первую брачную ночь; тот пыл, с которым она встречала его на вокзале, когда он вернулся после офицерских курсов; муки неизвестности, которые она испытывала, не зная, жив ли он или погиб во Фландрии. Конечно же, она его любила. Он красивый, добрый и честный, и ни одна женщина на ее месте не могла бы его не любить. Он мог ее рассмешить, доставлял необычайную радость в постели и всегда был готов утешить в трудную минуту. А она в ответ предала его самым ужасным образом.

Всем сердцем Наталье хотелось сейчас сказать Джулиану о своей любви, но она знала, что теперь он ей не поверит. Слишком поздно. Признание в любви сейчас покажется ему просто грубой попыткой избежать той участи, которую он так решительно ей уготовил.

Она думала о том, как сузить разделяющую их пропасть, когда Джулиан холодно произнес:

— Кажется, нам больше нечего сказать друг другу, не так ли? — И, не дожидаясь ответа, с болью в глазах повернулся и вышел из комнаты, так же как Катерина в Ницце.

Когда дверь за ним закрылась, Наталья медленно опустилась на край кровати. Джулиан ушел, и она знала — он никогда уже не будет делить с ней эту комнату. Белла начала скулить, и Наталья взяла ее на руки, крепко прижав к себе.

Ранний вечер уже перешел в ночь, а она все еще сидела на постели, погрузившись в тяжелые мысли о прошлых ошибках, переживая нынешнее горе и не представляя, что делать в будущем.

Три дня спустя, когда Наталья вернулась со Стефаном после прогулки, к ней в холле подошла служанка.

— Мистер Филдинг в гостиной и хотел бы, чтобы вы прошли к нему, мадам, — сказала она.

Попросив служанку проводить Стефана в детскую и передать няне, Наталья со страхом вошла в гостиную. К ее огромному облегчению, там никого не было, кроме Джулиана.

Он стоял к ней спиной и смотрел в окно на парк. Джулиан повернулся, и она заметила, как напряглись его плечи, а на скулах запульсировали желваки.

Наталья хотела спросить, где он провел последние три ночи и как объяснит родителям свое отсутствие, но очень волновалась и решила: пусть он заговорит первым.

— Я получил назначение и уезжаю в конце недели, — сказал он.

Наталья была потрясена. Разумеется, она ни на минуту не сомневалась в том, что Джулиан говорил серьезно о своем намерении принять первое же предложение, но не ожидала, что это произойдет так скоро. Теперь, когда их глаза встретились, она потеряла всякую надежду на примирение до того, как он покинет страну.

— Куда ты едешь? — спросила она, вспомнив, как страстно утверждала, что никуда не поедет, кроме Белграда, и с иронией подумала, что, предложи он ей сейчас сопровождать его, она с радостью последовала бы за ним хоть в Тимбукту, хоть в таинственный Китай.

Джулиан немного помолчал. Его волосы цвета спелой пшеницы блестели в лучах весеннего солнца, проникающих через окно позади него. Затем он медленно произнес:

— В Белград.

Глава 19

Покинув комнату Натальи в отеле «Негреско», Катерина почувствовала себя обездоленной, как никогда в жизни. Ведь Наталья была не только ее сестрой, но и лучшей подругой, а теперь их дружбе пришел конец.

Придя к себе в номер, Катерина закрыла за собой дверь и присела на край кровати. Дружба с сестрой не просто кончилась — она сама порвала их отношения. На глаза у нее навернулись слезы. Но она не могла простить Наталье ее измену Джулиану. И хуже всего — сестра совершенно не понимала чудовищной эгоистичности и глупости своих поступков.

Катерина снова вспомнила о наивной вере сестры в то, что заговор Гаврило и его друзей против Габсбургов обойдется без человеческих жертв. Ее слепота была просто невероятной, и даже после трагических событий, которые явились следствием ее дружбы с Гаврило, Наталья оставалась все такой же наивной.

Вспоминая об их детстве, Катерина подумала, что, возможно, она и ее родители отчасти виноваты в неспособности Натальи правильно оценивать события. Возможно, надо было обходиться с ней построже, не позволяя наивному оптимизму заслонять суровую правду жизни. Она вспомнила, какой энергичной и веселой была Наталья, и поняла: ничто не смогло бы ее изменить. Любая попытка подавить жизнерадостность сестры была бы воспринята ею как совершенно ненужная жестокость.

Во время долгого возвращения в Белград горечь от разрыва с Натальей не покидала Катерину. Ее мать, не зная об истинных причинах подавленного настроения дочери, полагала, что Катерина, как и она сама, тяжело переживает изгнание Натальи, и потому ни о чем ее не спрашивала. Катерина была ей благодарна.

Когда поезд пересек границу Сербии и двинулся по ее территории, вид из окна вызывал невыносимую боль: невозделанные поля, сожженные мосты, разрушенные города... Сердце Катерины разрывалось от боли. Потребуется несколько лет, а может, десятилетий, прежде чем пострадавшая от войны страна сможет подняться.

Подъехав к Белграду, они с трудом его узнали. Почти все дома были или полностью разрушены, или сильно повреждены.

— Все это будет восстановлено, — сказала Зита, угадав мысли дочери. — И тогда Белград станет таким же прекрасным городом, как Женева или Париж.

Катерина не сомневалась в этом, но когда поезд замедлил ход, она подумала о другом.

— Папа будет встречать нас на вокзале? — спросила она с нетерпением, застегивая пальтишко Петра и приглаживая его волосы. — Надеюсь, он получил твою телеграмму с сообщением о нашем отъезде из Ниццы?

— Бог знает, — сказала Зита, пытаясь открыть вагонное окно. — Мне кажется, что телеграф во время войны тоже пострадал, и я сомневаюсь, что моя телеграмма дошла до адресата. Однако если папа все-таки ее получил, он обязательно нас встретит.

Окно наконец опустилось, и Зита высунулась наружу, придерживая шляпу рукой в сиреневой перчатке.

— Ты видишь его, мама? — спросила Катерина, пристраиваясь рядом с ней.

— Нет... пока... — Поезд начал тормозить, и Зита вдруг закричала: — Да! Он здесь, Катерина! Он здесь!

Это был волнующий момент. Как только поезд остановился, они вместе с возбужденным Петром устремились на переполненный людьми перрон, где их ждал Алексий.

Они уже недавно виделись на острове Корфу, но эта встреча была особой, потому что теперь они находились на родной земле.

— Как Наталья? — спросил Алексий после того, как они обнялись и расцеловались.

— У нее все хорошо, — сказала Зита дрожащим от волнения голосом. — Но Джулиан не стал ей говорить в Ницце об ее изгнании. Он не хотел омрачать нашу встречу и собирался все рассказать по возвращении в Лондон...

— Значит, теперь она уже все знает? — беспокойно прервал ее Алексий. — Джулиан ей сообщил?

— Первой это сделала Катерина. — Зита продолжала крепко сжимать руку мужа. — Джулиан пытался утешить Наталью, говоря, что не важно, где они будут жить, и что наша семья будет встречаться каждый год.

— Но только не в Белграде, — мрачно сказал Алексий.

— Да, дорогой, — мягко согласилась Зита, — не в Белграде.

Катерина с болью наблюдала за родителями. Они надеялись на встречи, которые теперь вряд ли состоятся. Война не прошла для них бесследно. Тяжелейший переход зимой через горы преждевременно состарил мать, а отец, раньше державшийся прямо, теперь ссутулился от ревматизма, заработанного за несколько лет войны в сырых окопах. Оба много пережили и не заслуживали того, чтобы и дальше страдать.

С тяжелым сердцем Катерина думала о том, что будет с ними, когда Наталья сообщит о своей размолвке с Джулианом и о будущем ребенке, которого ждет от другого мужчины. Ее охватило чувство, раньше ей не знакомое. Она была рада, что Сандро запретил Наталье въезд в страну. Ведь та могла бы вернуться в Белград со своим любовником, к стыду родителей, которые вряд ли смогли бы пережить такой позор.

Отец прервал ее мрачные мысли, обнял за плечи и сказал:

— Поехали домой. Наш особняк сильно поврежден и разграблен, а когда я впервые туда вернулся, там было к тому же неимоверно грязно. К счастью, несколько недель назад вернулся Лаза и устроил генеральную уборку.

— А Сиси? — спросила Катерина, помогая Петру сесть в ландо, утратившее прежний лоск, долгое время оставаясь без присмотра, и герб Василовичей был едва различим на его дверце. — Сиси тоже здесь?

Алексий кивнул.

— Она прибыла пять дней назад, добиралась сначала морем от Корфу до Афин, а затем по суше через Грецию и Черногорию. Не представляю, почему она на это решилась, когда могла бы вместе с тобой и мамой поехать в Ниццу, а затем с Натальей и Джулианом отправиться в Англию.

— Ее родители умерли, и в Англии у нее остались только дальние родственники, — сказала Катерина. Кучер щелкнул кнутом, и ландо с грохотом покатилось по булыжной мостовой. — Она считает Белград своим домом, и те страдания, которые ей пришлось пережить здесь во время оккупации, еще больше сблизили ее с ним.

— Хельга тоже считала Белград своим домом, — тихо сказала Зита.

Алексий ласково коснулся ее руки.

— Возвратившись в Белград, я первым делом позаботился перенести тело Хельги с городского кладбища в наш фамильный склеп.

Зита благодарно пожала его руку. Порой ей казалось, что из-за тяжких воспоминаний ее возвращение станет невыносимым. Сейчас, глядя на разрушенный город, она поняла — несмотря ни на что, это единственное место в мире, где ей хотелось бы жить.

Катерина тоже была рада возвращению домой. Хотя город был почти полностью разрушен, обезобразить природу война была бессильна. Сава и Дунай по-прежнему величественно несли свои воды, а Калемегданские сады и древняя крепость все так же возвышались над городом. Она крепко сжимала руку Петра, обращая его внимание на все достопримечательности. Ей хотелось, чтобы сын навсегда запомнил свое возвращение на родину.

Вечером после ужина Катерина обратилась к отцу:

— Папа, почему дядя Петр до сих пор не вернулся? Сиси говорит — ходят слухи, будто бы он намерен остаться на чужбине.

— Думаю, он не вернется, — спокойно ответил отец, — по крайней мере в ближайшее время.

— Но почему? — настаивала Катерина. — Я думала, ему устроят торжественную встречу и празднества в его честь.

— Ты видела людей на улицах? — мягко спросил Алексий. — Толпы израненных и искалеченных молодых мужчин? Женщин, оплакивающих своих сыновей, мужей и отцов?

Война, может быть, и окончилась, но торжества пока неуместны. А король не хочет возвращаться, потому что не чувствует себя больше правителем и не хочет им быть. Он давно уже передал все свои полномочия Александру. Петр уже не молод и состарился еще больше, участвуя в сражениях. Теперь он нуждается в покое и отдыхе, а в Белграде сейчас ему, конечно, этого не найти.

В этот вечер Катерина отправилась спать в глубоком раздумье о судьбе своей страны. Потихоньку войдя в комнату Петра, чтобы убедиться, хорошо ли он укрыт и крепко ли спит, Катерина вспомнила о сестре, о ее любовнике-хорвате и о его возможном участии в правительстве нового королевства южных славян.

На следующий день, впервые за последние пять лет, Катерина отправилась с матерью в Конак.

— Александр хочет нас повидать, — сказала Зита, когда их ландо въехало во двор королевского дворца. — Боюсь, он не сможет уделить нам много времени, но это очень мило с его стороны.

По всему чувствовалось, что работа по восстановлению дворца идет полным ходом. Несмотря на разруху, то тут, то там были видны знакомые предметы дворцовой обстановки. В углу по-прежнему стояло чучело огромного бурого медведя, по преданию, подстреленного самим Карагеоргием. Катерина улыбнулась, вспомнив, как этот вздыбленный зверь пугал в детстве ее и Наталью.

Увидев Зиту и Катерину, Сандро направился к ним. Катерина сразу заметила, как сильно он изменился. Когда-то он был очень веселым и любил шутить, а сейчас вел себя чрезвычайно сдержанно.

— Рад тебя видеть в Белграде, Катерина, — сказал он, и, хотя его голос звучал вполне искренне, в нем не было прежнего добродушия, а на лице — знакомой улыбки. — Я думал, вы останетесь в Ницце подольше. Ранняя весна там гораздо приятнее, чем здесь.

— Мне очень хотелось домой, — сказала она, впервые в жизни чувствуя неловкость в разговоре со своим двоюродным братом.

Его лицо помрачнело. Катерина замолчала. Ей нечего было сказать. В последний раз, когда они встречались в Конаке, было объявлено о неофициальной помолвке Сандро со старшей дочерью русского царя. В те далекие дни, такие безоблачные, падение могущественного дома Романовых представлялось таким же немыслимым, как и конец империи Габсбургов.

В это время в своем кабинете Алексий Василович удивленно смотрел на одного из вновь прибывших в Белград английских дипломатов и не верил своим глазам.

— Вы получили назначение в Белград? А как же Наталья? Неужели вы не могли отказаться? Не могли объяснить, что ваша жена является персоной нон грата в новом королевстве и не имеет права вас сопровождать?

Джулиан покачал головой.

— Нет, — напряженно произнес он. — К сожалению, Наталья не смогла бы сопровождать меня ни в одну из стран, где мне предлагали работать, и поэтому вынуждена остаться в Лондоне.

Алексий дрожащей рукой прикрыл глаза и медленно сел за свой стол.

— Сожалею, сэр, — сказал Джулиан, размышляя, можно ли посвятить тестя в истинное положение вещей. — Мы оба знаем, что мой брак с Натальей был просто авантюрой. Она не любила меня... была слишком юной, почти ребенком...

— Но мне казалось, что вы оба счастливы! Когда родился Стефан, Зита и я думали...

— Я тоже так думал, — прервал его Джулиан, — но ошибался. Счастлив был только я, но не Наталья. В результате, несмотря на то что в этом году должен появиться на свет еще один ребенок, мы решили жить раздельно.

— Ребенок? Наталья ждет ребенка, а вы оставили ее одну в Лондоне... — Лицо Алексия с пышными, загнутыми кверху усами выражало еще большее удивление, нежели в тот момент, когда Джулиан вошел в комнату. — Ваше поведение непростительно! Это бесчестно! Это...

— Наталья сама этого хочет, — сказал Джулиан еще более напряженным голосом. Разумеется, это была ложь, но она выглядела намного милосерднее, чем правда. Ведь потребовалось бы рассказать Алексию об истинном отце будущего ребенка. — К тому же Наталья не одна, — добавил он, стараясь смягчить страдания тестя. — Она живет с моими родителями и сестрой.

Алексий застонал, закрыв лицо руками. Брак между Джулианом и Натальей был его замыслом и преследовал эгоистические цели. Почти пять лет он чувствовал себя виноватым, хотя надеялся, что в конце концов дочь будет счастлива. Теперь же, узнав о случившемся, он ощутил острую боль в сердце.

— Сожалею, сэр, — повторил Джулиан, явно испытывая не меньшие муки.

Алексий медленно отнял свои руки от лица и посмотрел на зятя.

— Мое предложение жениться на Наталье, по-видимому, сделало несчастной не только ее, но разрушило и вашу жизнь. Я обязан перед вами извиниться, Джулиан. Надеюсь, вы примете мои извинения.

— В этом нет необходимости, — горячо возразил Джулиан. — Вы только предложили, а я с радостью воспользовался случаем, но если бы мне пришлось снова принимать решение, я бы поступил точно так же.

Алексий устало поднялся из-за стола и подошел к застекленному шкафчику с напитками.

— Выпейте со мной стаканчик, — сказал он, доставая графин с клековахой. — На этот раз не в честь праздника, но ради утешения.

Джулиан облегченно вздохнул. Худшее было позади. Его тесть теперь знает о его размолвке с Натальей и сообщит об этом Зите и Катерине. Не в первый раз он подумал о том, рассказала ли Наталья обо всем Катерине, когда они были в Ницце, и знает ли та об обстоятельствах их разрыва больше того, что он сообщил Алексию. Если это так, Джулиан очень надеялся, что она не расскажет о них родителям.

— Зита и Катерина в Конаке, — сказал Алексий, наливая водку в два хрустальных стакана. — Князь-регент захотел поздравить женскую половину семьи с возвращением в родной город.

Он протянул стакан Джулиану.

Послышался звук открываемой входной двери. Несколько секунд спустя раздались шаги по мраморному полу и голоса Зиты и Катерины.

В глазах Джулиана и Алексия отразилась взаимная растерянность.

— Я надеялся, что вы сможете их предупредить! — хрипло произнес Джулиан.

По выражению лица Алексия было ясно, что он рассчитывал на то же самое со стороны Джулиана.

— Дело в том, что я покинул Англию внезапно и писать было уже бессмысленно, — продолжил Джулиан, чувствуя, что у него есть некоторое оправдание. — Письмо прибыло бы сюда не раньше, чем я приехал...

Шаги женщин приближались к двери кабинета, затем послышался легкий стук в дверь и, не дожидаясь ответа, в комнату вошла Зита, а за ней Катерина.

При виде Джулиана Зита так резко остановилась, что Катерина уткнулась ей в спину.

— Мама! В чем дело... — начала она и вдруг увидела нежданного гостя.

Алексий поднялся так быстро, насколько позволял его ревматизм.

— Мои дорогие! Вы будете крайне удивлены...

— Джулиан! — ошеломленно произнесла Зита, не веря своим глазам и не обращая внимания на мужа. — Джулиан! Что вы делаете в Белграде? — Она подошла к нему и увидела, что он тоже потрясен. — Вы проездом в Афины? — спросила Зита, горячо целуя его в щеку. — Вы получили туда назначение? Наталья ждет вас на границе?

Она вынуждена была встать на цыпочки, чтобы поцеловать зятя, и когда, слегка отступив назад, не увидела его ответной приветливой улыбки, поняла — что-то не так.

— В чем дело? — спросила Зита, перестав улыбаться. — Что-то случилось с Натальей?

Алексий, тяжело ступая, подошел к ней и обнял за плечи.

— С Натальей все в порядке, — сказал он, опережая Джулиана. — Она в Лондоне.

— В Лондоне? — Зита в замешательстве перевела взгляд с зятя на мужа. — Я ничего не понимаю...

— Сядь, дорогая, — мягко сказал Алексий. — Сядь и выслушай меня.

Она ошеломленно позволила мужу подвести ее к креслу с бархатной обивкой и с побелевшим лицом в смятении ждала продолжения.

— Наталья вышла за Джулиана только ради нас с тобой, — сказал он, тщательно подбирая слова. — Мы все это знаем. Джулиан, конечно, тоже знал, что она не испытывала к нему любви, когда они поженились, однако так же, как и мы, верил, что его любовь сделает их счастливыми и Наталья со временем тоже его полюбит.

Поняв, в чем дело, Зита мучительно застонала.

— К сожалению, мы все ошиблись. И хотя в этом году должен появиться на свет еще один ребенок, Наталья решила жить отдельно от Джулиана. — Алексий положил руку на плечо жены, стараясь утешить ее. — Вот почему, получив предложение от своего ведомства отправиться на службу в Белград, Джулиан не стал от него отказываться.

— Еще один ребенок? — По щекам Зиты потекли слезы. — Как она могла пойти на разрыв, будучи беременной? — Зита осуждающе посмотрела на Джулиана. — Если даже она этого захотела, как вы могли согласиться? Что, если вы будете все еще здесь, когда родится ребенок? А как же Стефан? Он ведь в вас нуждается. Как Наталья объяснит ему ваше отсутствие, на этот раз добровольное?

Лицо Джулиана исказилось, а Катерина сказала сдавленно:

— Я думаю, нам надо выпить чаю, мама. Мне кажется, не стоит продолжать этот разговор, пока мы не оправимся от потрясения и не начнем мыслить разумно.

— Разумно? О чем ты говоришь, когда Наталья осталась в изгнании и без мужа? О чем может идти речь, если мой внук никогда не сможет ко мне приехать и я лишь изредка смогу навещать второго ребенка моей дочери?

Никогда в жизни Катерина не слышала такой горечи в голосе матери.

— Если бы Джулиан получил назначение в Румынию или Грецию, тогда совсем другое дело, — продолжала Зита с болью в сердце. — Наталья могла бы изменить свое решение и приехать к нему. Мы могли бы их навестить, по крайней мере когда родится ребенок...

Ее слезы сменились рыданиями, и она не могла продолжать.

— Мне кажется, будет лучше, если вы оставите нас на некоторое время одних, — сказал Алексий.

— Да, конечно, сэр, — сказал Джулиан, на его скулах неистово играли желваки.

Он повернулся и направился к двери, где все еще стояла Катерина. Когда их глаза встретились, он с невыразимым облегчением увидел, что в ее взгляде не было враждебного обвинения, как в глазах Зиты. Напротив, в них он прочел такое глубокое понимание, что едва не пошатнулся.

Когда Катерина повернулась и вышла вслед за ним из комнаты, закрыв за собой дверь, он спросил:

— Вы знаете истинную причину, не так ли?

Она кивнула, испытывая к нему огромную любовь и сочувствие, которое не могла выразить словами.

— И о ребенке тоже?

В коридоре царил полумрак, и Катерина была этому рада.

— Да, — глухо произнесла она, — и о ребенке тоже.

Джулиан глубоко, прерывисто вздохнул.

— Слава Богу, — горячо сказал он. — Слава Богу, что есть хоть один человек на свете, кому я не должен лгать! — И в порыве нежного чувства, которое он всегда к ней испытывал, Джулиан коснулся ее руки.

Глава 20

Два дня спустя, гуляя с Катериной и Петром по залитым солнцем Калемегданским садам, когда ребенок убежал вперед с обручем, Джулиан сказал:

— Возможно, с моей стороны будет правильнее сначала рассказать о том, в чем Наталья призналась мне, прежде чем спросить, что она сообщила вам.

Катерина кивнула. Они впервые встретились после того злополучного дня, когда ее мать впала в истерику из-за мучительной ситуации в семье Натальи и из-за тяжелых воспоминаний о прошлом.

— Да, — тихо сказала Катерина, испытывая признательность за то, что он понимал: Наталья могла рассказать ей такие вещи, о которых ему еще неизвестно, и она не хотела бы случайно раскрыть ему новые подробности. — Возможно, так будет лучше.

Они прошли еще несколько шагов, храня молчание, затем Джулиан решительно сказал:

— Наталья рассказала мне о своем романе с неким хорватом и о том, что теперь она ждет от него ребенка.

Катерина, не поворачивая головы, смотрела вперед на Петра в пальтишке нежно-голубого цвета, на катящийся обруч, на протекающую невдалеке Саву.

— Вам она об этом говорила? — спросил Джулиан с такой явной болью, что Катерина содрогнулась.

— Да. — Она не могла на него смотреть. — Наталья сказала, что его зовут Никита Кечко, что скоро он приедет в Белград и что она собирается прибыть с ним.

— И это после того, как вы ей сообщили, что она не может за ним последовать? Что она — персона нон грата?

Катерина кивнула.

Джулиан засунул руки поглубже в карманы пальто.

— Когда мы вернулись в Лондон, она рассказала Кечко, что не может поехать в Белград, но он отказался ради нее менять свои планы. Я знаю, он уже здесь и не приведи Бог мне его встретить, иначе...

На его щеках вновь заиграли желваки, а руки в карманах сжались в кулаки.

Катерина застыла неподвижно на гравийной дорожке с широко раскрытыми от потрясения глазами.

— Так, значит, он ее бросил?

Джулиан, пройдя еще несколько шагов, тоже остановился и повернулся к ней лицом.

— Да. По-видимому, он отрекся от отцовства.

Глаза Катерины еще больше расширились.

— Значит, вы сообщили моим родителям не всю правду, полагая, что Наталья сама должна это сделать? Вы решили — пусть они считают, что это ваш ребенок?

Его золотистые глаза потемнели.

— Да, — сказал Джулиан, подняв воротник пальто, так как с реки подул легкий ветерок. — Не сделай я этого, Наталью публично обвинили бы в прелюбодеянии. Но ради Стефана я меньше всего хочу скандала.

Катерина медленно двинулась вперед, лихорадочно думая о последствиях его решения. Поравнявшись с ним, она произнесла слегка охрипшим голосом:

— Значит, ваши родители будут считать ребенка Кечко своим внуком! И он будет расти, веря, что вы его отец!

— Я все прекрасно понимаю, — сказал он. — Мне хотелось бы только, чтобы Наталья хотя бы наполовину прониклась сознанием того, к каким последствиям приводит ее необдуманное поведение.

Они молча прошли еще немного. Оба думали о Наталье и понимали — она никогда не оценит всей глубины ужасного обмана, с которым ему, Джулиану, предстоит жить до конца жизни.

Следующие несколько месяцев, когда Белград превратился в центр бурной политической и дипломатической деятельности, Катерина редко видела Джулиана. Однако когда им приходилось встречаться, они испытывали взаимные дружеские чувства.

Очень немногие задавались вопросом, почему Наталья не вернулась в Белград с мужем. В Сербии широко разветвленные семьи обычное явление, и никто не считал странным, что Наталья живет с родителями своего мужа, тем более что уже стало известно о ее второй беременности.

Когда Зита сообщила Александру, что скоро во второй раз станет бабушкой, он испытал облегчение, полагая, что скоропалительный брак оказался счастливым и что Наталья довольна своей жизнью в Лондоне.

В начале мая, в один из тех редких случаев, когда Катерина смогла поговорить с Александром без многочисленных свидетелей, прислушивающихся к каждому слову, она сказала как можно небрежнее:

— Ты не знаешь человека по имени Никита Кечко?

Александр слегка нахмурился.

— Нет. А почему я должен его знать?

— Он активно участвовал в деятельности Югославянского комитета и, насколько мне известно, рассчитывал получить пост в новом правительстве.

— Это имя мне ни о чем не говорит, — сказал Александр, — но если этот человек тебя интересует, то лучше всего побеседовать с премьер-министром.

Катерина не последовала его совету. Если Сандро ничего не знал о Кечко, то и пожилой премьер-министр вряд ли мог что-либо о нем рассказать. Наталья явно ошибалась, думая, что Никиту Кечко ожидает блестящее политическое будущее в Белграде, так же как она ошибалась и во многих других случаях.

Катерина почувствовала огромное облегчение. Это значит, вероятность встречи Джулиана с Кечко чрезвычайно мала, и ее отец также вряд ли с ним встретится.

В конце месяца Зита заявила, что собирается устроить бал.

— Он будет не таким грандиозным, какие я привыкла задавать в прежние времена, — сказала она, сидя в итальянской гостиной и составляя список приглашенных. — Однако многие будут рады.

Сообщение о бале у Василовичей вызвало в городе взволнованные ожидания. Даже те, кто не надеялся попасть в список гостей, радовались, что жизнь постепенно входит в нормальное русло.

— Жаль только, что еще не пришла пора цветения роз, — сказала Зита Катерине, удовлетворенно осматривая обновленный бальный зал. — Еще бы месяц, и мы украсили бы розами дом.

— Дом и так выглядит замечательно, — сказала Катерина. — Я не думала, что снова увижу бальный зал таким красивым.

— Да, — согласилась Зита, вспомнив о царившем здесь хаосе во время войны, когда десятки горожан находили приют в этом зале, и о вандализме оккупантов. — Я тоже не думала.

Они замолчали, размышляя об ужасных событиях, происшедших со времени последнего бала в доме Василовичей.

Бал начался. Оркестр заиграл вальс «Голубой Дунай», и отец Катерины пригласил на танец ее мать, а она мысленно унеслась в далекий 1914 год и, казалось, чувствовала чудесный аромат духов Натальи, слышала ее заразительный смех... Вот сейчас мимо пронесется в танце Джулиан; Макс попросит разрешения записаться в ее бальную карточку; послышится голос двоюродной бабушки Евдохии, сплетничающей о русской царице.

Когда вальс Штрауса сменился музыкой Легара и Катерина начала танцевать с Сандро, он неожиданно спросил:

— Помнишь, ты интересовалась, знаю ли я человека по имени Кечко?

Катерина внимательно на него посмотрела:

— Да. Вероятно, он стал депутатом нового парламента или, может быть, даже министром?

— Ни тем и ни другим, — мрачно сказал Сандро. — Он всего лишь подручный Иосипа Франка.

— Извини, но я не знаю, кто такой Франк...

— Иосип Франк — лидер экстремистской хорватской националистической партии, активно выступающей против сербов. Меня удивляет, что ты знаешь Кечко. Он не относится к людям, с которыми Карагеоргиевичи могли бы иметь дело.

— У меня нет с ним никаких дел, — сказала Катерина, стараясь скрыть свое потрясение. — Кое-кто спрашивал меня в Ницце, знаю ли я его. Говорят, он активно поддерживал Югославянский комитет и рассчитывал занять пост в новом правительстве, поэтому я и подумала, что он как-то с тобой связан...

Сандро пренебрежительно хмыкнул, затем сказал:

— Тот, кто говорил тебе о нем, плохо знает этого человека. Возможно, Кечко и выступал за объединение всех южных славян, однако теперь, когда эта цель достигнута, он и еще горстка таких же экстремистов хотят, чтобы Хорватия играла главенствующую роль в новом государстве. Они за республику, против монархии.

Катерина вспомнила о том, как Наталья была убеждена, что ее любовник — ревностный сторонник монархии, и почувствовала жалость к сестре. Знает ли Наталья теперь всю правду? До конца ли раскрыл ей Кечко свои политические взгляды, так же как и свою истинную сущность, отказавшись поддержать ее в изгнании и сняв с себя ответственность за ребенка, которого она носила? После Ниццы они не переписывались, и Катерина ничего не знала о сестре.

Сандро продолжал кружить ее по залу, а она размышляла: если Наталья даже узнала правду о политических целях своего любовника, она, по всей вероятности, не обратит на это внимания, ведь она всегда пренебрегала тем, что доставляло ей неприятности.

Вихрь эмоций, бушующий у нее в душе, вырвался наружу, и Катерина почувствовала, что едва не задыхается от волнения. Как могла Наталья согласиться выйти за Джулиана, если не собиралась хранить ему верность? Как могла она вообразить, что семья посмотрит сквозь пальцы на ее любовника? Вспомнив, что Наталья собиралась приехать вместе с Кечко в Белград, несмотря на позор и страдания, которые это принесло бы ее родителям, Катерина почувствовала, что возникшая было у нее жалость к сестре исчезла.

Танец кончился, и, когда Сандро подвел Наталью к отцу, ее сердце екнуло. Рядом в белом фраке и галстуке стоял Джулиан.

За последние несколько дней ее не раз одолевали сомнения, придет ли он на бал. Мать твердо решила его не приглашать. Несмотря на все, она считала, что Джулиан бросил Наталью, когда та больше всего в нем нуждалась. Однако ее муж тактично заметил, что в Белграде никто не находит странным пребывание здесь дипломата Джулиана, в то время как Наталья осталась с его родителями в Лондоне.

— Слухи об их отношениях непременно поползут, если все заметят наше странное поведение, — сказал он рассудительно. — Мы пригласили на бал почти все высшее общество, а наш зять почему-то будет отсутствовать. Многим это покажется весьма странным.

Катерина знала, что отец чувствует себя глубоко ответственным не только за неудачно сложившуюся жизнь Натальи, но и за страдания Джулиана. Их брак он устроил из чисто эгоистичных побуждений.

— Джулиан приглашает тебя на следующий танец, дорогая, — сказал Алексий.

В больших зеркалах на стене позади них Катерина отчетливо видела отражения всех троих. За несколько месяцев, прошедших после войны, отец снова приобрел былой лоск. Во фраке, с нафабренными и подкрученными кверху усами, он выглядел почти так же, как в 1914 году.

Джулиан тоже вернул за последние недели свою прежнюю живость и привлекательность. В уголках его прекрасно очерченного рта еще были заметны горькие складки, но больше его внутреннее состояние ни в чем не проявлялось. Присутствующие на балу мужчины были преимущественно балканцы, коренастые и приземистые, и высокий широкоплечий Джулиан со светлой англосаксонской шевелюрой выделялся среди них. Он был типичным англичанином. Несмотря на то что все знали о его семейном положении, Катерина заметила — многие женские глазки тайком с интересом на него посматривали. Когда она сама взглянула на его отражение в зеркале, любовь к нему вспыхнула с новой силой, и Катерине едва удалось сдержать свои чувства.

Она посмотрела на себя в зеркало, опасаясь, что все эмоции отражаются на ее лице. Однако опасения оказались напрасными. Она выглядела сдержанной и спокойной. Темные, высоко зачесанные волнистые волосы оттеняли молочно-белую кожу ее лица. В свои двадцать пять лет Катерина уже не была молоденькой девушкой. Бальное платье из черного тюля поверх голубого шелка подчеркивало ее природную элегантность и изысканность. Она выглядела молодой женщиной, казалось, совершенно лишенной чувственных желаний. Несоответствие между собственным внутренним состоянием и внешним видом вызвало у нее кривую усмешку.

— Прошло очень много времени с тех пор, как мы танцевали вместе, — сказал Джулиан, обнимая ее за талию. — Подумать только — мы ведь совсем не думали тогда, что война так близко. В тот вечер нам даже в голову не приходило о ней говорить.

— Мы думали о другом, — сказала Катерина, и блаженная дрожь пробежала по ее спине, когда он нежно привлек ее к себе и они начали танцевать под музыку Шуберта.

Джулиан немного помолчал, вспоминая, как в тот далекий вечер все его мысли и сердце были полны Натальей и как он решил сделать ей предложение. Потом он сказал:

— И все-таки я ни о чем не жалею. Если бы я не женился на Наталье, не было бы Стефана, а я не могу себе представить жизни без него.

Катерина некоторое время хранила молчание. Она понимала, как тяжело ему было расстаться с сыном, который только начал привыкать к отцу и который теперь находился за тысячи миль отсюда. Конечно, Джулиан мог бы нанять няню и взять его с собой в Белград, но тогда всем стало бы ясно, что его брак дал трещину, и поползли бы слухи, подвергающие сомнению отцовство будущего ребенка Натальи.

Катерина подумала, что будет, когда родится ребенок Никиты Кечко. Останется ли Джулиан верен своему решению публично и для себя самого его принять как собственного. Она также подумала о том, стоит ли рассказать Джулиану о местонахождении Никиты Кечко в настоящее время и о его политических убеждениях, или упоминание о хорвате вызовет у него лишь ненужную боль.

Как бы прочитав ее мысли, он вдруг сказал:

— Вы не находите странным, что Кечко до сих пор не объявился в Белграде? Конечно, вполне возможно, что он одумался и вернулся в Лондон, чтобы признать свое отцовство.

— Нет, — твердо сказала Катерина, лишая его надежды на такую возможность. — Кечко не в Лондоне. Он в Загребе.

Оркестр с воодушевлением перешел к заключительной части вальса. Джулиан с Катериной кружились рядом с музыкантами, так что продолжать разговор было невозможно.

— Давайте выберемся наружу, — сказал он и, продолжая вальсировать, направился вместе с ней к ближайшей двери на террасу. — Я хочу знать все об этом Кечко. Меня также интересует, почему, зная о его местонахождении, вы не сообщили мне об этом раньше.

Ночной воздух был еще довольно прохладным в это время года, и на террасе, залитой лунным светом, находилось всего несколько пар, наслаждавшихся относительным уединением. Взяв Катерину под локоть, Джулиан провел ее через террасу и спустился по ступенькам на покрытую гравием дорожку, окаймляющую газон. Они пошли к розарию.

Когда музыка уже едва до них доносилась и вокруг не было ни души, Джулиан остановился. Его лицо казалось зловещим.

— Если вам известно о местонахождении Кечко, почему вы не сказали об этом мне? — снова спросил он.

— Я узнала об этом только сегодня вечером и... — она замолчала в нерешительности, затем, запинаясь, продолжила: — и сомневалась, интересует ли вас это. Я подумала, возможно, вам неприятно слышать имя Кечко.

На скуле Джулиана заиграл желвак.

— Видит Бог, так оно и есть, — отрывисто сказал он, — но по профессиональным и личным причинам я должен знать о нем все.

Катерина вздрогнула от весенней прохлады, и он, сняв свой фрак, накинул его ей на плечи.

— Так лучше? — спросил он слегка потеплевшим голосом. — Давно ли Кечко находится в Загребе и что он там делает?

Они стояли всего в нескольких сантиметрах друг от друга. Катерина чувствовала знакомый аромат его одеколона и тепло его дыхания на своей щеке. Стоило только поднять руку, чтобы его коснуться.

Тем не менее, оставаясь по-прежнему сдержанной, она сказала по возможности ровным голосом:

— Не так давно я обратилась к князю Александру с вопросом, знакомо ли ему имя Никиты Кечко, и тот ответил, что нет. Однако сегодня вечером он спросил, почему я им интересуюсь.

Джулиан нахмурился.

— Надеюсь, вы ему не сказали?

Катерина покачала головой:

— Нет. Я лишь ответила, что некто в Ницце расспрашивал меня о нем и что многие говорят о Кечко как о члене нового правительства.

До них долетали слабые звуки «Императорского вальса» Штрауса.

— Что еще сказал князь-регент сегодня?

Катерина плотнее запахнула фрак. Она понимала, как неприятно будет Джулиану узнать, что человек, с которым Наталья ему изменила, не был даже предан семье Карагеоргиевичей.

— Князь сказал, что об участии Кечко в правительстве и речи быть не может. Он — правая рука Иосипа Франка, лидера экстремистской хорватской националистической партии и ярого противника сербов.

Джулиан, хорошо знавший политические убеждения Франка, грустно усмехнулся.

— На этот раз Наталья превзошла самое себя, не так ли? С таким же успехом она могла бы связаться не только с закадычным дружком Иосипа Франка, но и с кем-нибудь из Габсбургов. — В его голосе явно чувствовалась горечь. — Интересно, сказал ли ей Кечко правду о своей политической приверженности, когда решил покинуть Лондон без нее?

Этот вопрос Катерина задавала себе всего полчаса назад, но не нашла ответа.

Она молчала, а Джулиан пожал плечами и на время перестал думать о любовнике жены, решив сменить тему разговора и сказать Катерине то, что давно намеревался. С братским чувством он взял ее за руки.

— Я хочу поблагодарить вас за дружеское отношение ко мне, Катерина, — произнес он с глубокой искренностью. — Без вас эти последние несколько месяцев были бы невыносимыми.

Она попыталась ответить ему спокойно, но ей это не удалось. Хотя они только что танцевали вместе и до этого часто беседовали, между ними никогда прежде не было такой близости. Для Катерины это было тяжким испытанием.

Она вся дрожала, а он решил, что это от холода, и иронично заметил:

— В прошлый раз, когда мы беседовали на этом месте, было немного теплее. Помню, я хотел вас спросить, примет ли Наталья мое предложение, но в это время подошел Макс Карагеоргиевич. — Он криво улыбнулся. — Что бы вы мне ответили, если бы он тогда не появился? Вы сказали бы, что я буду отвергнут? Что мне не следует настаивать? Если бы не ваш отец, я никогда бы не смог жениться на Наталье и увезти ее в Лондон. Она отправилась бы в Женеву с вашей матушкой и, без сомнения, сейчас была бы там.

В сверкающем огнями бальном зале прозвучали последние ноты «Императорского вальса», и наступила небольшая пауза. Воздух еще не был насыщен ароматом роз, как когда-то, потому что расцвело лишь несколько ранних кустов.

— Сомневаюсь, что я была бы способна тогда вам ответить, — тихо сказала Катерина. — Вероятно, я была бы потрясена.

Она хотела сказать совсем не то. Она хотела сказать, что не могла знать пять с половиной лет назад, примет ли Наталья его предложение.

Их глаза встретились. Он смотрел с удивлением, она же была ошеломлена тем, что сказала.

— Потрясена? — Он ожидал совсем не такого ответа, и его брови вопросительно взметнулись вверх. — Но почему? Потому что Наталье тогда было только семнадцать лет?

Наверное, было бы гораздо проще с ним согласиться и таким образом отойти от края пропасти, к которой ее подвели слова, невольно вырвавшиеся из глубины ее души, но теперь, чего бы это ей ни стоило, она выскажет ему все до конца.

Когда оркестр снова заиграл и до них донеслись приглушенные звуки «Розы юга», Катерина сказала с невероятным простодушием:

— Нет. Не поэтому. Тогда я наивно думала, что вы хотите жениться на мне и готовы сделать предложение.

Джулиан судорожно втянул воздух, как будто она ударила его в грудь, и Катерина тут же горько пожалела о сказанном. Только что он чувствовал себя совершенно легко в ее обществе. Теперь этого никогда больше не будет.

— Прошу прощения, — хрипло произнесла она, пытаясь высвободить свои руки. — Это была большая глупость с моей стороны. Я не хотела ставить вас в затруднительное положение...

Он продолжал крепко держать ее за руки.

— Нет, нет... — Было совершенно ясно, что крылось за ее словами, и он никак не мог в это поверить. — Я не чувствую себя неловко, Катерина. Просто я не мог представить... Мне никогда не приходило в голову...

— Да, — сказала она с таким чувством, что сама удивилась. — Я знаю.

Джулиан продолжал смотреть ей в глаза, мысленно возвращаясь к весне и началу лета 1914 года. Он вспомнил, как всегда искал с ней встречи в Конаке на традиционном чаепитии и на других приемах; как легко и дружески они болтали на разные темы; как его не покидало чувство, что он влюблен именно в нее, а не в эту чаровницу с кошачьим личиком и что она — истинная красавица в семействе Василовичей.

Он вспомнил и совсем недавнее: как в Ницце он снова встретился с Катериной, испытав при этом необычайную радость; как с трудом объяснял Алексию и Зите, почему принял назначение в город, куда Наталье запрещено приезжать, и какое огромное облегчение почувствовал, когда нашелся хоть один человек на свете, которому не надо было лгать. Он вспомнил, с каким нежным чувством всегда относился к Катерине и как высоко ценил ее смелость и честность.

Почти не веря в ее признание, скрытое за случайно вырвавшимися у нее словами, он медленно произнес:

— А если бы я сделал предложение вам? Вы приняли бы его, Катерина?

Казалось, время замерло. Ночной воздух холодил ее щеки. В соседних кустах шуршал какой-то зверек.

— Да, — тихо сказала она, не думая о последствиях.

Джулиан долго не двигался и ничего не говорил. Он не занимался самоанализом, но неожиданно в этот момент открыл для себя истину. Несмотря на то что он был безнадежно влюблен в Наталью, ему следовало жениться на Катерине. Как он мог все эти годы не замечать очевидного? Внезапно его осенило. Он испытывал к ней не просто симпатию. Это чувство было гораздо глубже. Кажется, он близок к тому, чтобы ее полюбить.

Катерина понимала его молчание и печальное выражение глаз, которое в любой момент могло смениться сожалением. Музыка снова смолкла и, стараясь выйти из затруднительного положения, в которое они оба попали по ее вине, она сказала каким-то неестественным голосом:

— Должно быть, приглашают на ужин. Ваша дама, вероятно, вас разыскивает.

— Я никого не должен вести к столу.

В его голосе появились новые нотки, которые Катерина еще не могла истолковать, но это явно не было сожалением.

Джулиан не двигался с места и продолжал держать ее за руки. В лунном свете ее волнистые волосы, зачесанные кверху, блестели, а нежные губы были полураскрыты, как лепестки розы. Джулиана охватило желание. Ему хотелось почувствовать тяжесть ее распущенных волос на своей ладони и ощутить сладость ее губ. Ему показалось, что он недооценивает всю глубину своих чувств к этой женщине. Он не просто близок к тому, чтобы в нее влюбиться. Он уже влюблен. Но совсем не так, как в Наталью. То было внезапным, безрассудным, слепым увлечением, которое бывает раз в жизни и никогда не повторяется. Сейчас же он испытывал любовь совсем другого рода. Это было настоящее, всепоглощающее, взаимное чувство.

Нежно, но очень решительно он привлек ее к себе.

— Я совершил непростительную ошибку в прошлый раз, когда мы были здесь в саду при лунном свете, — глухо произнес Джулиан. — Но больше этому не бывать.

Теперь не было сомнений, какое чувство и какое намерение звучало в его словах, и сердце Катерины забилось с такой силой, что ей даже стало больно.

Когда он обнял ее за талию, в душу Катерины закралась тень сомнения, но, вспомнив об ужасном признании Натальи в Ницце, она оставила колебания. Наталья никогда его не любила. Это не будет предательством по отношению к сестре. Не чувствуя себя виновной и уверенная в своей любви к Джулиану, Катерина обняла его за шею, и ее губы призывно раскрылись под его губами.

Неделю спустя, гуляя в Калемегданских садах, Джулиан осторожно сказал:

— Я переехал из моей квартиры, примыкающей к миссии, в небольшой домик в переулке за площадью Теразие. Он в венгерском стиле и утопает в сирени и жасмине. Мы могли бы встречаться там, не привлекая внимания соседей.

Они чинно прогуливались бок о бок, хотя Катерине ужасно хотелось прижаться к нему и взять его под руку.

— Я смогу приходить туда только днем, — сказала она, и в ее голосе прозвучало опасение, что он может не понять, как трудно ей вырваться из дома. — По понедельникам и пятницам у Петра днем занятия музыкой, а по средам уроки французского. Обычно в это время я прогуливаюсь здесь или у реки, но теперь...

Ее щеки слегка зарделись, и Джулиан усмехнулся, поражаясь тому, какое сильное чувство он к ней испытывает.

— Теперь ты будешь проводить это время со мной, — сказал он и, не заботясь о том, что кто-то может их увидеть, взял ее за руку в белой перчатке.

Их пальцы крепко сплелись. Впереди, довольно далеко, Петр бежал к разрушенной крепости, а за ним по пятам следовал щенок-далматинец. Эту собачку мальчику подарил

Джулиан, и Катерина с болью в сердце понимала, что такой подарок он купил бы и Стефану.

— Я хочу, чтобы у нас была нормальная семья! — сказала она с неожиданным пылом. — Чтобы нам не надо было лгать и притворяться! Чтобы мы жили втроем, не таясь от людей, в этом маленьком домике за площадью Теразие!

Какая-то пара впереди свернула на тропинку между кустами, и они, обоюдно испытывая мучительное чувство, разжали руки.

— Боже милостивый! Ты думаешь, я не хочу того же? — сказал Джулиан с болью в голосе, отчего у нее перехватило дыхание. — Будь хоть какая-нибудь возможность, я бы ею воспользовался. Но ничего не выйдет. Ты — моя свояченица и даже если я разведусь с Натальей, брак между нами невозможен.

— Я знаю, — сокрушенно сказала она, желая снова взять его за руку и дать понять, что очень сожалеет о вырвавшихся у нее от безысходности словах. — Я знаю, что невозможно ничего изменить. Я не хотела об этом говорить, и больше это не повторится.

— Ты имеешь на это право, — глухо произнес он. — Ты рождена, чтобы быть женой и матерью, а не любовницей.

Джулиан повернулся к ней, и у него перехватило дыхание. На Катерине было платье из розовато-лилового муслина и широкополая шляпа того же оттенка. На ногах чулки и туфли цвета слоновой кости, а на шее тяжелая нитка жемчуга. Она выглядела такой красивой и элегантной. При мысли о том, чем она рискует, вступив с ним в связь, его охватили мучительные сомнения. Не слишком ли многого он от нее требует? Не разрушит ли его эгоизм ее жизнь?

Мимо прошла еще одна пара. Впереди Петр исчез из виду за развалинами крепости.

Джулиан снова взял Катерину за руку. Остановившись, он повернул ее к себе лицом.

— Я люблю тебя, — горячо сказал он, желая ее обнять и крепко прижать к себе, чтобы она ощутила в его объятиях силу его любви. — Я хочу всегда быть с тобой, но на законных основаниях это невозможно, а любой другой способ причинит боль твоим родителям и Петру. Мы можем рассчитывать только на короткие встречи, но всегда существует вероятность, что тебя могут заметить входящей или выходящей из моего дома. Кроме того, начнутся толки о том, что твое присутствие на наших прогулках с Петром совсем не обязательно, ведь я его дядя, и потому немного подозрительно.

От выражения его глаз внутри у нее все сжалось.

— В чем ты пытаешься меня убедить, Джулиан? — Ее голос слегка дрожал, несмотря на все ее старания. — Ты хочешь сказать, что тоже многим рискуешь? Что наша связь может тебя скомпрометировать?

Если бы их отношения действительно угрожали его карьере, она без колебаний оставила бы его. Она не могла бы жить в согласии с собой, если бы ее эгоизм мог навредить его положению.

Он покачал головой, и солнце блеснуло в его волосах.

— Я думаю не о себе, — сказал он нахмурившись. — Меня беспокоишь ты и то, чем ты рискуешь. А риск очень велик, дорогая. Возможно, даже слишком. Ради тебя, Петра и твоих родителей, может быть, лучше...

— Нет! — Она прижала пальцы в перчатках к его губам, широко раскрыв глаза. — Не говори так! И даже не думай! То, что случилось между нами, превосходит мои самые смелые мечты! Больше мне ничего не надо!

Джулиан облегченно вздохнул. Он нежно отвел ее руку от своего рта и поцеловал тыльную сторону ее ладони.

— Я люблю тебя, — хрипло произнес он. — Верь мне.

Хотя на глаза Катерины навернулись слезы, она сияла улыбкой. Они все выяснили. Несмотря на то что они не смогут жить вместе так, как им обоим бы хотелось, они будут любить друг друга, никому не причиняя вреда.

Когда Петр побежал по дорожке им навстречу, Джулиан неохотно выпустил ее руку. Он тоже решил, что их отношения могут длиться очень долго и, хотя брак исключен, ему хотелось по возможности не испытывать угрызений совести. Он с горечью подумал о том, как Наталья отнесется к его намерению с ней развестись.

За время пребывания в Белграде он послал ей короткое письмо, в котором просил почаще сообщать о Стефане. В ответ стали приходить выдержанные в холодном, высокопарном стиле письма-записки, и ни в одном не было ни слова о том, как живет Наталья, о ее будущем ребенке или о том ужасном положении, в которое они попали.

Когда Петр схватил Джулиана за руку, упрашивая пойти с ним в развалины крепости, он решил, что, вернувшись в миссию, напишет письмо своему адвокату.

Джулиан много времени проводил на службе и поздно возвращался в свой домик с белыми стенами неподалеку от площади Теразие.

По понедельникам, четвергам и пятницам он покидал миссию днем под предлогом встречи с одним из многочисленных политиков — это входило в его обязанности, а Катерина спешила на встречу с ним, оставив Петра на занятиях музыкой или французским.

Их любовная близость стала для нее откровением. За время своего короткого замужества с Иваном Злариным она лишь выполняла в постели супружеский долг, стараясь быть по возможности нежной, но никогда не испытывала взаимной страсти. Ее тело оставалось безучастным к ласкам мужа.

Теперь же, в объятиях Джулиана, оно больше не было бесчувственным. Умело и чутко он переносил ее через невидимый барьер в страну, о существовании которой она даже не подозревала; в страну, где все ее существо растворялось в неведомых прежде ощущениях. Когда Катерина впервые изведала всю глубину первобытного сексуального наслаждения, испытанные ею эмоции потрясли и даже испугали ее. Джулиан ласково ее успокаивал, обращаясь с ней не как с вдовой, имеющей ребенка, а как с новобрачной.

В августе он получил короткое послание от Натальи. Она родила ребенка. Это была девочка, вполне здоровая, хотя и весила при рождении чуть больше двух килограммов.

«Твои родители считают, что она родилась преждевременно, и я не стала их разуверять, — писала Наталья. — Я назвала ее Зоркой в честь подруги моей матери княгини Зорки».

— Полагаю, мне следует быть благодарным матери за то, что она по крайней мере считает ребенка моим, — разгневанно сказал Джулиан, сообщая новость Катерине. — Хотя Бог знает, как она отнеслась к такому имени. Леди Филдинг питает отвращение ко всему иностранному, а имя Зорка вряд ли можно считать английским.

Он скомкал письмецо, так что суставы его пальцев побелели.

— Интересно, известен ли ей адрес Кечко? — спросил он, с трудом скрывая боль. — Оценит ли он то, что его дочь названа в честь черногорской княгини?

На свои вопросы он не ждал ответа, и Катерина хранила молчание, глубоко потрясенная его переживаниями.

В конце месяца Сиси обручилась с одним из придворных, которого очаровала на балу, а неделю спустя в Белград вернулся Макс со своим маленьким сыном, но без жены-гречанки.

— Макс овдовел, — сообщила Вица Катерине. — У его жены была чахотка, и, хотя Макс возил ее в Швейцарию в надежде, что она там поправится, лишения военных лет оказались для нее чрезмерными. Она умерла месяц назад. Что чувствует Макс — трудно сказать. Он всегда был замкнутым, а после войны стал совсем нелюдимым.

Катерина не сомневалась в том, что чувствовал сейчас Макс. Он не относился к мужчинам, которые легко влюбляются, и, будучи по природе молчаливым, переживал свое горе в одиночку. Ей очень хотелось выразить ему свое сочувствие, но он их не навещал, а она не хотела нарушать его уединения.

В конце сентября Джулиан получил из Лондона предписание покинуть Белград и прибыть в Британское посольство в Париже. Он знал, что рано или поздно это случится, и заранее решил уйти с дипломатической службы, чтобы не расставаться с Катериной. Он мог бы остаться в Белграде и по рекомендации Алексия стать советником князя-регента.

Впервые после долгого перерыва он посетил дом Василовичей, чтобы поговорить с тестем наедине. Затем поздно вечером, выяснив у Алексия, может ли тот рекомендовать его Александру, Джулиан написал письмо Наталье, сообщая о своем решении.

Всю следующую неделю Катерина ничего не знала о его планах. Неожиданно она получила письмо от Натальи, написанное с явным чувством зелеными чернилами на сиреневой бумаге. В нескольких местах перо царапало бумагу, и помимо обычных для Натальи клякс, размазанные чернила свидетельствовали о том, что она плакала, когда писала:

«Дорогая Трина, я больше не в силах переносить разрыв, возникший между нами. Я понимаю теперь, как ужасно себя вела, и ничуть не виню тебя за то, что ты не захотела со мной общаться. Никогда не думала, что можно быть такой несчастной и одинокой. Диана обручилась, и я почти ее не вижу. Мой свекор приятный человек, но мать Джулиана просто нетерпима. Я ее ненавижу, как ненавижу Лондон! Если бы не Стефан и не малютка, клянусь, я бы покончила с собой.

Как же я была глупа! Даже сейчас не могу этого понять. Я считала Джулиана лишь своим лучшим другом и полагала, что не я выбрала его себе в мужья, хотя и согласилась стать его женой, но только сейчас я поняла, какой он замечательный. Я чувствую себя обманутой, понимаешь? Я всегда думала, что безумно влюблюсь в какого-нибудь принца или графа, что у меня будет роскошное венчание в церкви в присутствии дяди Петра и Сандро, а также, возможно, даже членов российской императорской семьи (о Боже, как подумаю о том, что случилось с Романовыми, мне становится дурно!), и я на что-то надеялась. Мне показалось, что с Ники я найду свое счастье, но я сильно в нем ошиблась. Теперь я понимаю, что это была тоска по родине, по всему славянскому, а не любовь.

По-настоящему я люблю только Джулиана. Передай ему это, Трина! Я не могу писать ему о своих чувствах. Его письма ко мне такие холодные, что меня бросает в дрожь, и я уверена, что любое письмо от меня, не касающееся Стефана, будет сразу же отправлено им в корзинку для мусора. Надеюсь, ты ему расскажешь о том, что я действительно его люблю, и если он сможет снова меня полюбить, я ни за что на свете больше не допущу какой-либо глупости. Передай ему, что Стефан плачет по ночам, скучая по отцу, и что родившаяся девочка — самая прекрасная и спокойная крошка в мире. Она не виновата, что появилась на свет, и я знаю — он не сможет ее не полюбить, как только увидит.

Передай ему, что я ждала, когда его переведут в посольство той страны, где я могла бы встретиться с ним и все рассказать, но он решил отказаться от дипломатической службы и остаться в Белграде, так что у меня нет возможности с ним поговорить. Пожалуйста, скажи ему, что я не хочу с ним разводиться и что его ужасный адвокат разговаривает со мной так, словно я преступница. Передай ему, что я его люблю и хочу сказать ему об этом сама».

Там, где обычно ставится подпись, красовалось большое грязное пятно.

Катерина дрожащей рукой положила письмо на туалетный столик. Она не знала о решении Джулиана отказаться от дипломатической службы и остаться в Белграде. И что еще более ее потрясло — она никогда не догадывалась об истинных чувствах Натальи к Джулиану и о ее страданиях с тех пор, как он ее оставил.

Глядя в окно на лужайки и каштаны, она испытывала странное спокойствие. Ее связи с Джулианом, разумеется, пришел конец. Она поняла это, как только прочитала первые закапанные слезами строчки письма сестры. Она вспомнила, с какой болью он воспринял известие о рождении Зорки, и поняла, что, несмотря на искреннюю любовь к ней, Катерине, он все еще привязан к Наталье невидимыми нитями, которые могла порвать только сестра. Но Наталья не хотела их рвать. Она любила Джулиана и хотела с ним воссоединиться. Она желала снова создать семью.

Катерина медленно положила письмо в свою сумочку, затем встала, почти ничего не видя вокруг, и надела соломенную шляпу с букетиком маков, приколотым к тулье.

Джулиан говорил, что принадлежит к мужчинам, для которых семья многое значит, и она знала, что он мог бы быть прекрасным отцом Зорке, так же как и Петру. При такой, как у него, великодушной, сострадательной натуре иначе и быть не могло.

Взяв свои кружевные перчатки, Катерина вышла из комнаты и в последний раз направилась к дому с белыми стенами за площадью Теразие.

— Письмо? Какое письмо? — спросил Джулиан, и его глаза потемнели. Он мгновенно почувствовал происшедшую в ней резкую перемену.

Катерина протянула ему листки сиреневой почтовой бумаги, на которой обычно писала Наталья.

— Оно пришло сегодня утром, — тихо сказала она. — Наталья хотела, чтобы я пересказала тебе его содержание, но я думаю, тебе лучше самому прочесть.

Он посмотрел ей в глаза, затем неохотно перевел взгляд на знакомый до боли почерк.

Катерина отвернулась, не желая видеть выражение его лица во время чтения. Они находились внизу в комнате, которая служила гостиной. Там стояли два низких дивана, обитых домотканой материей, а на стенах висели узорчатые коврики ручной работы и фотография короля в рамке.

Катерина продолжала стоять, не снимая шляпы и перчаток. В кремовом шелковом платье она не ощущала летней жары.

Казалось, прошла целая вечность, прежде чем он глухо произнес:

— Это письмо ничего не меняет. Я уже принял решение подать в отставку и остаться в Белграде, чтобы ничто, даже моя карьера, не могло нас разлучить...

Катерина повернулась и посмотрела прямо ему в лицо.

— Ты ошибаешься, — спокойно сказала она, хотя ее сердце разрывалось от любви. — Письмо Натальи все меняет. Раньше я думала, что наша связь никому не причинит вреда. Теперь же другое дело.

— Ты действительно думаешь, что Наталья заявила бы о своей любви ко мне, будь Кечко рядом с ней? — спросил Джулиан.

На нем был светло-серый костюм с золотой цепочкой для часов на груди. Его светлые волосы на шее вились поверх высокого накрахмаленного воротничка, и он выглядел таким же красивым, как в тот день, когда она впервые поняла, что его любит.

— Не знаю, — искренно и очень спокойно ответила Катерина. — Не думаю, что это имеет значение. Важно то, что измена Кечко заставила ее переоценить свою жизнь, и сейчас для нее ты — самый близкий человек на свете, так же как она и Стефан для тебя.

На его лоб упала прядь волос, и он откинул ее назад, стараясь избегать взгляда Катерины.

— А что ты скажешь о последних месяцах? — резко спросил Джулиан. — О спокойствии и ощущении полноты жизни, которые мы познали вместе?

Ее горло сжалось, и несколько мгновений она не могла говорить, затем тихо произнесла:

— Никто из нас никогда этого не забудет. Это будет нашим самым драгоценным воспоминанием.

Джулиан молчал, и с болью в сердце Катерина поняла, что он не собирается ей возражать. Хотя он искренне ее любил, но это была не та любовь, которую он испытывал к Наталье, и она знала, что он продолжает любить ее сестру, судя по тому, какую боль причинило ему известие о рождении Зорки, дочери Кечко.

— Я не знала о твоем решении оставить дипломатическую службу, — сказала Катерина. — Ты сделал это, потому что тебя попросили покинуть Белград и приступить к работе в другом месте?

Он кивнул.

— Мне предложили переехать в Париж. Я еще не дал ответа на просьбу начальства не уходить в отставку, и потому вопрос остается открытым.

Катерина подумала о прелестях Парижа и, несмотря на боль в сердце, легкая улыбка заиграла на ее губах. Париж как нельзя лучше подходит Наталье. В Париже сестра будет счастлива.

Они стояли в нескольких шагах друг от друга, и, когда говорить уже было не о чем и зная, что стоит ему только к ней приблизиться, как ее хрупкая выдержка может подвести, она, собрав всю свою волю, направилась к двери.

— Ты придешь на вокзал меня проводить? — спросил Джулиан сдавленным от волнения голосом, ожидая, что она повернется и бросится в его объятия.

— Да, — сказала она, боясь на него взглянуть, и взялась за ручку двери. Ее глаза были полны слез. — Конечно, приду.

До отъезда Джулиана они больше не встречались наедине. Такая встреча могла только причинить обоим невыносимую боль. Внешне сохраняя спокойствие и ничем не выдавая своего горя, Катерина объяснила Петру, что дядя Джулиан скоро уедет из Белграда, но они должны не огорчаться, а думать о том, как счастлив будет Стефан, увидевшись с отцом.

Когда настал день расставания, Джулиан пришел в дом Василовичей. Между ним и Зитой отношения потеплели. Сияя от счастья от того, что Наталья и Стефан скоро встретятся с Джулианом в Париже, она тепло поцеловала зятя в щеку и заставила пообещать прислать при первой же возможности фотографию малышки.

Алексий тоже выглядел счастливее, чем несколько месяцев назад. Он чувствовал огромное облегчение от того, что брак, за который он нес ответственность, не разрушился. Поздоровавшись с Джулианом за руку, он пообещал, что в ближайшем будущем вместе с Зитой, Катериной и Петром приедет в Париж, чтобы все они познакомились с Зоркой.

Катерина была бледнее обычного и очень спокойна. Она пока еще не попрощалась с Джулианом. Она расстанется с ним примерно через час на вокзале.

Когда он ушел, захватив подарки Зиты для Натальи и малышки, Катерина осторожно покинула родительский дом под предлогом визита к портнихе.

Она отправилась на вокзал, радуясь, что он находится в противоположном направлении от площади Теразие и лабиринта мощеных улочек за ней. Прошли слухи, что король Петр наконец решил вернуться в Белград, и на улицах было гораздо больше народа, чем обычно, а из кафе доносился оживленный гул.

Хотя ее элегантное зеленое платье выглядело очень простым и на ней не было никаких украшений, ее грация привлекала многие восхищенные взгляды, и Катерина опустила зонтик пониже, не желая быть узнанной какой-нибудь родственницей или подругой.

Сотни раз за последние несколько дней она задавала себе вопрос, стоит ли идти на вокзал, чтобы попрощаться с Джулианом, и ответ был всегда один и тот же — нет, не стоит. Она мучилась, но не могла не пойти. Ведь они были не просто друзьями.

Войдя в прохладное здание вокзала, Катерина вспомнила тот вечер, когда она попрощалась здесь с Натальей, но предстоящее сейчас расставание было гораздо тяжелее.

Выйдя на перрон, она увидела Джулиана, ожидающего ее у барьера.

— Я думал, ты не придешь! — взволнованно сказал он и, не обращая внимания на толпу и забыв о том, что они не приближались друг к другу со дня последней встречи в маленьком домике за площадью Теразие, крепко обнял Катерину и прильнул к ее губам.

Для отъезжающих объявили, что поезд на Будапешт отправляется.

Наконец с мучительной неохотой Джулиан оторвался от ее губ.

— Еще не поздно, — хрипло произнес он. — Мы могли бы уехать вместе!

Она ласково прижала палец к его губам.

— До свидания, — тихо сказала она. — Благослови тебя Бог.

Паровоз окутал их клубами пара. Носильщик уже отнес багаж Джулиана в вагон. Отпустив Катерину, он хрипло произнес:

— Я люблю тебя. И всегда буду любить. Ты лучше всех женщин на свете! — И, повернувшись, вскочил на подножку уже тронувшегося поезда. Через несколько секунд он открыл окно и высунулся наружу, не сводя глаз с Катерины.

А она продолжала стоять, как когда-то, пока поезд не скрылся из глаз. Закончился еще один отрезок ее жизни, который она никогда не забудет. Он всегда будет для нее самым дорогим.

Наконец она отошла от барьера. Толпа хлынула в дальний конец вокзала, где наспех расстелили красный ковер, так как королевский поезд уже прибыл, и только одна высокая, неясно вырисовывающаяся фигура осталась на перроне между ней и выходом на площадь. Катерина пригляделась, не веря своим глазам.

Мужчина двинулся к ней, не обращая внимания на приветственные крики, свидетельствующие о том, что король Петр наконец вернулся в столицу.

— Ты выглядишь так, будто нуждаешься в утешении, — резко сказал Макс.

Катерина вспомнила о его недавней тяжелой утрате и поняла, что ей не спрятать от него своего горя.

— Да, нуждаюсь, — ответила она, зная, что он все видел и все понял, и подумала о том, как она могла раньше считать его черствым и бездушным.

— Я тоже, — сказал он просто в своей обычной угрюмой манере.

Когда он предложил ей свою руку, согнутую в локте, она поняла, что ее будущее не так уж непроглядно, оно может быть ясным и солнечным. Она также поняла: не надо торопить события, время залечит все раны. Ее отношения с Максом будут строиться медленно и осторожно, но их основу ничто и никто не сможет поколебать.

Они не смешались с толпой, приветствующей вернувшегося в Белград короля, а вышли вместе из полумрака вокзала на залитую солнцем площадь.

МАЙ 1943 — ИЮНЬ 1945

Глава 21

Фасад здания на Бейкер-стрит выходил на Риджент-парк и, когда Стефан Филдинг, стоя напротив массивного письменного стола в кабинете на самом верхнем этаже, смотрел в окно, он видел нянечек, катающих детские коляски, и малышей с хлебом в руках, которые кормили уток.

— Садитесь, пожалуйста, — учтиво сказал человек в штатском, сидящий за столом. — Похоже, наш разговор затянется.

— Благодарю вас, сэр.

Стефан, в военной форме с отличительным знаком парашютиста на рукаве, сел в потрескавшееся кожаное кресло.

— Так, значит, вы проходили службу в районе Ла-Манша? — любезно спросил седовласый собеседник.

— Да, сэр.

— И знаете языки? Французский, немецкий и сербско-хорватский?

— Да, сэр, — сказал Стефан, уже чувствуя, куда он клонит. — У меня ученая степень за работы в области современного языкознания, к тому же моя мать сербка.

Сидящий напротив него человек, чьего имени он не знал, повернулся на своем вращающемся кресле так, чтобы тоже видеть парк. Не глядя на Стефана, он задумчиво сказал:

— И вы знаете Югославию? Вы бывали там с матерью?

— Я знаю эту страну и часто там бывал, хотя и без матери.

Его собеседник не обратил внимания на последнее замечание.

— Хорошо, — кратко сказал он. — Сначала позвольте познакомить вас с нынешнем положением в Югославии, а затем я объясню, зачем вы здесь. — Он сложил свои ладони вместе. — С тех пор как немцы вторглись в страну, союзники оказывают поддержку генералу Драже Михаиловичу. Генерал Михаилович, как вы, без сомнения, знаете, бывший офицер сербской королевской армии, лидер югославского сопротивления, его люди известны как четники. Однако недавно мы получили информацию о том, что многие диверсии против немцев были совершены не Михаиловичем и его четниками, а партизанами во главе с Тито, которые являются коммунистами. Речь идет о том, кто более достоин нашей поддержки.

Стефан слегка нахмурился.

— Почему надо делать выбор, сэр? Разве нельзя помогать и тем и другим?

Человек за столом снова повернулся к нему лицом и сухо сказал:

— В более простой ситуации это было бы самым очевидным и удовлетворительным решением. Однако на Балканах не так все просто.

Он закинул ногу на ногу, выставив напоказ удивительно яркие носки.

— Ближайшая цель и четников, и коммунистов — оказывать немцам сопротивление, но их представления о послевоенном устройстве Югославии настолько различны, что ни о каком сотрудничестве между ними не может быть и речи. Следовательно, возникает вопрос, кого поддерживать.

Он откинулся назад в своем кресле, покачивая ногой.

— Вот зачем вас вызвали, Филдинг. Прежде чем принять решение, мы должны знать, правдива ли полученная информация. Мы сбросили с парашютом троих наших агентов в эту страну, чтобы установить контакт с Михайловичем, но попытка оказалась неудачной. Двое из группы были англичанами, плохо знавшими сербскохорватский, поэтому к ним добавили третьего десантника — канадца хорватского происхождения. Тито тоже хорват, и когда Михайлович узнал, что канадец одной национальности с лидером коммунистов, он заподозрил подвох и отказался с ними встречаться. Я надеюсь, что если вы согласитесь, то получите такое же задание, и, полагаю, на этот раз оно будет успешно выполнено. У вас есть для этого все необходимые данные. Вы служили в десантном батальоне, знаете Югославию, говорите на различных языках, а ваши семейные связи таковы, что Михайлович, безусловно, будет вам доверять.

— Моя мать лишь дальняя родственница, а не троюродная сестра бывшего короля, — сказал Стефан во избежание недоразумений.

Его собеседник похлопал рукой по лежащей перед ним кожаной папке.

— Зато ваша бабка из семьи Карагеоргиевичей, — невозмутимо сказал он. — Такой аттестации для Михайловича достаточно. — Он поднялся со своего кресла, давая понять, что разговор окончен. — В Каире находится наш Балканский центр, и я хочу, чтобы вы вылетели туда немедленно.

Стефан молча встал.

— А как насчет людей, которые должны меня сопровождать, сэр? Мы полетим вместе?

— Нет. Ваша команда уже в Каире. Вас обязательно встретят на югославской земле. Кстати, командир группы четников, который должен доставить вас к Михаиловичу, хорошо вам знаком.

Стефан стоял неподвижно, надеясь, что его внезапно возникшее предположение верно.

— Все офицеры Михаиловича являются бывшими офицерами королевской армии, и Петр Зларин не исключение, — сказал его собеседник с некоторым подобием бесстрастной улыбки. — Ваша миссия может столкнуться с любыми трудностями, но подозрительность и недоверие исключены.

— В Югославию? — спросил сына Джулиан, ничуть не удивившись. — Интересно, сколько времени потребовалось твоему начальству, чтобы выяснить возможность использования тебя для предполагаемой операции?

— И устроить встречу с Петром, — добавил Стефан.

Джулиан подошел к камину и вытряхнул пепел из своей трубки.

— Твои отношения с Петром могут оказаться более близкими, чем полагают в разведке, — сказал он, подумав о том, каким образом стало известно, что командир отряда четников майор Петр Зларин — двоюродный брат капитана Стефана Филдинга, служившего в десантном батальоне. Джулиан усмехнулся. Он выглядел гораздо моложе своих пятидесяти пяти лет. — Твоя мать будет довольна. Она просто придет в восторг!

— В Югославию! — ошеломленно воскликнула Наталья. — Ты действительно собираешься сражаться за свободу Югославии? — Глаза ее блестели, как у девушки, когда она повернулась к Джулиану. — Это ты постарался, дорогой? Ты все это устроил?

Джулиан покачал головой, усмехаясь ее непоколебимой вере в то, что как бывшему послу ему достаточно сказать только слово, чтобы было выполнено любое его пожелание.

— Нет. Поскольку сейчас положение немцев в Италии сильно пошатнулось, союзники сосредоточили свое внимание на другом берегу Адриатики, и все военнослужащие, владеющие сербскохорватским и греческим языками, перебрасываются туда.

Ему очень хотелось рассказать об истинной сущности миссии Стефана и о том, что он должен встретиться с Петром, но он не мог этого сделать и потому решил сменить тему разговора.

— Поскольку Стефан завтра уезжает в Каир, давай устроим сегодня вечером обед в ресторане. Как думаешь, нам стоит пригласить нового молодого человека Зорки?

— Он вовсе не ее молодой человек, — возразила Наталья, и ее лицо потемнело. — Поклонник Зорки — Ксан, а это лишь ее коллега по работе и ничего более.

Заговорив о Ксане, Наталья помрачнела, и ее настроение передалось Стефану. С тех пор как два года назад немцы вторглись в Югославию, от Катерины и Макса, а также от его сына Ксана не было никаких вестей.

Стараясь утешить мать, Стефан неуверенно сказал:

— Я думаю, Ксан воюет против немцев. Зорка тоже так считает. Она говорит, что, будь он убит, она непременно почувствовала бы это.

Наталья вздохнула, понимая чувства дочери. Когда Джулиан воевал во Фландрии, она тоже верила, что инстинкт ей подскажет, если с ним что-то случится.

— Я хочу, чтобы они поженились, когда мы опять будем вместе, — сказала она дрогнувшим голосом. — Хотелось бы надеяться, что мама, папа, Макс и Катерина еще живы. Пусть Гитлер поскорее сдохнет и эта проклятая война закончится!

— Мы все этого хотим, — мягко сказал Джулиан, привлекая ее к себе и обнимая за плечи.

Стефан отвернулся. Он привык к проявлениям любви между родителями и не их объятия вызвали у него неловкость. Просто он знал, что по крайней мере один из членов их семьи в Югославии был жив, но из соображений секретности он не мог об этом сказать.

Наталья продолжала стоять, склонив голову на плечо Джулиана. Когда Стефан немного подрос, она рассказывала ему о царе Стефане Душане и о героях, которые освободили ее родину от турецкого владычества. Она хотела, чтобы он знал о своих славянских корнях, так как в школе преподавали только историю Великобритании. Теперь, сражаясь на земле своих предков против немцев, Стефан будет подражать героям, о которых она поведала ему в детстве, и, хотя Наталья очень гордилась своим сыном, ее не покидал страх за него.

В первые дни войны отец Стефана сделал все возможное, чтобы уговорить его тетю Диану, его мать и сестру Зорку переехать в их родовое поместье в Нортумберленде. Диана согласилась ради детей, но мать и сестра Стефана отказались. Наталья заявила, что в прошлую войну ни ее мать, ни сестра не покинули Белград, пока король и его армия там оставались, и что она не имеет ни малейшего намерения уезжать из Лондона, в то время как король Георг и королева Елизавета остаются. Зорка просто сказала, что ее должность секретарши при важном официальном лице делает невозможным ее отъезд, но даже если бы она не работала, то все равно бы не поехала.

Когда родители обменялись нежными, заговорщическими взглядами, Стефан сказал:

— Поскольку мне в дальнейшем долго не придется гулять с Рози, пойду-ка выведу ее в парк. Пусть побегает.

Услышав свою кличку, старая черная сука-спаниель, переваливаясь, с надеждой подошла к нему.

— Ты хотел сказать — пусть походит. Рози уже давно не может бегать, — сказал Джулиан.

Стефан погладил Рози по голове.

— Ну, пусть походит, — сказал он, с грустью подумав о том, что, вероятно, Рози не доживет до его возвращения домой, и мать тяжело перенесет эту утрату.

Он помнил, как когда-то предшественница Рози, Белла, весело крутилась у его ног. Когда Белла умерла, прожив у них четырнадцать лет, его мать едва не сошла с ума. Это было равносильно смерти члена семьи. Она поклялась больше ни за что на свете не заводить собаку, так как никто не сможет заменить ей Беллу. Однако отец, несмотря на ее протесты, принес в дом Рози, и Стефан никогда не забудет благодарный взгляд матери, когда тот вручил ей крошечный черный комочек.

С Рози на поводке Стефан вышел из дома. Мальчиком он жил с родителями на Кембридж-гейт, и мать всегда водила его в Риджент-парк. Он не помнил, чтобы отец когда-либо их сопровождал, но позднее, когда они переехали в Париж, отец, держа его за руку, гулял с ним по берегам Сены и запускал бумажного змея в маленьком парке позади их дома.

Пять чудесных лет в Париже, затем три года в Мадриде, а потом они опять переехали в Лондон, и родители купили дом в Челси, который до сих пор им принадлежал. У него было счастливое детство. По крайней мере один раз, а иногда и дважды в году они встречались с югославскими родственниками матери. Их любимым местом встречи был отель «Негреско» в Ницце, где он проводил несколько счастливых дней со своей сестрой и двумя двоюродными братьями на усеянном галькой берегу перед отелем.

Проходя по мосту в лучах яркого майского солнца, он подумал о том, когда же Ксан и Зорка, друзья с детства, поняли, что любят друг друга. Все, кроме его матери, были потрясены, когда они объявили об этом.

— Ксан не двоюродный брат Зорке, — деловито сказала Наталья. — Его мать не принадлежит ни к семейству Карагеоргиевичей, ни к семейству Василовичей. Она гречанка. Я считаю их любовь чудесной.

Позднее Зорка ему объяснила:

— Мама хочет устроить роскошную свадьбу, учитывая, что их с папой свадьба, по-видимому, была довольно скромной. Ксан и я не очень-то этого хотим, но у меня язык не поворачивается сказать ей об этом.

Стефан свернул налево к парку, стараясь ради Рози идти не спеша. Будет ли свадьба роскошной или скромной, ясно одно — она состоится в Белграде.

Когда ему исполнилось пятнадцать, отец объяснил ему причину, по которой Наталья никогда не ездила с ними в Югославию. Только тогда он понял, как мать, должно быть, страдала, когда его тетя выходила замуж за Макса Карагеоргиевича и отец взял его и Зорку с собой в Белград. Были и другие торжества, на которых она не могла присутствовать: свадьба сербского короля Александра с румынской принцессой Марией, а также свадьба ее двоюродной сестры Вицы с пожилым белогвардейцем-эмигрантом, годящимся ей в отцы. Стефан был слишком юн, чтобы помнить короля Петра, но вспоминал, как плакала мать, когда пришло известие о его смерти и похоронах.

Стефан вошел в парк и спустил Рози с поводка. Даже сейчас, девять лет спустя, он едва мог поверить в рассказанную отцом историю. Для него имя Гаврило Принципа было известно лишь из книг. Казалось невероятным, что его еще довольно привлекательная, добросердечная, полная жизненных сил мать могла быть среди близких друзей Принципа.

Еще труднее было поверить в то, что она участвовала в заговоре с целью убийства австрийского эрцгерцога.

Когда в 1934 году король Александр погиб от рук хорватских националистов в Марселе, Стефан был потрясен и подумал тогда, что, возможно, теперь длительное изгнание матери из Югославии наконец закончилось.

Он и отец присутствовали на похоронах в Белграде. Князь Павел, дядя покойного короля, был объявлен регентом до совершеннолетия одиннадцатилетнего Петра, сына короля Александра.

— Разрешит ли князь Павел маме посетить Белград? — спросил Стефан отца, когда они сидели за столом в доме Василовичей.

Воцарилась напряженная, почти осязаемая тишина, затем отец тихо сказал:

— Я надеюсь, Стефан. Я уже разговаривал с ним и намерен обратиться с просьбой разрешить ей въезд в страну. Дедушка и дядя Макс меня поддержат.

Бабушка извинилась и вышла из-за стола, а Стефан пожалел, что задал этот вопрос, потому что она наверняка пошла в свою комнату плакать.

Однако все их надежды оказались напрасными. Опасаясь оступиться, князь Павел старался вообще ничего не решать и отклонял любые просьбы.

Подойдя вместе с Рози к озеру, где катались на лодках, Стефан с удивлением подумал о том, как мужественно его мать отнеслась к этой неудаче. Она, конечно, была глубоко разочарована, но не произнесла ни единого слова в осуждение Павла, как раньше никогда не критиковала Александра.

Стефан вытащил из кармана мячик и бросил его недалеко в траву, надеясь соблазнить Рози. Она помахала хвостом, но не выказала желания быть втянутой в игру. Понимая, что он слишком многого хочет от старушки, Стефан поднял мяч, продолжая думать о матери.

Насколько он помнил, она всегда была рядом, и он ее обожал. Матери его друзей, как правило, были элегантными, но довольно прозаичными и скучными. Наталья же обладала чудесным качеством превращать обычные повседневные дела в веселые игры и забавы. Зорка тоже была полна задора и энергии. Когда он приглашал в дом девушек, независимо от того, какими бы чудесными они ему ни казались сначала, очень скоро становилось ясно, что они не идут ни в какое сравнение с его матерью и сестрой.

Стефан направился к выходу из парка. Зорка унаследовала от Натальи природную веселость и безрассудную импульсивность, а он пошел в отца. Как и Джулиан, он отличался хладнокровием и, несмотря на то что его волосы были темнее отцовских, безусловно, выглядел настоящим англичанином. Зорка же была совсем другой породы. У нее были темные, почти черные волосы до плеч, которые она удерживала от падения на лицо массивным черепашьим гребнем. Ее широкоскулое лицо, несомненно, было славянского типа, как и общительный, живой характер. Когда Зорка подросла, у нее появилось множество поклонников, и Стефан был уверен, что ее молодой человек, которого Наталья сочла просто коллегой по работе, наверняка предпочел бы, чтобы его воспринимали в ином качестве.

Его предположение подтвердилось вечером, когда они все вместе обедали в ресторане, и он увидел выражение лица юноши, который не сводил с Зорки глаз. Та же явно не отвечала ему взаимностью, и Стефан подумал, что, пожалуй, стоит отвести его в сторону и откровенно поговорить.

Веселое настроение, царившее за столом в начале ужина, постепенно пропало. У матери было отсутствующее выражение лица, а Зорка явно думала о Ксане и страстно желала, чтобы ее спутник убрался куда-нибудь подальше.

— Давайте танцевать, — сказал Стефан, когда оркестр заиграл квикстеп. — Когда еще у нас появится такая возможность, и я хочу пригласить тебя, Зорка.

— Ты что-то хотел мне сказать? — спросила Зорка, когда они удалились на достаточное расстояние от родителей и от ее кавалера.

— Возможна вероятность, правда, очень слабая, что последующие несколько месяцев я смогу видеться с Ксаном. Если ты хочешь использовать меня в качестве почтальона, я с радостью окажу тебе услугу.

Позднее, когда они вернулись домой и он лег в постель, чтобы немного почитать перед сном, к нему постучалась мать. Стефан знал, что она придет.

На ней была розовая ночная рубашка и халат. С распущенными волосами она выглядела гораздо моложе своих сорока шести лет.

Наталья присела на край кровати сына и сказала, словно он был все еще ребенком:

— Ты ведь не допустишь, чтобы с тобой что-нибудь случилось в Югославии, не так ли, дорогой? Обещай, что будешь осторожен.

Стефан взял ее руку.

— Ничего со мной не случится.

Она улыбнулась, но при этом ее глаза оставались серьезными и встревоженными.

— Я знаю, что ты не сможешь поддерживать с нами регулярную связь. Плохо также, что нам ничего не известно о моих родителях, Катерине и Максе. В безопасности ли они и где сейчас Петр и Ксан? Я не вынесу, если что-то с тобой случится.

— Петр и Ксан сражаются в рядах Сопротивления, — произнес он ободряюще.

— Если у тебя появится возможность попасть в Белград... или как-то связаться с нашими, ты ведь сделаешь это, не так ли?

— Конечно, — мягко ответил он.

Она крепко сжала его руку, затем сказала:

— Я хочу тебя попросить еще кое о чем. Если будешь в Сараево, сходи на кладбище. Там похоронены Гаврило, Неджелко и Трифко, и я хочу, чтобы ты возложил цветы на их могилы. Сделай это ради меня.

Увидев испуганное выражение его лица, она сказала, оправдываясь:

— Я знаю, твой отец и тетя Катерина не считают их моими настоящими друзьями, но они ошибаются, Стефан. Гаврило, несомненно, допрашивали, встречался ли он со мной, но он все отрицал. Защищая меня, он, должно быть, терпел страшные муки, потому что, как теперь стало известно, всех троих на допросах пытали. — Ее голос дрогнул. — Теперь ты понимаешь, почему я их считаю друзьями, особенно Гаврило? Надеюсь, ты выполнишь мою просьбу?

Стефан кивнул, чувствуя, как к горлу у него подступил комок.

Наталья наклонилась и поцеловала сына в лоб.

— Всегда помни, что я очень тебя люблю и горжусь тобой, — сказала она дрогнувшим голосом. — Спокойной ночи, дорогой. Благослови тебя Бог.

Когда мать ушла, Стефан еще долго лежал без сна, сомневаясь в том, что кто-нибудь из британских офицеров-десантников когда-либо получал такое странное дополнительное задание, отправляясь в Югославию. Затем, с радостью вспомнив, что его ждет встреча с Петром, он выключил ночник и попытался заснуть.

Глава 22

Инструктаж в Каире был кратким.

— Нас интересует только одно, — без обиняков начал старший офицер. — Кто главным образом борется против немцев? Если это Тито с его партизанами, то нам плевать на их политические убеждения и мы окажем им необходимую поддержку. Ваша задача состоит в том, чтобы оценить эффективность действий генерала Михаиловича. Вы будете работать в одиночку, а не с командой из трех человек, как планировалось раньше. Надеюсь, вы умеете обращаться с радиопередатчиком?

Пять дней спустя, с портативной радиостанцией, батареями и зарядным устройством, хорошо экипированный, Стефан отправился из Каира поездом на аэродром в Тунисе.

Поезд двигался медленно, и у него опять было достаточно времени, чтобы подумать. Он не стал размышлять о хитросплетениях политической обстановки в Югославии, а решил вспомнить о своих отношениях с Петром.

В 1919 году в Ницце ему было всего лишь три с половиной года, но он прекрасно все помнил. Волнение матери тогда передалось ему, хотя он не понимал его причины. Там он впервые увидел море и был им заворожен, а после бурной встречи с тетушкой и бабушкой познакомился с Петром.

Мать ему рассказала, что двоюродный брат младше его, и в возрасте, когда старшие дети существенно отличаются от младших, он ожидал, что Петр будет ниже его ростом и более мягким в общении.

Стефан улыбнулся при этом воспоминании. Петр оказался не только выше его ростом, но и большим упрямцем. С черными как смоль волосами и прямой узкой линией рта, он не только выглядел, но и был верховодом. Через пять минут они подружились, а к концу дня чувствовали себя уже не двоюродными, а родными братьями.

Впоследствии Стефан сошелся с Ксаном, а потом все трое с трудом терпели приставания Зорки, ковыляющей за ними, куда бы они ни пошли. Вскоре, когда она подросла, они стали дружной четверкой, хотя в играх, где надо было делиться на пары, он всегда был с Петром, а Зорка с Ксаном.

Стефан придвинул свой ранец к вагонному окну и, прислонившись к нему, устроился поудобнее. Когда они подросли, привязанности не изменились. Он ничуть не удивился, когда Зорка ему сказала, что они с Ксаном любят друг друга и собираются пожениться. Они всегда были парой, и трудно было представить себе иной выбор.

Час спустя после прибытия поезда, когда стемнело, он уже был на борту бомбардировщика «Галифакс». В ожидании взлета Стефан продолжал думать о своих двоюродных братьях. У Петра было широкоскулое славянское лицо, и он, как и его отчим, был высоким, широкоплечим брюнетом. Ксан был чуть пониже и более изящно сложен. Люди, впервые знакомившиеся с их семьей, сначала всегда считали Петра родным сыном Макса, а Ксана, с его длинными ресницами и серыми глазами с классически красивым лицом — пасынком.

Однажды он услышал, как бабушка говорила его матери:

— Должно быть, мать Ксана была красавицей. Внешне он явно на нее похож, в то время как Петр — весь в отца.

— Я никогда не видела Ивана Зларина, — напомнила ей мать, — хотя, должна признаться, он всегда вызывал у меня интерес.

— Майор Зларин был очень... — начала бабушка, но заметив, что Стефан прислушивается, она, вместо того чтобы закончить предложение и позволить ему узнать побольше о героическом отце Петра, перевела разговор на другую тему.

Сержант королевских ВВС вернул Стефана к действительности. Он потрогал парашют за его спиной и сказал успокаивающе, как это делал всегда:

— Хорошая ночь, сэр. Ясная и спокойная, и внизу не предвидится облачности.

Стефан усмехнулся, ничуть не опасаясь предстоящего прыжка. Гораздо больше его волновало то, как отнесется Петр к заданию, с которым он прибыл. Район приземления находился на юго-западе Сербии, на границе с Македонией, контролируемой болгарами, выступавшими на стороне гитлеровцев. Когда самолет начал снижаться, Стефан поправил лямки парашюта. Он неоднократно виделся с Петром, но никогда еще не прибывал на встречу таким необычным образом.

Когда люк открылся и в лицо ему ударил холодный ветер, он увидел на земле маленькие огоньки, указывающие на место приземления.

— Сбрасывайте снаряжение! — крикнул ему сержант, подкатив к краю люка контейнеры, предназначавшиеся для Стефана, а также для Петра и его людей. — Прыгайте сразу же вслед за грузом!

Самолет заложил крутой вираж. Стефан встал у открытого люка, а затем, когда сержант резко махнул рукой, прыгнул вниз.

Он всегда испытывал радостное возбуждение во время ночных прыжков, и этот не был исключением. Он должен был приземлиться в горной местности и был благодарен тем, кто разложил сигнальные костры, что позволяло спуститься на сравнительно ровную площадку, а не в ущелье или в какую-нибудь лощину между гор.

Стефан услышал радостные крики, когда контейнеры ударились о землю, и напрягся, приготовившись к встрече с землей. Несколько секунд спустя он ощутил удар и привычно перекатился по влажной душистой траве. Освободившись от парашюта, Стефан увидел, что приземлился недалеко от разложенных по кругу костров. Он начал собирать свой парашют, улыбаясь в предвкушении встречи, когда услышал топот сапог бегущих к нему людей.

— Стефан! Стефан, брат! — раздался знакомый голос. — Мне говорили, что мы должны встретить капитана Филдинга, но я не мог поверить, что это будешь ты!

Человека, стиснувшего его в своих объятиях, едва можно было узнать. Когда они расстались четыре года назад, Петр был элегантным офицером. Сейчас его лицо украшали большие черные усы, на нем были черная шерстяная шапка, короткая куртка из овчины и штаны, заправленные в немецкие сапоги. Грудь пересекал патронташ, набитый патронами, на широком кожаном ремне висели револьвер и нож, а через плечо была перекинута винтовка.

Стефан в ответ тоже крепко сжал его в своих объятиях, а затем, когда подбежали товарищи Петра, оглядел темные остроконечные вершины гор, упирающихся в ночное небо, и, усмехаясь, сказал:

— Это не отель «Негреско», не так ли? Где мы устроимся, Петр? В пещере?

— Если повезет! — Петр слегка улыбнулся. — Пещеры только для генералов! Пойдем, я познакомлю тебя с моими людьми, а потом мы переправим в наш центр прибывшее с тобой снаряжение и выпьем по стаканчику сливовицы.

Крики приветствий почти оглушили Стефана, и он не расслышал многие имена. Одно из рукопожатий, хотя и крепкое, исходило от довольно тонкой руки, принадлежащей хрупкому, женоподобному юноше в армейских штанах и грубых немецких сапогах, в английской авиационной куртке и в фуражке, надетой не по-мужски кокетливо.

— Тебя, конечно, интересуют новости о моей матери и наших родственниках, — сказал Петр, когда они спускались в ущелье с высокогорного плато. — Я лично не виделся с ними уже полтора года, но неделю назад получил известие, что они все живы-здоровы и по-прежнему находятся в Белграде, хотя живут в ужасных условиях.

Оба некоторое время помолчали, думая о бабушке и дедушке. Алексию было семьдесят шесть, и он страдал ревматизмом, а на здоровье Зиты, хотя она и была моложе, сказывался давний зимний переход через горы в Албанию.

— Как поживает Ксан? — спросил Стефан, надеясь на более радостные известия. — Он сражается в рядах Сопротивления?

— Он в партизанах, — нехотя ответил Петр. Тропа, по которой они двигались, шла берегом бурного потока, и он повысил голос, чтобы его было слышно.

— А где сейчас Макс? — спросил Стефан.

Петр улыбнулся, сверкнув в темноте белыми зубами. Он любил и уважал своего отчима и гордился тем, что в свои пятьдесят с лишним лет тот все еще воевал, обладая по-прежнему недюжинной силой.

— Последний раз я слышал, что он командует силами Сопротивления в Боснии. Где бы он ни был, повсюду бьет немцев и очень этим доволен.

Впереди в лунном свете замаячил какой-то дом. Это был одинокий крестьянский хутор.

— Вот мы и пришли, — удовлетворенно сказал Петр. — Надеюсь, что в контейнерах окажется подходящее оружие.

Стефан посмотрел на товарищей Петра, вооруженных до зубов, и подумал, что они вряд ли нуждаются в оружии. Помимо ножей и револьверов, заткнутых за пояс, за плечами у всех торчали винтовки и, кроме того, в достаточном количестве имелись захваченные у врага ручные пулеметы и автоматы.

Контейнеры сразу же начали разгружать, а Петр направился в дом, пригнув голову в дверном проеме.

— Подай сливовицы, Ольга, — сказал он какой-то девушке внутри и, сняв винтовку, бросил ее на ближайший стул. Затем повернулся к Стефану: — Ну, что ты думаешь о моей штаб-квартире? Здесь очень уютно, не так ли? «Негреско» просто трущоба по сравнению с этими хоромами, — сказал Петр с улыбкой, поглядывая, не несет ли Ольга сливовицу.

Но ни жены, ни дочери крестьянина не было видно. Вместо них появилась тонкая фигура, которая привлекла ранее внимание Стефана. Девушка поставила на стол бутылку и стаканы.

Увидев выражение лица Стефана, Петр расхохотался.

— Не беспокойся. Я не командую войском амазонок. Пока еще мои солдаты — мужчины.

На девичьем лице не промелькнуло и тени улыбки.

— Теперь я пойду разгружать снаряжение, майор, — сказала она просто и вышла из комнаты в своей фуражке, подчеркивающей нежные черты ее лица.

— В отрядах Михаиловича почти совсем нет девушек, — сказал Петр, протягивая руку к бутылке. — Надо сказать, они сражаются как дьяволы, это настоящие бойцы, а не просто обслуживающий персонал. — Он налил в стакан крепчайшего домашнего самогона и добавил, усмехаясь: — Не пытайся с ней флиртовать, Стефан. Иначе можешь плохо кончить, схлопотав автоматную очередь.

Позднее, когда все уселись за огромным столом и по мискам разлили содержимое дымящегося котла, Стефан поймал себя на том, что исподтишка посматривает на Ольгу. Она была очень юной, и казалось невероятным, что ей удавалось жить бок о бок с мужчинами, не подвергаясь приставаниям. Однако все сразу стало ясно. В отношениях к ней мужчин не было никакого зубоскальства или покровительства. Как и они, она была бойцом Сопротивления.

Начали провозглашать здравицы, и Стефан с большим трудом отвел от девушки взгляд, пили за успехи союзников, за здоровье юного короля Петра и генерала Михаиловича и даже вспомнили прапрадеда Петра — легендарного Карагеоргия.

Спустя некоторое время, когда в комнате стало шумно, Петр сказал:

— Давай выйдем. Я хочу узнать, с каким заданием ты прибыл. Ни на секунду не могу поверить, что тебя прислали просто как связного.

Стефан неохотно поднялся и вышел вслед за ним из комнаты. Он не хотел заранее объяснять, зачем его послали в Югославию. Петр и его люди сражались с немцами вот уже почти два года в тяжелейших условиях. Известие о том, что союзники собираются впредь поддерживать коммунистов, вряд ли будет встречено ими с одобрением.

Выйдя из дома, Петр немного прошел вперед, туда, где начинался крутой спуск. Усевшись на краю пропасти, он достал из нагрудного кармана сигарету и сказал:

— Ну? Раскалывайся, как сказал бы дядя Джулиан.

Стефан сел рядом с ним. Ночное небо уже начинало светлеть, и на горизонте появились первые проблески зари.

— Ничего хорошего, — сказал он напрямик. — До Лондона дошли слухи, что четники оказывают врагу недостаточное сопротивление и что партизаны-коммунисты действуют более успешно. Мне поручено встретиться с генералом Михаиловичем и проверить, истинны ли эти слухи или ложны.

— Проклятие! — Петр провел рукой по своим гладким черным волосам.

У Стефана все внутри сжалось. Он предвидел реакцию Петра, но не столь эмоциональную.

— Проклятие! — повторил Петр, на этот раз с еще большей яростью.

Стефан молчал. Внизу в долине громко прокукарекал ранний петух.

Петр глубоко затянулся сигаретой и наконец сказал:

— Черт побери, для этих слухов есть все основания, Стефан. И не потому, что мы плохо сражаемся, совсем наоборот.

Стефан продолжал молчать. Золотистая полоска на горизонте ширилась.

— В конце сорок первого и в начале сорок второго года мы наносили огромный урон немцам. Не в силах нам отплатить, они начали мстить гражданскому населению. — Петр немного помолчал, затем продолжил резким тоном: — Я был с Михайловичем, когда он вышиб немцев из Крагуеваца. Потом туда снова вошли немцы и в отместку расстреляли пять тысяч мужчин, женщин и детей. И это был не единичный случай. В октябре сорок первого Гитлер отдал приказ казнить сотню жителей Югославии за каждого немца, убитого партизанами, и полсотни за каждого раненого. Интересно, как повели бы себя английские войска, если бы они знали, что за каждого убитого немца будут убивать сотню англичан, в том числе женщин и детей?

Стефан не отвечал и не смотрел на Петра. Он уставился на траву у себя под ногами, думая о своей тетке и родителях матери, находящихся в оккупированном немцами Белграде.

— Генерал Михайлович был вынужден пересмотреть свою стратегию, — продолжал Петр. — Вместо того чтобы бить немцев в открытую, расплачиваясь за такие действия слишком высокой ценой, он решил перейти к диверсионной войне и сосредоточиться на подготовке к тому дню, когда вся страна поднимется против захватчиков при поддержке высадившихся союзников. А пока мы устраиваем диверсии, взрывы, поджоги, стараясь главным образом разрушать немецкие пути сообщения.

— А как действуют партизаны-коммунисты? — спросил Стефан, заранее зная ответ.

— Их не мучают угрызения совести, — с горечью сказал Петр. — Для них война есть война, и гражданское население должно терпеть все ее тяготы.

Стефан посмотрел на долину. В розовом утреннем свете она выглядела необычайно красивой. Склоны гор покрывали густые дубовые и буковые леса, а вдалеке виднелся бурный поток, берегом которого они шли прошлой ночью.

Он знал, чью сторону примет Лондон. Он будет впредь поддерживать партизан Тито.

— Боюсь, Лондон предпочтет согласиться с коммунистами, — сказал он с тяжелым чувством. — Там считают, что силы Сопротивления должны бить врага и не важно, какой ценой.

Петр бросил сигарету и поднялся.

— Ксан думает так же, — отрывисто сказал Петр. — Он перешел к партизанам, как только Михаилович отдал приказ совершать диверсии, не убивая немцев. — Он засунул руки глубоко в карманы штанов. — Трудно его винить. Сидеть в горах и ничего не предпринимать, кроме редких подрывов мостов или набегов на склады боеприпасов и оружия, — тяжелое испытание.

Стефан поднялся на ноги.

— Мне необходимо как можно скорее встретиться с Михаиловичем, — сказал он. — Я вполне понимаю причину его относительной пассивности, однако он должен знать о последствиях избранной им тактики.

Петр повернулся и зашагал к дому.

— Нам потребуется дней пять, чтобы до него добраться. Надо спуститься вниз в село и отвести туда одну из лошадей, чтобы заново ее подковать. Это займет около часа. Мы позавтракаем, отведем лошадь к кузнецу, а потом отправимся в путь.

На завтрак был только черный хлеб и сливовица. Дед дал ее Стефану попробовать еще в раннем детстве, но белградская сливовица была не такой крепкой, как этот самогон, и Алексий, конечно, никогда не пил за завтраком. С влажными от выступивших слез глазами, обжигая горло самогоном, Стефан залпом осушил стакан, хотя мечтал о чашечке английского чая.

За завтраком разгорелся шумный спор о том, кто будет сопровождать Петра и Стефана в село.

Петр усмехнулся.

— Не обольщайся, Стефан. Это не из-за симпатии к тебе, их манят деревенские девушки.

Наконец выяснилось, что с ними поедут Марко, Владо и Милош.

— Сельчане всегда снабжают нас съестными припасами, — сказал Петр Стефану, когда они седлали коней. — Было бы неразумно не воспользоваться такой возможностью.

Стефан вскочил на коня, которого Петр ему выделил, и вскоре они тронулись в путь.

На повороте тропы Стефан инстинктивно оглянулся. Ольга сидела на скамейке у двери и чистила свою винтовку. Сейчас на ней не было фуражки, и в солнечном свете ее волосы, схваченные на затылке лентой, казались светлыми, как у блондинки.

Почувствовав его взгляд, она подняла голову, и их глаза встретились. Стефан непроизвольно помахал ей рукой на прощание, но девушка даже не ответила. Она снова занялась винтовкой, лежащей у нее на коленях. Тогда он повернулся и, пришпорив коня, погнал его по пыльной тропе.

В селе была всего одна улица с побеленными домами под красными черепичными крышами, церковь и общий колодец.

Сельчане тепло их приветствовали, и к тому времени, когда они подъехали к кузнице, Стефан понял, почему Марко, Владо и Милош так стремились их сопровождать.

Деревенские женщины в черном совали им в руки корзины с фруктами и овощами, яйцами, маслом и даже сливовицей.

Такая щедрость обрадовала Стефана и подняла настроение. Он последовал за Петром в кузницу. Но его радость быстро рассеялась.

— Есть сведения, что болгарский* патруль движется в направлении нашей деревни, — сказал кузнец. — Полчаса назад я послал к вам своего мальчишку, но он вернулся, увидев, что вы едете сюда.

— Откуда они идут? — спросил Петр. — С юго-востока?

Кузнец кивнул.

— Я заберу лошадь позднее, — отрывисто сказал Петр. — Пошли, Стефан. Надо предупредить остальных.

Марко, Владо и Милош уже вскочили в седла, сильно разочаровав деревенских девушек, собравшихся у колодца.

Петр тоже быстро подошел к своей лошади и сказал Стефану:

— Возможно, это всего лишь обычный патруль, и мы просто отсидимся в укромном месте. Но если это облава и

---

* В марте 1941 г. Болгария была вовлечена в Берлинский пакт фашистских государств, а 6 апреля Югославия была оккупирована и расчленена фашистскими войсками, в т. ч. и болгарскими.

они ищут именно нас, придется уходить и искать другую базу. — Он вскочил в седло.

Они услышали отдаленную яростную перестрелку еще до того, как выехали на околицу.

— Болгары! — громко крикнул Владо. — Они атакуют хутор!

Все пятеро пришпорили коней и рванулись вперед.

Стефан почувствовал, что его шея стала влажной от пота. Сколько человек осталось на хуторе? Восемь? Девять? И сколько болгар в патруле? Он подумал об Ольге, сидевшей на солнышке и чистившей винтовку. Для любого, приблизившегося к дому, она могла бы стать отличной мишенью.

— Быстрее, черт тебя побери! — подгонял он своего взмыленного коня. — Быстрее!

Когда они приблизились к хутору, перестрелка уже слышалась где-то высоко в горах.

— Должно быть, наши их преследуют! — крикнул Петр Стефану.

Стефан кивнул, надеясь, что Петр прав. Он подумал о том, с какой стороны болгары атаковали хутор. Если с тыла, то есть вероятность, что они не застали Ольгу врасплох. А если же... Его охватил страх. Он не обменялся с ней ни единым словом, но знал, что если ее убили, это омрачит его последующую жизнь.

Крутой подъем сменился пологой тропой и, когда всадники домчались до последнего поворота, они увидели окровавленную фигуру, бегущую навстречу им.

— Не останавливайтесь! — крикнул им Пеко, в то время как впереди снова послышались выстрелы. — Владко загнал их в лес, но он нуждается в помощи!

Когда они промчались мимо него галопом, он крикнул им вслед:

— Джошко убит! Тома и Ольга ранены!

Стефан ничего не мог поделать. Невозможно было отстать и повернуть назад к хутору. Моля Бога, чтобы рана Ольги была не слишком тяжелой, он продолжал гнать коня по тропе, ведущей к лесу.

На опушке Петр сделал знак остановиться.

— Рассредоточьтесь и не высовывайтесь! — резко скомандовал он, спешившись. — И ради Бога, не подстрелите кого-нибудь из своих!

Низко пригнувшись, они бегом углубились в лес, чтобы поддержать Владко и остальных партизан.

Бой был коротким и жестоким. Когда прогремел последний выстрел, оказалось, что только один четник, лейтенант Владко, ранен, а все болгары убиты.

Петр вытер пот с лица.

— Заберите у убитых оружие и патроны, — сказал он Милошу и Владо, а затем обратился к Стефану: — Кажется, Пеко крикнул, что Джошко убит?

— Да, а Тома и Ольга ранены.

— Тогда скорее назад. Посмотрим, чем можно им помочь.

Не успел Петр договорить, как Стефан развернулся и побежал к коню. Из Каира с ним прислали медикаменты, но они еще не были распакованы и он не представлял, что в контейнерах. Стефан молил Бога, чтобы там оказался морфий, но вместе с тем страстно желал, чтобы он не понадобился. Вскочив в седло, он помчался вниз по склону горы и влетел в хутор. Ольга сидела в доме, прислонившись к косяку двери. Из плеча у нее сочилась кровь. Стефан сначала почувствовал облегчение, но затем увидел ее белое как мел лицо.

Он быстро подошел к девушке, стянул через голову рубашку и свернул ее жгутом, чтобы остановить кровотечение.

— Вы можете его подержать? — спросил Стефан, перетягивая жгутом плечо девушки.

Ольга кивнула.

— Сначала помогите Томе, — сказала она. — У него рана посерьезнее.

Снаружи у входа послышались слабые стоны. Стефан неохотно отошел от Ольги, взял один из индивидуальных пакетов и, вскрыв его, направился к Томе.

Позднее, когда Стефан помог Томе и извлек пулю из плеча Ольги, обработав рану, он спросил у Петра:

— Что теперь? Ты считаешь возможным здесь оставаться?

— Нет. Мы должны уйти в горы и там отсидеться. Боюсь только, раненым будет нелегко перенести долгий переход.

Стефан посмотрел на Ольгу. Ее лицо было пепельно-серым, скулы резко обозначились.

— Может, Ольге лучше остаться в деревне? — предложил он, представив, как тяжело придется девушке на опасных горных тропах. — Ее присутствие можно будет легко объяснить, не вызвав подозрений. Можно сказать, что она гостит у своих родственников.

Петр кивнул в знак согласия, но Ольга отказалась.

— Нет, — сказала она, с трудом шевеля языком под влиянием болеутоляющего, которое дал ей Стефан. — Я не так тяжело ранена, как Тома и Владко. Если они смогут добраться до пещеры, то смогу и я.

— У Томы и Владко нет выбора, — мягко возразил Стефан. — Их присутствие в деревне сразу привлечет внимание.

Она покачала головой, и ее волосы, стянутые в узел на затылке, распустились, упав на плечи.

— Нет, — повторила она. — Вы англичанин и не знаете, как выносливы женщины-славянки.

Стефан подумал о своей бабушке и тете, которые совершили тяжелейший переход через заснеженные албанские горы.

— Я наполовину серб, — сухо ответил он, — и хорошо знаю, как выносливы славянские женщины.

— Кажется, ты имеешь в виду нашу общую бабушку? — вмешался Петр, широко улыбаясь, несмотря на то что час назад им пришлось выдержать страшный бой.

Стефан улыбнулся ему в ответ, а Ольга недоуменно переводила взгляд с одного на другого.

— О, — сказала она, наконец сообразив, в чем дело. — Так, значит, вы двоюродные братья? Никто не сказал мне об этом. — Затем, помолчав, добавила: — Впрочем, это ничего не меняет. Я не собираюсь оставаться в деревне!

В тот же день Стефан установил по радио связь с Каиром. Старательно отстучав свое сообщение, он ждал ответа. Когда наконец пришла радиограмма из центра и Стефан ее расшифровал, он очень долго смотрел на лежащий перед ним клочок бумаги. Затем почти с таким же бледным лицом, как у Ольги, отправился на поиски Петра.

Стефан нашел его на склоне холма. Петр смотрел на долину, глубоко задумавшись. Солнце клонилось к закату, и небо было расцвечено теплыми янтарными красками.

— Это только что пришло из Каира, — решительно сказал Стефан, протягивая шифровку Петру. — Кажется, теперь нет необходимости встречаться с Михаиловичем.

Они посмотрели друг другу в глаза, затем Петр неохотно взглянул на листок папиросной бумаги. Сообщение было кратким и ясным.

«Решено прекратить всякую поддержку Михаиловича и его отрядов. Вам следует отправиться на юг и присоединиться к партизанам Тито. Дальнейшие инструкции получите позже».

Петр долго молчал, потом сказал с горечью:

— Вот и все. Англичане нас бросили, и теперь мы предоставлены самим себе.

— Когда ты намерен переправить раненых в пещеру? — спросил Стефан.

— Сегодня ночью. А ты? Когда ты двинешься на юг?

— Тоже ночью.

Над отдаленными горными вершинами небо из янтарного стало багровым.

— Тогда прощай, — сказал Петр. Его низкий голос, казалось, слегка дрогнул. — Может быть, встретишь среди партизан Ксана. Так или иначе, мы снова встретимся всей семьей, когда кончится эта проклятая война. Алексий и Зита, Ксан и Зорка, Макс и твой отец, твоя мать и моя мать, ты и я.

— Ты забыл еще кое-кого, — сказал Стефан, желая, чтобы Петр не спускал с Ольги глаз и заботился о ней.

Темные брови Петра вопросительно взметнулись вверх.

— Кого ты имеешь в виду?

— Ольгу, — сказал Стефан с пророческой уверенностью, что они обязательно встретятся.

Глава 23

Стефан отправился в путь на двух лошадях. Петр выделил ему жеребца и вьючную лошадь для снаряжения и увесистой радиостанции. Ближайший район, где действовали партизаны, находился на северо-западе, в Черногории. С картой, на которой Петр приблизительно наметил маршрут, а также зная, что из Каира должны поступить дальнейшие, более подробные инструкции, Стефан исчез в ночной мгле.

Мальчиком он часто проводил каникулы в Югославии вместе с дядей Максом, Ксаном и Петром, так что горы его не пугали. Среди его снаряжения был американский неприкосновенный запас, и он очень на него надеялся, потому что избегал заходить в населенные пункты, где могли оказаться немцы.

В конце первой недели он получил радиограмму из Каира. Ему сообщили точные координаты места, куда он должен прибыть, а также краткие сведения о районах, занятых немцами, которых ему следовало избегать.

Стефан верхом пробирался через густой лес и был вынужден часто пригибаться. Подъем становился все круче, и он спешился, чтобы помочь коню. С трудом пробираясь вперед между берез и сосен, он задумался о том, когда сможет побывать в Белграде и увидеться с родными.

Ночью, усевшись у костра, Стефан склонился над картой. Он все больше и больше удалялся от Белграда и был сейчас ближе к Сараево, который находился милях в пятидесяти от его маршрута. Возможно, скоро ему удастся туда попасть и выполнить обещание, данное матери.

Он сложил и убрал карту. Сараево подождет. Сейчас важнее всего установить связь с партизанами. Согласно координатам, полученным из Каира, ему оставалось несколько дней, а может, даже часов, до встречи с ними. Стефан снял с огня котелок с кипящей водой и бросил в него концентрат супа из своего неприкосновенного запаса. Он надеялся, что вместе с партизанами будет участвовать в боевых действиях.

Забравшись в спальный мешок, Стефан долго лежал без сна, думая о предстоящих сражениях, о своих родителях и сестре в Лондоне, о родственниках в Белграде и, наконец, об Ольге.

Его разбудили грубый пинок и резкий голос, спрашивающий, кто он такой. Слава Богу, вопрос прозвучал на сербскохорватском языке, а не на немецком или болгарском, однако он испугался от того, что не проснулся инстинктивно несколькими минутами раньше. Над ним стояли трое мужчин с винтовками, нацеленными ему в грудь. На них была смесь гражданской одежды с униформой, захваченной у врага; одинаковыми были только серые пилотки с красной звездой.

— Я британский офицер, — отрывисто сказал Стефан, поднимаясь на ноги, когда они опустили винтовки. Для большей убедительности он повторил фразу по-английски, а затем, перейдя на сербскохорватский, спросил: — Вы партизаны?

Незнакомцы заулыбались и взяли винтовки на плечо.

— Да, — сказал один из них. — А вы, значит, тот самый англичанин, посланный к нам для связи?

— Так точно, — сказал Стефан с улыбкой, в душе признательный Каиру.

— Нам сообщили, что по прибытии вы договоритесь со своим центром о посылке нам снаряжения, — сказал один партизан, в то время как его товарищи пытались заглянуть под брезент, прикрывающий радиопередатчик. — Наш командир, майор Кечко, беспокоился о вашей безопасности. А я лейтенант Стефанович, хорват. Мои товарищи, Йелич и Велебит — сербы.

— Я капитан Филдинг, — сказал Стефан, пожимая ему руку. — Далеко ли до вашей базы, лейтенант?

— Мили четыре или пять, — ответил лейтенант, пожимая плечами, а затем, как бы прочитав мысли англичанина, добавил: — У нас еще есть время выпить кофе. У вас есть кофе?

— Только эрзац.

Лейтенант Стефанович выглядел явно озадаченным.

— Это заменитель кофе. Не очень-то хороший, но лучше, чем ничего.

Стефанович усмехнулся.

— Тогда выпьем эрзац, капитан Филдинг. Для нас и это роскошь.

***

Все партизаны были пешими, и позднее, идя рядом с ними и ведя в поводу двух своих лошадей, Стефан полюбопытствовал:

— Вам часто приходится вступать в бой? Последние несколько дней мне пришлось прятаться от вражеских патрулей.

— Немцы пытаются взять этот район в кольцо, — мрачно ответил лейтенант. — Теперь, когда вы к нам прибыли, майор Кечко намеревается прорваться через горы на север, в Боснию. Главные силы нашей армии уже в горах. Мы должны с ними встретиться и, как только позволят условия, союзники обещают нам прислать оружие и подкрепление.

Стефан не возражал. Из Каира ему приказали полностью поддерживать партизан и подготовить место для выброски грузов.

— У вас нет необходимости говорить с майором Кечко на сербскохорватском, — сказал Стефанович с нескрываемой гордостью. — Он много лет жил в Лондоне и прекрасно говорит по-английски. Он очень хотел с вами встретиться, капитан Филдинг.

Стефан был заинтригован. Его родители всегда радушно принимали югославов, приезжающих в Лондон, и, хотя имя Кечко ничего ему не говорило, вполне возможно, что майор однажды был гостем в доме его родителей в Челси.

Когда лес кончился, перед ними открылась великолепная панорама величественных гор. Высокие вершины были подобны оскаленным зубам дракона. Они серебром сверкали на солнце, а глубокие ущелья напоминали огромную пасть чудовища.

— А вон там, посередке, гора Дурмитор, — сказал, слегка смущаясь, молодой человек, которого представили как Йелича. — Это одна из самых высоких гор Югославии.

— Сейчас там находится Тито с главными силами своей армии, — сказал лейтенант, а затем пошутил: — Надеюсь, вы не боитесь высоты, капитан Филдинг?

Дальнейший их путь пролегал по ровной открытой местности, а затем они вошли в рощу. Здесь, под кронами деревьев, приютилась незаметная с воздуха овечья кошара, вокруг которой располагалось несколько брезентовых палаток. Стефан на глаз прикинул, что в палатках и вокруг них около двадцати человек партизан. Некоторые чистили оружие, другие курили и разговаривали. В этом лагере было куда больше людей, чем на хуторе Петра.

— Прибыл британский офицер! — крикнул лейтенант Стефанович, когда они спустились по крутому скату к ближайшей палатке.

Оружие сразу же было отложено, разговоры прекратились. Со всех сторон люди начали подходить к Стефану, интересуясь, говорит ли он по-сербскохорватски, откуда прибыл и когда им пришлют оружие и прочее снаряжение. Вдруг дверь кошары распахнулась, и к ним быстро зашагал внушительный, атлетически сложенный человек.

— Так, значит, вы наконец прибыли! — сказал Никита Кечко по-английски с сильным акцентом. — Почему вас так долго не было?

Хотя приказ из Каира требовал от него действовать в полном согласии с партизанами, Стефан не хотел раскрывать местонахождение четников, особенно отряда Петра, и потому сказал:

— Мне пришлось обходить многочисленные немецкие патрули, майор. Это существенно замедлило мое продвижение.

Ники стоял, уперев руки в бока, и оценивающе глядел на Стефана своими темными, сверкающими глазами.

В отличие от остальных партизан на нем не было пилотки со звездой, и Стефан хорошо понимал почему. Его черные как смоль волосы были такими густыми и пышными, что трудно было себе представить, как она могла бы на них удержаться. Над левой бровью виднелся давнишний тонкий шрам и, хотя Кечко было уже за сорок, он выглядел здоровяком.

На Стефана произвело впечатление и другое обстоятельство, которое в иной ситуации могло бы вызвать смех. Со своей гривой густых непокорных кудрей и горящими черными глазами Кечко поразительно походил на Наталью.

— Капитан Стефан Филдинг, — представился Стефан, протягивая Кечко руку. — Кстати, майор, я свободно говорю по-сербскохорватски.

Скажи он, что его зовут Адольф Гитлер и что он свободно говорит по-японски, это, наверное, не вызвало бы такой ошеломляющей бури эмоций у Кечко.

— Филдинг? — наконец произнес Ники, глядя на него, как на привидение. — Филдинг? Это довольно распространенная английская фамилия, не так ли, капитан?

— Очень распространенная, — сказал Стефан, слегка озадаченный.

— Откуда вы знаете сербскохорватский язык, капитан Филдинг?

Это был вполне естественный вопрос, и Стефан любезно ответил:

— Это язык моей матери. Она сербка.

Ники сжал челюсти.

— У вас есть младший брат, капитан Филдинг? — напрягшись, спросил он.

— Нет, но у меня есть сестра. Вы знакомы с моими родителями, майор? Я знаю, вы долгое время жили в Лондоне и...

— Нет, — солгал Ники. — Я не знаком с вашей семьей, капитан. Скажите, ваша сестра моложе вас?

— Зорка на четыре года младше меня, — ответил Стефан, и его недоумение переросло в любопытство. — Почему вы спрашиваете об этом, майор Кечко?

Сделав несложные подсчеты, которые не оставили никаких сомнений, Ники сказал, широко улыбаясь:

— Просто так. Меня интересуют сведения о семьях всех моих людей. — Ники усмехнулся, пораженный превратностями судьбы, затем, дружески обняв Стефана за плечи, сказал: — Пойдемте завтракать, капитан Филдинг, и за едой вы мне расскажете, какую помощь партизанам следует ожидать от союзников.

Он повел Стефана к разбросанным неподалеку грубо отесанным пенькам, а собравшиеся последовали за ними. Из домика появились два мальчика с тяжелым дымящимся котелком и оловянными тарелками.

— Зорка — необычное имя для английской девушки, — задумчиво сказал Ники, когда они сели. Ему хотелось побольше узнать о своей дочери. — Это славянское имя. На кого больше похожа ваша сестра: на славянку или на англичанку?

Удивляясь необычайному интересу Кечко к его семье, Стефан взял предложенную ему тарелку и откровенно сказал:

— Моя сестра и по виду, и по темпераменту истинная славянка. — Он вспомнил, что среди партизан должен быть Ксан, и, возможно, Кечко его знает, поэтому добавил: — Она даже обручилась с югославом.

Ники расплылся в улыбке.

— С югославом? Ваша сестра обручилась с югославом?

Стефан кивнул, забавляясь почти детским восторгом майора и зная, что сейчас он обрадуется еще больше.

— Его зовут Ксан Карагеоргиевич, — сказал он, в то время как ему в тарелку налили порцию фасолевой похлебки. — Возможно, вы его знаете. Он тоже партизан.

— Ну конечно, я знаю майора Карагеоргиевича! — Радости Ники не было границ. — Он один из самых верных помощников Тито и сейчас вместе с ним находится на Дурмиторе.

Собравшиеся вокруг зашумели.

— Карагеоргиевич! — крикнул лейтенант Стефанович тем, кто не слышал разговора. — Сестра британского офицера обручена с майором Карагеоргиевичем!

Стефан получил столько одобрительных хлопков по спине, что едва удержал на коленях тарелку.

— Майор Карагеоргиевич — мой сводный двоюродный брат, — сказал он, и все опять одобрительно загудели.

— Вскоре вы увидитесь со своим двоюродным братом, — пообещал Ники, чрезвычайно довольный, что его дочь выйдет замуж за одного из помощников Тито. — Как только поедим, мы свернем лагерь и двинемся к горе Дурмитор.

Но и через пять дней они еще не добрались до Дурмитора, и Стефан начал подозревать, что они никогда туда не дойдут. Весь район был оцеплен немецкими патрулями. Дважды, а иногда трижды в день в небе появлялись вражеские самолеты, заставляя партизан укрываться в ближайшей лощине или в овраге. Когда под покровом темноты они наконец подошли к скалистому подножию Дурмитора, за ними по пятам следовали немцы.

Вскоре Стефан убедился, что темные склоны горы кишат людьми, поднимающимися вверх длинными узкими колоннами. Когда его группа присоединилась к отставшим и раненым, он понял, что здесь сосредоточилось несколько батальонов партизан, и все они стремились преодолеть опасный перевал до рассвета, когда немцы будут атаковать их с воздуха.

Пошел дождь, и почва, превратившись в грязь, предательски скользила под ногами. Короткие привалы были недостаточны для отдыха. Когда подъем стал круче, Стефан забеспокоился о своих лошадях. Он протянул повод вьючной лошади Йеличу, поручив ее его заботам, поскольку тот, как оказалось, обладал кошачьим зрением и ловкостью горного козла.

Перед самым рассветом они достигли пещер, и люди, лошади и мулы, шатаясь от усталости, наконец укрылись в убежище.

— Вы можете связаться с Каиром по радио? — спросил Ники. — Можете им сообщить, что Тито и почти все его люди оказались в ловушке на гребне горы Дурмитор? Способен ли Каир послать самолеты, чтобы остановить немцев?

Стефан покачал головой:

— Из пещеры невозможно установить связь. Но даже свяжись я с центром, в Каире не хватит бомбардировщиков, чтобы прийти нам на помощь. Сожалею, майор Кечко.

— Можешь называть меня просто Ники, — сказал тот, усаживаясь на сухой, но холодный пол пещеры. — А я буду называть тебя Стефаном. У тебя есть фотография твоей семьи, Стефан? Снимок матери и сестры?

Ободранными, мокрыми от дождя пальцами Стефан расстегнул плащ и френч и полез во внутренний карман за своим бумажником. Снаружи послышался гул моторов приближающихся вражеских самолетов.

— Это моя мать, — сказал он, доставая маленькую черно-белую фотографию, которая была сделана на пляже перед отелем «Негреско», и протянул ее Ники. — А это моя мать с Зоркой. Снимок был сделан летом 1939 года, как раз перед началом войны. А это мой отец.

Когда самолеты начали сбрасывать небольшие десяти- и двадцатикилограммовые бомбы, стены пещеры задрожали, и сверху посыпались мелкие камешки. Ники ничего не замечал. Не обращая внимания на фотографию Джулиана, он весь сосредоточился на лице Натальи и своей дочери.

Дочь была очень красивой. Волосы и глаза темные, большой улыбающийся рот. Он подумал о том, что вряд ли кто-то мог поверить, что Джулиан является ее отцом. Он также подумал, что будет, если попытаться ее вернуть, завоевать ее любовь и уважение. Кечко криво улыбнулся. Все это безумные фантазии. Он никогда не связывал себя ни с одной женщиной, никогда не задерживался на одном месте, у него не было своего дома. Для дочери лучше жить с заботливым и почтенным Джулианом Филдингом, чем в раздираемой междоусобицами Хорватии, мотаясь вслед за отцом по всей стране.

Его улыбка стала еще шире, когда он посмотрел на другую фотографию. По-видимому, она была сделана в прохладный ветреный день. На Наталье было длинное узкое белое летнее платье, а в ушах и на запястье поблескивало золото. Она лучезарно улыбалась тому, кто ее фотографировал, удерживая развеваемые ветром волосы, чтобы они не падали на лицо. Жизнерадостность так и била из нее ключом.

К горлу Кечко подкатил комок. До недавнего времени он годами не вспоминал о Наталье. Но сейчас, глядя на ее чувственную улыбку, он снова ею восхищался. Она была волнующе непредсказуемой, самой страстной из тех женщин, каких он когда-либо знал, и казалось удивительным, что он мог почти ее забыть.

Кечко мысленно вернулся к их последней встрече. За несколько месяцев до этого он надеялся, что, когда вернется на родину, Наталья последует за ним. Затем из Салоников вернулся ее муж, она встретилась со своей семьей в Ницце, после чего заявила, что никогда не сможет вернуться в Белград, так как король Александр это ей запретил. На несколько мгновений Кечко задумался о том, как могла бы сложиться его жизнь, не будь этого запрета, затем неохотно вернул снимок Стефану.

— Ты счастливый человек, — сказал он, когда Стефан опять положил фотографии в бумажник. — Твоя мать и сестра очень красивы. Надеюсь, они также и счастливы?

— Родители моей матери и ее сестра сейчас в Белграде, и это не может не беспокоить, — сухо ответил Стефан. — Но если бы не война, можно считать, что они обе счастливы. Обе радуются жизни и обладают ценным даром радовать окружающих.

Ники кивнул, хорошо зная способность Натальи, о которой говорил Стефан, и был доволен, что дочь ее унаследовала. Затем ему в голову пришло неожиданное сравнение, вызвавшее приятные эмоции.

— Зоркой звали черногорскую княжну, — сказал он на случай, если Стефану это не известно. — А ее отца, как и меня, — Никитой. — Он улыбнулся и поудобнее привалился к стене пещеры. Через несколько минут Ники уже спал.

На следующий день, прикрытые от атак с воздуха сплошной облачностью и туманом, они снова двинулись в путь. Стефан подумал о своих тете и бабушке, совершивших когда-то такой же переход через албанские горы с младенцем на руках, и подивился их выносливости и выдержке.

На второй день Стефану удалось ненадолго связаться с Каиром. Ему передали, что он не единственный британский офицер на Дурмиторе. Четыре дня назад там приземлились еще шестеро десантников, которые сразу же установили контакт с Тито.

— Они, должно быть, в головных колоннах, — сказал ему Ники, когда они с трудом продвигались вверх, увязая по колено в рыхлом снегу. — Не осталось ли шоколада в твоем пайке? Я так голоден, что готов съесть одну из лошадей.

Через ущелье они переправились по качающемуся подвесному мосту, а затем со страхом наблюдали, как бомбардировщики его уничтожили, загнав в ловушку колонны с ранеными на той стороне. Теперь двигаться днем стало совсем невозможно. Только ночью им удавалось проходить большое расстояние. Авангард вступал в тяжелые бои, освобождая дорогу тем, кто шел сзади. Стефан подумал о том, где сейчас Ксан и жив ли он.

Когда атаки немцев стали еще яростнее, по колоннам передали сообщение, что из тактических соображений командиры подразделений должны сами принять решение, как прорваться и выжить.

— Ненавижу горы, — с чувством сказал лейтенант Стефанович, когда они отдыхали в одной из бесчисленных пещер. — Я родом из Воеводины. Там чудесные луга и леса, но, слава Богу, нет гор. Видеть их больше не могу!

Посыпались камешки, и по крутому склону в пещеру спустился человек, которого Стефан принял за вестового.

— Майор Карагеоргиевич! — ошеломленно воскликнул лейтенант, первым узнав вошедшего.

В тесной пещере люди майора Кечко поспешно поднялись на ноги.

— Я узнал, что в вашем подразделении находится британский офицер, присланный для связи, — сказал Ксан Ники, а затем, прежде чем тот успел ответить, увидел в глубине улыбающегося Стефана.

— Стефан! Стефан! — крикнул Ксан, бросившись к нему и крепко обнимая. — Какого черта ты даже не попытался меня известить? Давно ли ты в отряде Кечко? Есть ли для меня письмо от Зорки?

— Я бы известил тебя, если бы мог, — сказал Стефан, с удовольствием отметив, что Ксан был в сером кителе завидного покроя. — Однако мне с трудом удалось связаться с Каиром, и я узнал, что у них для меня новое задание. Что касается пребывания у Кечко, то оно показалось мне вечностью, хотя прошла всего неделя.

— А как насчет письма от Зорки? — с нетерпением спросил Ксан. — У тебя есть для меня весточка?

— Возможно, — сказал Стефан, широко улыбаясь. — Есть ли в этих чертовых горах укромное местечко, где мы могли бы поговорить наедине и где бы нам не мешали немецкие бомбы и пушки?

— Мы можем говорить по-английски, — сказал Ксан, но, увидев предостерегающе приподнятые брови Стефана, добавил: — Впрочем, можно рискнуть и выйти на несколько минут наружу.

Когда они вышли из пещеры, Стефан объяснил:

— Майор Кечко жил несколько лет в Лондоне и довольно хорошо говорит по-английски.

— А ты хочешь расспросить меня о Петре?

— Да, я находился в его отряде, пока не пришло сообщение о том, что решено прекратить всякую поддержку Михаиловича и его людей. Судя по тому, что сказал майор Кечко, ты являешься одним из ближайших помощников Тито. Что теперь будет с четниками? Неужели Тито собирается воевать с ними так же, как с немцами?

Площадка у пещеры была довольно узкой, а за ней начинался крутой спуск в долину, на противоположной стороне которой возвышалась другая гора, и Стефан знал, что достаточно посмотреть в полевой бинокль, чтобы увидеть скопление немецких войск на ее склонах.

— Как это ни печально, но должен подтвердить твое предположение, — с горечью сказал Ксан. — Большинство четников начало сотрудничать с врагом и принимать участие в операциях немцев против нас. Когда это случилось, партизанам ничего не оставалось, как нанести ответный удар.

— А как быть с теми четниками, которые скорее покончат с собой, чем будут сотрудничать с немцами. С такими, как Петр и его люди?

— Им следует сделать то же, что и я: влиться в ряды партизан. — Видя, что Стефан нахмурился, он ободряюще добавил: — Петр понимает, почему я это сделал, Стефан. Меж нами нет разногласий. Я по-прежнему его люблю и, как всегда, восхищаюсь им.

Естественная легкость, с которой его двоюродные братья могли на словах выражать свои чувства, всегда была источником зависти для Стефана. Он тоже любил Петра и восхищался им, но английская сдержанность не позволяла ему говорить об этом с такой прямотой.

Он полез во внутренний карман своего френча и достал письмо, которое было при нем с самого Лондона.

— Вот, — сказал он сдавленным голосом. — Ты этого ждал?

Ксан выхватил у него письмо.

— Ты дьявол! — воскликнул он, сияя от радости. — Почему ты не отдал мне его раньше? Я уже было подумал, что ты ничего мне не привез!

Не дожидаясь ответа, он надорвал конверт и впился глазами в письмо.

Стефан отвернулся и посмотрел на противоположную сторону долины, где гора кишела немцами. Он, как всегда, удивлялся тому, как Ксан внешне отличается от своего отца. Схожими были только широкие скулы и темные волосы, но даже здесь имелись некоторые отличия. Волосы Ксана казались шелковистыми, а не грубыми и жесткими, а впалые щеки подчеркивали классическую красоту его лица.

— Что же теперь будет? — спросил он Ксана, возвращаясь к сложившейся ситуации, когда тот закончил чтение письма. — Нам сказали, что теперь каждый предоставлен самому себе и следует разделиться на мелкие группы, чтобы просочиться через кольцо осады.

Ксан сложил письмо Зорки и аккуратно сунул его во внутренний карман кителя.

— Нет, — решительно сказал он. — Но немецкое окружение такое плотное, что прорваться можно действительно только отдельными группками. Тито хочет, чтобы ты остался с майором Кечко. При генерале уже есть два британских офицера, и один из них радист. Жаль, потому что неизвестно, когда мы снова увидимся.

— Увидимся в Белграде, — сказал Стефан, и его горло сжалось.

Ксан кивнул, не в силах говорить, и, услышав приближение вражеского самолета, крепко обнял Стефана. Затем повернулся и вскочил в седло поджидающего его коня.

В эту ночь Стефан и его товарищи под командованием Ники выскользнули из немецкого окружения. Два дня спустя, вскоре после того как они пересекли границу Боснии, Стефан связался по радио с Каиром, и приказ, полученный от Тито через Ксана, оттуда подтвердили. Он должен был оставаться в отряде Кечко до получения дальнейших инструкций.

— Мы должны устраивать диверсии на всех железнодорожных линиях, ведущих в Сараево, — сказал он Ники. — Каир обеспечит нас необходимым снаряжением. От нас требуется только найти подходящую площадку для приемки сброшенного груза.

Все лето они принимали снаряжение, сбрасываемое с самолетов, и все лето безжалостно уничтожали немецкие транспортные артерии. В сентябре итальянцы капитулировали, и огромное количество захваченного оружия и боеприпасов досталось партизанам.

К концу года стало ясно, что немцы терпят поражение и что после войны в правительстве будущей Югославии будут преобладать коммунисты.

— Как тебе это нравится? — спросил Ники Стефана, когда они вместе с остальными бойцами из отряда сидели у печки в овечьей кошаре, а снаружи бушевала вьюга.

— Если это означает конец раздорам между сербами и хорватами и мусульмане, католики и православные наконец-то будут дружно жить в одной стране, такое будущее меня устраивает.

Ники усмехнулся. Ему нравилось подкалывать Стефана на политические темы, и он был очень доволен, что тот никогда не клевал на приманку и не начинал горячо с ним спорить, как это делал один из его соотечественников.

К весне Стефан обнаружил, что теперь ему трудно представить иную жизнь, чем та, что он ведет сейчас. Спартанская простота и мужское товарищество вполне его устраивали. Он радовался жизни ранним утром, когда они спускались по горным склонам в долину, когда отдыхали в густых фруктовых садах под сенью цветущих слив и миндаля, когда ели, собравшись у костра, а ночью устраивали диверсии.

Шел месяц за месяцем, и немцы постепенно отступали на север. Стефан знал, что все больше и больше четников переходят на сторону партизан, а к концу лета Би-би-си сообщила, что это начинает принимать массовый характер.

— Не могу поверить! — с волнением воскликнул Ники, когда молодой король Петр, вещая из Лондона, призвал всех югославских патриотов отказаться от поддержки генерала Михаиловича и сплотиться в рядах партизан под руководством Тито. — Следующим к нам прибудет сам король Петр!

— Если он все еще надеется вернуться в Югославию королем, то ему не мешало бы это сделать, — холодно сказал Стефанович. — Разве югославы станут приветствовать возвращение короля, который не сражался вместе с ними за освобождение страны?

Стефан был полностью с ним согласен, но промолчал. Он думал о том, как отнеслась его мать к выступлению короля Петра по радио. Ведь он, в сущности, предал генерала Михаиловича и всех тех, кто сражался вместе с ним, в том числе Петра и Макса. Вероятно, Наталья удивлена и расстроена.

В середине лета Ники получил приказ явиться в штаб. Он оставил Стефановича командовать отрядом.

— Похоже, нам с тобой не удастся вместе войти в Белград, — сказал Ники Стефану с глубоким разочарованием, навьючив на лошадь свои скудные пожитки. — Не могу понять, зачем, черт побери, меня переводят в ставку, когда война уже идет к концу?

— Если конец действительно близок, мы встретимся с тобой в Белграде после войны, — сказал Стефан, не менее огорченный, чем Ники, потому что теперь вероятность войти с победой вместе с ним в столицу была чрезвычайно мала.

Ники повернулся к Стефану, его глаза подозрительно блестели.

— До свидания, друг, — сказал он, обнимая его. — Обещай всегда заботиться о своей сестре.

— Обещаю, — глухо ответил Стефан.

Ники вскочил на коня. Партизаны, которыми он командовал так долго и в таких трудных условиях, собрались его проводить. Он поднял руку и сжал в приветствии кулак, затем нехотя пришпорил лошадь, и через несколько минут вдалеке можно было с трудом различить его фигуру.

Глава 24

В последующие недели и месяцы Стефан очень скучал по Ники. Они больше года жили и воевали бок о бок, как родные братья, и, хотя переменчивый характер Ники часто его раздражал, боевая жизнь никогда не казалась ему скучной.

Вскоре после отъезда Ники пришли известия из Каира о том, что русские прошли с боями Румынию и скоро войдут в Югославию, чтобы соединиться с партизанской армией Тито для штурма Белграда. Немцы отступали на всех фронтах, и Стефан решил, что пришло время съездить в Сараево.

— В Сараево? — озадаченно переспросил Стефанович, произведенный в майоры. — Зачем тебе нужно в Сараево? Получен приказ двигаться на Белград.

— Я должен ненадолго туда съездить, — сказал Стефан, подумав, что сказал бы майор, знай он о его намерениях. — Я оставлю радиостанцию на твое попечение и быстро вернусь.

— Ты попадешь под трибунал, если в Каире об этом узнают.

— Вполне возможно, — сухо ответил Стефан. — Чтобы не было проблем, вытащи из радиостанции батареи. Отсутствие связи в течение суток не вызовет подозрений в Каире, да и нам будет спокойнее.

— Это ради женщины? — спросил майор, вдруг улыбнувшись. — Ты хочешь повидаться с женщиной?

— Нет, но я хочу кое-кому оказать услугу, — сказал Стефан, начиная разбирать свой автомат, чтобы он мог поместиться во внутренних карманах его куртки.

— Должно быть, ты очень ее любишь. — За малопривлекательной бородатой внешностью Стефановича скрывалось мягкое сердце. — Наверное, она необыкновенная.

Стефан спрятал свой разобранный автомат.

— Да, я очень ее люблю, — сказал он, — а она меня.

Он без особых препятствий добрался до Сараево и прошел пешком по его улицам. Немцев нимало не беспокоил молодой крестьянский парень в грязной одежде с совсем неуместным букетом белого шиповника.

Спрашивая дорогу по-сербскохорватски у пожилых женщин, он по разбитым улицам добрался до кладбища.

Хотя на могилах не было памятников с надписями, он без труда нашел то, что искал. Три каменные плиты лежали у ограды, заброшенные.

Центральная, под которой был погребен Гаврило Принцип, была немного приподнята, и Стефан положил на нее свой букет.

Он долго стоял молча, думая о девятнадцатилетнем парне, чей поступок привел к ужасной катастрофе. То, что случилось в Сараево солнечным июньским днем тридцать один год назад, ввергло мир в страшную трагедию. Даже сейчас, во время Второй мировой войны, слышались ее отголоски. Стефан вспомнил свою мать, проведшую в изгнании всю взрослую жизнь. До сих пор она не могла вернуться на родину, которую страстно любила. Его снова удивило отсутствие у нее злобы на людей, виновных в ее несчастье. Она считала Гаврило Принципа своим другом.

Стефан подумал, как сложилась бы жизнь его матери, если бы Гаврило признался в том, что разговаривал с ней на Восточном базаре в Сараево, что часто встречался с ней в Белграде в кофейне «Золотой осетр». Вполне возможно, что Наталья предстала бы перед судом, обвиняемая в соучастии в заговоре с целью убийства австрийского эрцгерцога. И, возможно, умерла бы в тюрьме, как Гаврило и его друзья, и была бы похоронена рядом с ними.

Эта мысль ужаснула Стефана, и он понял, что мать была права, считая Принципа своим истинным другом. Пожелав ему вечного покоя, он перекрестился и, завершив тем самым свою миссию, пошел назад к воротам кладбища.

Ему потребовалось более полутора суток, чтобы вернуться в свой отряд. Хотя он располагался в густом лесу, Стефан легко нашел партизан. Надежно укрытый от вражеских самолетов, лагерь находился у речки с крутым песчаным берегом, в котором было множество нор, где вполне мог укрыться человек.

Издав тихий свист, который был его обычным сигналом, Стефан осторожно приблизился.

— У нас гости, — сказал стоявший на посту Йелич. — Они говорят, что знают тебя. — В его глазах светилось любопытство. — Майор Стефанович думает, что один из гостей и был причиной твоего визита в Сараево.

Сердце Стефана гулко забилось. Майор полагал, что причиной его отъезда в Сараево была женщина, и только одна женщина могла прийти в лагерь партизан — Ольга.

Среди серых пилоток бойцов, сидящих и разговаривающих на берегу речки, Стефан не увидел лихо заломленной фуражки. Но плотную фигуру Марко было невозможно с кем-то спутать.

— Марко! — радостно крикнул Стефан, бросившись к нему. — Какого черта ты здесь делаешь? Петр с тобой? А Ольга?

Марко шагнул ему навстречу. Он выглядел непривычно в партизанской форме.

— Я здесь по той же причине, что и ты, — сказал он, широко улыбаясь. — Чтобы драться с немцами. Где сейчас остальные, трудно сказать. А Ольга представляется майору.

— Тогда я лучше пойду туда, — сказал Стефан, вырываясь из медвежьих объятий Марко. Ему не терпелось снова увидеть Ольгу.

При его приближении майор выглянул из-за хрупкой фигурки девушки, с которой он разговаривал, и на его лице отразилось огромное облегчение.

— Стефан! Слава Богу, ты вернулся! — воскликнул он, поднимаясь на ноги. — Все наше соединение двинулось на Белград. А нам приказано остаться, чтобы перерезать коммуникации между Белградом и Сараево. К нам прибыло пополнение. Это лейтенант Марко Томошевич и лейтенант Ольга Маринко. Полагаю, ты с ними знаком?

Стоявшая спиной к Стефану Ольга повернулась. Ее бледное овальное лицо было таким же бесстрастным, как и во время их первой встречи, когда он сидел за столом на хуторе Петра. Но Стефан увидел выражение ее глаз и понял, что под внешним безразличием скрываются неуверенность и застенчивость.

Он догадался о причине ее стеснительности, и внутри у него все запело.

— Да, — сказал он, вдруг осознав, что и она догадывается о его чувствах. — Мы знакомы. Как ваше плечо, лейтенант Маринко?

Ольга приподняла плечо, как бы показывая, что оно больше ее не беспокоит. Она не отрывала от него глаз.

— Лейтенант Томошевич и лейтенант Маринко — специалисты-подрывники, — оживленно сказал майор. — Мы собираемся ночью взорвать железную дорогу между Белградом и Сараево в ближайшем от нас месте. Необходимо обсудить план действий.

— Я должен сначала связаться с Каиром, и если сели батареи, мне понадобится помощь, чтобы завести генератор и зарядить их.

— Лейтенант Маринко тебе поможет. Во время ночной операции мы разделимся натрое. Две группы будут прикрывать дорогу слева и справа, а третья заложит взрывчатку.

Ты с лейтенантом Маринко займетесь этим, я буду командовать одной из прикрывающих групп, а лейтенант Томошевич — другой. Я пойду и поговорю с людьми.

Командир ушел, и когда Стефан убедился, что их никто не услышит, он спросил:

— Что с остальными, Ольга? Они также влились в отряд партизан? Где Петр?

Она начала сухо и официально, словно отдавала рапорт:

— После вашего отъезда мы укрылись в пещере, время проходило почти в полном бездействии. Необходимо было получать разрешение от генерала Михаиловича на каждую диверсию, а тот почти всегда отклонял наши планы. Среди бойцов росло недовольство, и двое из них, Пеко и Тома, последовали за вами на северо-запад, чтобы присоединиться к партизанам Тито.

— А что потом? — Стефан достал из кармана пачку сигарет и предложил ей закурить.

Она отрицательно покачала головой и с грустью сказала:

— А потом мы получили подтверждение, что некоторые отряды четников сотрудничают с немцами. Майор Зларин говорил, что они делают это без санкции генерала Михаиловича и что мы будем по-прежнему ему верны, однако терпеть такое было довольно трудно. Владко сказал, что лучше сражаться в рядах коммунистов, чем прослыть пособником немцев, и после ожесточенного спора с майором Злариным он ушел, прихватив с собой Милоша.

Внезапно ощутив слабость, Ольга присела на ствол поваленного дерева.

— После этого мы уже перестали быть жизнеспособным отрядом. Майор Зларин сказал, что он уходит к генералу Михаиловичу, и предложил мне и Марко пойти с ним.

Впервые за время разговора в ее глазах отразилось неприкрытое страдание.

— Марко сказал, что генерал Михайлович утратил доверие бойцов Сопротивления. Он сказал также, что пошел в лес, чтобы сражаться с немцами, и если осталась единственная возможность делать это, только вступив в ряды партизан, он так и поступит.

— И вы ушли вместе с ним.

Она кивнула.

— Мы вступили в отряд, базировавшийся в двадцати милях к югу от Сараево. Два дня назад пришел приказ присоединиться к главным силам армии и быть готовыми к штурму Белграда. Мы предложили, учитывая наш опыт подрывников, перебросить нас в отряд майора Стефановича, где пользы от нас будет больше.

— Я рад, что вы здесь, — сказал Стефан, пристально посмотрев на девушку. — Я часто о вас думал.

Руки Ольги были сложены на коленях. Она отвела от него свой взгляд и смотрела на них, слегка покраснев. У нее были длинные тонкие пальцы с красивыми миндалевидными ногтями. Стефан подумал о том, как в таких трудных условиях ей удается сохранить кожу рук чистой и гладкой. Он подумал также, что, кажется, готов совершить ужасную глупость. Он вспомнил, как отец ему рассказывал о том, что он почти мгновенно влюбился в его мать, едва ее зная. Мать тоже говорила, что вышла замуж весьма опрометчиво, но, учитывая обстоятельства, при которых они поженились, она должна была так поступить. Тем не менее их брак оказался довольно удачным и счастливым.

Следуя семейной традиции и доверившись своей интуиции, Стефан хрипло произнес:

— Я скучал без вас, Ольга. Мы были вместе так мало времени.

— Да, — сказала она, поднимая голову и глядя ему в глаза. На этот раз ее лицо не было бесстрастным. — Я тоже скучала. Когда вы ушли, я вспомнила, что даже не поблагодарила вас за перевязанное плечо, и, кроме того, вела себя не очень-то вежливо, потому что не знала, что вы наполовину серб.

Стефан усмехнулся.

— Разве это имеет значение?

Она пояснила с серьезным видом:

— За несколько недель до вашего появления Би-би-си несколько раз сообщала о диверсиях, которые якобы совершили партизаны Тито, хотя на самом деле это сделали четники. Мне стало ясно, что англичане решили отказаться от поддержки генерала Михаиловича и впредь поддерживать Тито. Тогда у меня появилось враждебное чувство к англичанам, а следовательно, и к вам.

— А теперь? — спросил Стефан, улыбаясь.

В глубине ее темных глаз промелькнул отсвет ответной улыбки.

— А теперь я поняла, что вы не типичный англичанин. Что вас по-настоящему беспокоит происходящее в моей стране.

— Да, — искренне сказал он, вспомнив о неотложной необходимости связаться по радио с Каиром. Он бросил окурок сигареты. Эту беседу они продолжат позже в более подходящей обстановке. Сейчас важно запустить генератор, чтобы зарядить батареи и послать сегодня вечером сообщение.

— Пойдемте, — сказал он, протягивая ей руку и помогая встать. Стефан чувствовал, что меж ними завязываются совсем другие, более близкие отношения. — Нас ждет работа.

Вечером Стефан отстучал радиограмму о наступлении на Белград и ждал ответа. Он оказался совершенно неожиданным. Ему надлежало оставаться в отряде до взятия Белграда, а затем посетить там Британскую миссию и получить дальнейшие указания.

Когда в сумерках Стефан отправился, возможно, на свою последнюю диверсию в Югославии, он думал о том, что будет с ним и с Ольгой. Неужели он снова с ней расстанется, так и не объяснившись, и не попросит ее выйти за него замуж?

Отряд быстро спускался двумя колоннами вниз по склону холма. Ольга шагала где-то впереди со взрывчаткой в мешке и винтовкой на плече. Почувствовав на себе его взгляд, она обернулась. На мгновение их глаза встретились, и она широко ему улыбнулась.

Стефан тоже улыбнулся в ответ. Он уже не колебался и был готов на ней жениться. Помешать этому могло только одно. А вдруг она стала коммунисткой? Если это так, то их политические взгляды настолько различны, что совместная жизнь будет чревата большими трудностями. Он подумал, что этот вопрос надо ей задать, когда они останутся наедине.

Стемнело, и теперь они двигались при бледном свете луны, избегая проезжих дорог и обходя села стороной.

Наконец майор, возглавлявший колонну, остановился. Впереди, метрах в двухстах, пролегала главная железнодорожная магистраль между Сараево и Белградом.

Каждый хорошо знал свою задачу. Марко и его команда заняли позицию, с которой они могли прикрыть огнем Стефана и Ольгу от немецкого патруля. Митя сделал то же самое.

— Ты готова? — прошептал Стефан Ольге, когда издалека послышалось приближение немецкого состава с оружием и боеприпасами.

Она кивнула, выражение ее лица было напряженным.

— Хорошо, — сказал он, испытывая необычайное волнение. — Тогда вперед!

Они дружно рванули по влажной от росы траве к железнодорожной насыпи и забрались на нее, когда уже можно было различить приближающийся поезд. Хотя прежде они никогда не работали вместе, оба действовали слаженно и молниеносно.

Когда Стефан достал взрывчатку, а она встала на колени напротив, чтобы присоединить к заряду детонатор, он понял, что другого момента поговорить с ней наедине у него не будет.

— Я хочу тебя спросить, — сказал он, вытирая со лба пот, после того как заложил взрывчатку под рельс. — Ты коммунистка?

Ольга глубоко втянула в себя воздух, а затем, полностью ему доверившись, кратко ответила:

— Нет.

Стефан быстро вставил взрыватель. Состав приближался к ним с огромной скоростью, и оставалось всего лишь несколько секунд, чтобы отбежать подальше. Взглянув в последний раз на заряд, он схватил Ольгу за руку и нырнул вместе с ней под откос.

Когда поезд был уже совсем близко, Стефан крикнул на бегу, стараясь перекричать грохот:

— Ты выйдешь за меня замуж?

Раздался взрыв и скрежет раздираемого металла. Состав сошел с рельсов и рухнул с насыпи. Вагоны с грузом падали друг на друга и во все стороны разлетались обломки. Когда Стефан бросился на землю, увлекая за собой Ольгу, он услышал в ответ всего лишь одно слово:

— Да!

Романтические связи не одобрялись в партизанских отрядах, и Стефан с Ольгой знали, что им ни в коем случае нельзя проявлять свои чувства. На обратном пути на базу Ольга шагала рядом с Марко, а Стефан в нескольких метрах позади.

В отряде царило приподнятое настроение не только из-за успешной операции, но и потому, что все знали: штурм Белграда неминуем и, может быть, уже начался.

Было раннее утро, когда они вернулись в свой лагерь. Здесь их радостное настроение улетучилось.

Постовой бросился к ним навстречу с побледневшим лицом.

— Через несколько секунд после вашего ухода прибыл связной, — сказал он командиру. — Приказано двигаться на Белград.

— Что еще? — спросил тот, зная, что этот приказ не мог расстроить партизана.

Лицо бородача исказилось от горя.

— Он сообщил также, что майор Кечко погиб от взрыва бомбы. Даже похорон не было, так как от него почти ничего не осталось.

Все застыли от неожиданной скорбной вести. Смерть была для них обычным явлением. Кечко все любили. Он командовал ими, когда они попали в кольцо на горе Дурмитор и когда каждый отряд был предоставлен самому себе. Благодаря ему они уцелели.

— Черт побери, — сказал Йелич, по его щекам текли слезы. — Дьявольщина какая-то!

Стефан чувствовал себя так, словно его ударили кулаком в солнечное сплетение. Многие месяцы они вместе с Ники жили и воевали, и тот был для него как старший брат.

Стефан незаметно спустился к речке и долго стоял на берегу, засунув руки глубоко в карманы брюк. Он так и не понял, почему Ники проявлял живейший интерес к его семье, но не сомневался, что это было искренно. Стефан вспомнил о том, о чем Ники попросил его перед их расставанием, и его горло сжалось. Сзади треснула веточка, и он обернулся. Перед ним стояла Ольга.

— Я не знала, хочешь ли ты побыть в одиночестве или тебе нужен кто-то, — нерешительно сказала она.

— Мне нужна ты, — сказал Стефан. — Давай прогуляемся по берегу, и я расскажу тебе о своем друге Ники Кечко.

Три недели спустя они уже были в Белграде. Ольга родилась и жила в Загребе и никогда раньше здесь не бывала.

— Город трудно узнать, — мрачно сказал Стефан, когда они шли по изрытым воронками улицам к Британской миссии. — Это разрушенное здание было королевским дворцом. В нем никто не жил после старого короля Петра. Возможно, Тито разместит здесь свой штаб.

— А дом твоих бабушки с дедушкой? Где он?

— Недалеко отсюда, — сказал Стефан с побелевшими губами, и его сердце сжалось от страха. — Как только я закончу дела в миссии, мы пойдем к ним.

В городе повсюду виднелись следы жестоких боев. На улицах и на площадях чернели обгоревшие танки, повсюду из земли торчали деревянные кресты над могилами погибших.

Он вошел в миссию один, оставив Ольгу у входа.

— В вашем распоряжении всего восемь часов, — сказал ему бригадный генерал в форме шотландских стрелков. — Вы должны прибыть на аэродром к 18.00. Полетите в Северную Италию к тамошним партизанам.

Обрадовавшись, что не надо тратить время на официальный доклад о выполнении задания, Стефан быстро вышел наружу, готовясь по возможности мягче сообщить новость Ольге.

— Это ведь ненадолго, не так ли? — сказала она немного неуверенно, когда он привлек ее к себе.

Его губы коснулись ее шелковистых волос.

— Да, — нежно сказал он. — Немцы бегут не только из Югославии. Они отступают повсюду. Через несколько месяцев война кончится, и тогда мы будем вместе всю оставшуюся жизнь.

Ольга знала, что он говорит искренне. Их пальцы переплелись.

— Пойдем к твоим старикам, — сказала она, зная о его опасениях. — Если их дом разрушен, у нас есть восемь часов, чтобы их отыскать.

Невысказанным осталось то, что они могут их не найти и даже не узнать, что с ними сталось.

Крепко держась за руки, они пошли по разбитым улицам. Повсюду можно было видеть русских солдат. Их было так много, что, казалось, Белград за одну ночь превратился в русский город. Иногда Стефан и Ольга замечали американский или британский флаг, свисающий из окна, но это русские сражались вместе с Первой партизанской армией Тито и освободили город, и именно они были героями.

С замиранием сердца Стефан свернул на улицу Князя Милана и приблизился к знакомым ажурным воротам особняка Василовичей. Он испытал невероятное облегчение при виде уцелевшего белостенного дома.

Во дворе стоял джип с советским флажком, а рядом валялся разорванный и втоптанный в грязь немецкий флаг.

Когда они поднялись по каменным ступенькам, тяжелая дубовая дверь неожиданно распахнулась. Перед ними стоял исхудавший, оборванный Лаза.

— Я увидел, как вы шли к дому, господин Стефан, — сказал он, когда тот переступил через порог. — Я заметил вас из окна генеральского кабинета.

— Генеральского? — переспросил Стефан, обнимая его.

— Да, — ответил Лаза, приветливо улыбаясь Ольге. — Во время войны здесь располагался главный штаб немцев, а теперь русских. Они разрешили господам пользоваться несколькими комнатами.

— Так, значит, они здесь? — Голос Стефана сорвался от волнения. — Все вместе?

Лаза кивнул, и его глаза подозрительно заблестели.

— Они в итальянской гостиной, господин Стефан. И с ними господин Ксан. Он им сказал, что вы скоро сюда прибудете.

Стефан вытер рукой увлажнившиеся глаза. То, что дедушка, бабушка и тетя живы после трехлетней немецкой оккупации, было сверх его ожиданий. Он повернулся к Ольге, чувствуя, что следующие несколько мгновений будут самыми волнующими в его жизни.

— Пойдем, любовь моя, — сказал он, слегка запинаясь, и взял ее за руку. — Я хочу познакомить тебя с моими родственниками.

Лаза шел впереди по мраморному полу вестибюля и распахнул двустворчатые двери маленькой гостиной.

— Господин Стефан, — провозгласил он с дрожью в голосе. — И их барышня.

Стефан смутно вспомнил, как, будучи маленьким мальчиком, он вошел в солнечную гостиную отеля «Негреско» и был впервые представлен своей бабушке и тете. Тогда, как и сейчас, они сидели вместе за чаем, и он подумал о том, до чего же они элегантны и красивы. На бабушке было нежно-бирюзовое платье, а на тете — кремовая блузка и юбка цвета жженой умбры, в тон ее медно-каштановым волосам.

С комком в горле он увидел, что по причудливому совпадению на бабушке снова было бирюзовое платье, а тетя надела блузку цвета слоновой кости и темно-коричневую юбку, очень похожие по тону на те, что были на ней много лет назад. Правда, их наряды сейчас не выглядели столь роскошно, как тогда, а казались довольно поношенными.

Когда бабушка, вскрикнув, встала и широко раскрыла ему свои объятия, он увидел, что невзгоды, безусловно, повлияли на ее красоту, но не смогли ее победить. Белоснежные волнистые волосы были по-прежнему уложены в высокую прическу и, хотя лицо покрылось паутиной морщин, красивые черты и обворожительная лучистая улыбка делали их незаметными.

— Стефан! — радостно воскликнула она, обнимая внука. — О, Стефан! Мне просто не верится! И Ксан тоже здесь! Он появился всего час назад и сказал, что ты скоро сюда придешь, но я боялась ему верить!

Сидя у окна, выходящего во двор, Ксан улыбнулся Стефану, чрезвычайно довольный, что его двоюродный брат-англичанин смог прийти в их фамильный особняк.

— Ксан принес нам известия о Петре и Максе, — хрипло сказал дед со своего места у камина. — Тито объявил амнистию офицерам, служившим у генерала Михаиловича. Ксан убедил Петра и Макса ею воспользоваться.

Стефан осторожно высвободился из объятий бабушки. Прежде чем перейти к другим семейным новостям, надо было сделать самое важное.

— Я хочу представить вам Ольгу, — сказал он, взяв девушку за руку. — Мы познакомились в отряде Петра, когда тот воевал в Черногории. Мы вместе боролись с немцами, вместе подрывали поезда. На этой девушке я собираюсь жениться.

Катерина восторженно вскрикнула и быстро подошла к ним.

— Так, значит, вы были в отряде моего сына? — спросила она Ольгу, обнимая ее с сияющими глазами. — Вы были вместе с Петром?

Ольге трудно было ответить, потому что в этот момент Ксан издал ликующий свист, а Алексий оживленно заговорил:

— Поздравляем! Поздравляем! За это надо выпить! Где Лаза? Где, черт побери, бутылка клековахи, которую я припрятал?

— Не могу поверить! — сказала Зита. — Сегодня день удивительных событий! Знаменательный день!

— Когда вы собираетесь пожениться? — спросил Ксан Стефана, когда шум утих и Лаза поспешно принес драгоценную бутылку клековахи. — Сейчас или после окончания войны?

— Когда кончится война. Раньше не получится, так как сегодня вечером я отправляюсь в Италию.

— В таком случае у нас будет двойная свадьба, — сказал Ксан, подойдя к Ольге и сердечно целуя ее в обе щеки. Он явно одобрял выбор своего двоюродного брата. — Думаю, гораздо лучше будет отпраздновать обе свадьбы в мирное время?

— Это прекрасная идея, — сказала Зита, взяв стаканчик клековахи, который протянул ей Алексий. — К тому времени наш дом освободится, мы приведем в порядок бальный зал и устроим прием. Все будет, как прежде! Соберутся все родственники...

Лицо Катерины помрачнело.

— Ты кое-что забыла, мама, — мягко сказала она. — Если свадьба состоится в Белграде, Наталья не сможет на ней присутствовать.

Зита растерянно на нее посмотрела. На какое-то мгновение она действительно забыла о том, что Наталье запрещено возвращаться на родину, и вся ее радость померкла. Она повернулась к Алексию и сказала прерывающимся голосом:

— Я забыла, Алексий. Как это могло случиться? Как я могла забыть?

Ольга озадаченно посмотрела на Стефана.

Тот, не в силах вынести огорчения бабушки и расставаясь с мечтой о чудесном двойном бракосочетании, быстро сказал:

— Тогда, может быть, лучше устроить обе свадьбы в православной церкви в Ницце? Ницца всегда была для всех нас вторым домом и...

— Нет! — категорически заявил Ксан, возвращаясь на свое место у окна.

Когда все удивленно повернулись в его сторону, он повторил:

— Нет! Я женюсь на Зорке только в Белграде.

Катерина шумно втянула в себя воздух.

— Не думаю, что это разумное решение, Ксан, — заметил Алексий. — Наталье очень хотелось бы присутствовать на свадьбе дочери...

— Если Ксан так принципиален и хочет устроить свадьбу в Белграде, я уверен, что мама это поймет, — сказал Стефан, помрачнев. — Но я не стану здесь жениться. Моя мать и так достаточно настрадалась за годы изгнания, не имея возможности присутствовать на семейных праздниках в Белграде, чтобы пропустить и мою свадьбу.

На лоб Ксана упала прядь шелковистых темных волос, и тот откинул ее назад нетерпеливым жестом.

— Ради Бога, Стефан! За кого ты меня принимаешь? Разумеется, я не мыслю церемонии без тети Натальи!

— Тогда что же ты предлагаешь?

Ксан усмехнулся.

— Я предлагаю устроить двойную свадьбу в Белграде, — повторил он, с улыбкой наблюдая за Стефаном, который явно его не понимал.

Стефан ждал, видя, что Ксан его поддразнивает и что он не стал бы это делать без задней мысли.

С легкой грацией, характерной для всех его движений, Ксан поднялся и сказал с наигранным раздражением:

— Это так очевидно, что мне просто не верится: неужели ты не можешь меня понять?

Он оглядел присутствующих. Только глаза деда светились пониманием. Ксан сунул руки в карманы брюк и сказал:

— Когда кончится война, а это случится через несколько месяцев, человек, который придет к власти в Югославии, не будет принадлежать к семье Карагеоргиевичей. Это будет Тито.

Стефан облегченно вздохнул.

Ксан усмехнулся, видя, что Стефан все понял, и теперь клянет себя за то, что не сразу сообразил, в чем дело.

Однако ради Зиты и Катерины он продолжил:

— Тито вряд ли обеспокоит возвращение тети Натальи в Белград. Времена изменились. Мир стал другим. Теперь никого не волнуют причины начала Первой мировой войны. Этот вопрос давно предан забвению.

Катерина прерывисто дышала. Только Ольга по-прежнему оставалась в недоумении. Ксан подошел и ласково взял ее за руки.

— Пробил час возвращения тети Натальи на родину, — мягко сказал он. — Пришло время воссоединиться всей нашей семье.

Глава 25

Наталью, как и ее мать, ошеломило сообщение Стефана.

— Значит, я могу поехать на родину? — изумленно сказала она. — Я могу вернуться в Белград?

— Да, — повторил он. У его ног, растянувшись на полу, удобно устроилась Рози.

Когда до сознания Натальи наконец дошло сказанное сыном, она ухватилась за каминную полку, чтобы не упасть.

— Поскольку теперь ты можешь свободно передвигаться по Европе, — продолжал Стефан, — мы с Ксаном устроим наши свадьбы в Белграде.

Наталья посмотрела на него с недоверием.

— Разве так уж свободно? Домой возвращаются тысячи солдат и беженцев! Об этом пишут в газетах!

— Да, сейчас не до путешествий, — согласился Стефан, вспомнив о том, как ему пришлось возвращаться из Италии всего несколько дней назад. Он посмотрел на отца в ожидании поддержки. — Может быть, в конце месяца отцу удастся организовать поездку через Форин оффис?

— В конце месяца! — Глаза Натальи удивленно расширились. — В конце месяца? — повторила она, глядя на своего любимого сына, как на сумасшедшего, сбежавшего из психиатрической больницы. — Я тридцать лет ждала возвращения на родину и теперь, когда у меня появилась такая возможность, ты предлагаешь ждать целый месяц! Ни за что! Я еду сейчас же! Сегодня! Через минуту!

И словно ураган она рванулась к двери. Джулиан сдержанно преградил ей дорогу.

— Я понимаю твое нетерпение, дорогая, — мягко сказал он, — но Стефан прав. В Европе все еще царит хаос и...

Наталья повернулась к сыну.

— Когда ты собираешься поехать за Ольгой? — спросила она срывающимся голосом с пылающими от возбуждения щеками. — Или тоже будешь ждать до конца месяца? И Зорка лишь в конце месяца встретится с Ксаном?

— Нет, — смущенно сказал Стефан, — но это другое дело. Мы привыкли к трудностям военного времени...

Наталья глубоко вздохнула.

— Последние шесть лет я жила в городе, на который Гитлер сбросил, кажется, все немецкие бомбы. Неужели ты думаешь, что я упаду в обморок при виде переполненного поезда? Меня даже не волнует, если придется стоять всю дорогу через Францию и Италию. Я готова забраться даже на крышу вагона! Я поеду с тобой и Зоркой в Белград и сейчас же иду наверх укладываться!

Она не шутила, и Джулиан это знал.

— Дай мне время, чтобы попытаться договориться кое с кем о поездке, а ты сможешь подыскать подходящий подарок для Ольги.

— Мы отправимся сегодня вечером? Обещаешь?

— Да, — сказал он сдавленным голосом. — Обещаю.

Со слезами радости на глазах Наталья встала на цыпочки и поцеловала Джулиана в губы. Он никогда не подводил ее за все годы их совместной жизни, и она знала, что не подведет и на этот раз. Тридцать один год и две мировые войны миновали с тех пор, как она покинула родину, и вот наконец пришел долгожданный день возвращения.

Несмотря на все старания Джулиана, путешествие оказалось тяжелым и изматывающим. О спальном вагоне нельзя было и мечтать, и пока их поезд мчался из Франции в Италию, ночи приходилось проводить в ужасной тесноте в переполненных душных вагонах. Но никто не жаловался. Все думали о том, что их ждет впереди. Каждый считал минуты, остававшиеся до границы с Югославией.

Когда поезд наконец ее пересек, Наталья разразилась слезами.

— Не могу поверить, — не переставала повторять она Джулиану, когда они стояли в узком качающемся проходе, глядя на холмы, реки и горы на горизонте. — Несмотря ни на что, пейзаж не изменился! Озера и леса там же, что и прежде!

Когда они приближались к Белграду, Стефан показал место, где они с Ольгой однажды взорвали железнодорожные пути.

— Извините, — сказала Наталья, — но мне надо отлучиться на несколько минут, чтобы переодеться.

— Переодеться? — Зорка изумленно посмотрела на нее. — Во что? И где?

Наталья прижимала к груди объемистый бумажный сверток.

— Скоро увидишь, — сказала она с сияющими глазами. — А где — в туалете!

Тридцать один год назад Наталья дала себе клятву и намеревалась сдержать ее, несмотря ни на что. Проталкиваясь к крошечному туалету, она знала, что ей придется непросто.

Наталья развернула сверток и достала переложенный нафталиновыми шариками голубой костюм с длинной баской, в который едва втиснулась даже с помощью Дианы, когда примеряла его в Лондоне до поездки.

— Он никуда не годится, — говорила ей Диана. — Ради Бога, тебе было семнадцать, когда ты его надевала в последний раз! Тебе нужен рожок для обуви, чтобы в него влезть, но потом ты все равно не сможешь застегнуться!

В крошечном, дурно пахнущем туалете Наталья, тяжело дыша, проклинала свои располневшие формы. Она ведь сама распускала швы на длинной, до лодыжек, юбке и сейчас затаила дыхание, стараясь ее натянуть. Материя до предела растянулась и вдруг — о чудо! — плотно легла на ее бедра. Облегченно вздохнув, Наталья быстро застегнула крючки на поясе. По крайней мере с юбкой покончено, хотя она такая узкая, что трудно представить, сможет ли она передвигаться.

Наталья сунула ноги в перламутрово-серые туфли на высоких каблуках, которые раньше обувала с этим костюмом, затем сосредоточилась на приталенном жакете с собольим воротником и манжетами. Он выглядел так же чудесно, как и тогда, когда она впервые в нем появилась на традиционном чаепитии в Конаке.

Удивляясь, откуда взялись лишние складки на ее теле, она втиснулась в жакет и начала застегивать длинный ряд крошечных пуговок. Верхняя оторвалась, но остальные держались. Наталья, торжествуя, прикрепила шпилькой шляпку к волосам и посмотрелась в треснувшее зеркало.

Без лишней скромности надо было признать, что она выглядит просто потрясающе. Голубой цвет, как всегда, великолепно ей шел. Длинная баска соблазнительно подчеркивала бедра и талию. Жакет плотно облегал грудь, а оторвавшаяся пуговка придавала ей особую пикантность. Густые длинные волосы падали пышными волнами на плечи, и на их фоне яркое желтое перо шляпки смотрелось вызывающе.

Когда Наталья с торжественным видом вышла в переполненный людьми проход, она увидела сквозь запыленные окна, что сельский пейзаж уже сменился городскими предместьями. Она затаила дыхание. Они въезжали в Белград. Наталья увидела знакомый купол церкви и один из мостов через Саву.

Поезд замедлил ход, и пассажиры с чемоданами и узлами теснились в проходе. Наталья увидела Джулиана, пробирающегося к ней сквозь толпу.

— Стой, где стоишь! — крикнул он поверх моря голов. — Стефан и Зорка тоже идут сюда. Мы выйдем через ближайшую к тебе дверь.

Когда он наконец протиснулся к ней и увидел ее наряд, его глаза расширились, а рот приоткрылся от удивления.

Несмотря на сильное волнение в предвкушении встречи с родным городом, Наталья усмехнулась.

— Узнаешь? — спросила она. — Мне пришлось немного повозиться, чтобы в него втиснуться. Как думаешь, пуговицы не оторвутся?

Джулиан взглянул на крошечные пуговки на ее пышной груди.

— Возможно, какое-то время они выдержат, — сказал он, стараясь не рассмеяться. — Но, полагаю, недолго.

Поезд дернулся и остановился. Наталья протянула мужу руку.

— Это самый счастливый миг в моей жизни, — сказала она.

Джулиан, не в силах говорить, крепко сжал руку жены, затем открыл дверь вагона.

— Ну, вот ты и дома. — Его голос срывался от волнения.

Ступив на перрон, Наталья отметила, что вокзал был все таким же большим, похожим на пещеру, каким она его помнила. Впереди Наталья увидела Стефана и Зорку, спешащих к барьеру, где толпились ожидающие. Навстречу Стефану устремилась светловолосая девушка с сияющим лицом и горящими глазами. Стефан ее обнял, и их губы слились в поцелуе. Она увидела также, как Зорка бросилась в объятия Ксана, а тот приподнял ее и закружил.

Несмотря на длинную узкую юбку, Наталья тоже пустилась бегом. Сквозь пелену слез она узнавала родные лица ожидавших ее людей: матери и отца, Катерины и Макса, Петра, своей бывшей гувернантки и двоюродной сестры. Все они пришли, чтобы ее встретить. Все, кого она любила, радушно приветствовали ее на родине.

Наталья увидела, как Катерина, прорвавшись через барьер, бросилась ей навстречу.

— О, Трина! — задыхаясь, прошептала Наталья, обнимая сестру. По ее щекам струились слезы. — О, Трина! Наконец-то я дома! Дома!

Когда Катерина увидела ярко-желтое, вызывающее перо, она почувствовала, что ее сердце вот-вот разорвется. Зная, что сейчас творится на дорогах Европы, никто, даже Ксан, не ожидал, что Наталья вернется в Белград так скоро. Когда пришла телеграмма, в которой сообщалось о ее прибытии, Катерина испытала необычайную радость. Казалось невероятным, что после стольких лет Карагеоргиевичи, Василовичи и Филдинги воссоединятся.

Даже сейчас, отпустив от себя Наталью, чтобы мать тоже ее обняла, она едва могла поверить, что они наконец собрались все вместе.

Понимая, каким волнующим был для его жены этот момент, Макс обнял ее за плечи. Катерина взяла его руку и прижала к своим губам, признательная мужу за понимание.

Стефан представил Ольге Джулиана, и улыбка тронула уголки губ Катерины. За последние несколько недель она хорошо познакомилась с девушкой и была уверена, что Джулиан останется доволен своей невесткой.

Когда Джулиан повернулся и позволил Сиси нежно поцеловать его в щеку, он встретился глазами с Максом. Этот молчаливый обмен взглядами выражал то, что оба очень счастливы, что не жалеют о прошлом и всегда будут лучшими друзьями.

— Рад снова тебя видеть, Джулиан, — искренне сказал Макс, заключая его в свои медвежьи объятия. — Давай побеседуем сегодня вечером о будущем Югославии, — предложил Макс, — за бутылочкой превосходной клековахи Алексия.

Катерина взяла мужа за руку. Он знал о ее романе с Джулианом, так как она рассказала ему об этом, как только Макс объяснился ей в любви. Тот не был особенно удивлен или расстроен. Он давно знал о ее чувствах к Джулиану. Но теперь свояк был для Катерины просто замечательным другом. Она по-настоящему любила его, Макса, и будет любить всегда.

Шум восторженных восклицаний и бурных взаимных приветствий перекрыл громкий удивленный голос их двоюродной сестры:

— Господи, зачем ты надела этот давно вышедший из моды костюм, Наталья? Он выглядит музейной редкостью. Неужели война довела лондонских женщин до такой отчаянной нужды?

Петр громко рассмеялся, а Наталья с негодованием посмотрела на Вицу. Затем Алексий повел всех к выходу.

— Наталья, ты поедешь с матерью, Катериной и Ольгой в моем машине, — сказал Алексий. — А Стефан, Макс и Джулиан могут дойти пешком.

Автомобиль Василовичей был таким древним, что Наталья засомневалась, способен ли он тронуться с места. Она взяла Катерину за руку и замерла. Этого момента она ждала тридцать один год. Открытый верх автомобиля позволял ей видеть родной город, и Наталья наконец почувствовала, что она действительно дома.

Джулиан и Стефан ее предупреждали, что Белград сильно пострадал от бомбежек.

— С тех пор как ты последний раз была здесь в 1914 году, он пережил две мировые войны, — сказал Джулиан.

Когда автомобиль двинулся по булыжнику привокзальной площади, Наталья приготовилась к худшему и, действительно, вид города был ужасен. Разрушенные дома, разбитые мостовые... Она чувствовала, что Катерина за ней наблюдает, опасаясь подавленности и глубокого разочарования. Наталья сжала руку сестры и тихо сказала:

— Я ожидала этого, Трина. Лондон тоже наполовину разрушен.

Она обращала внимание на то, что уцелело. Вдали над Савой в Калемегданских садах по-прежнему возвышалась древняя крепость. По улицам были проложены трамвайные пути. Дома из камня цвета охры по-прежнему украшали шаткие веранды, уставленные цветочными горшками, а в маленьких садиках росли акации.

Они свернули на улицу, обсаженную каштанами. Она была переименована в честь маршала Тито. Заметив недоумение Натальи, Катерина сказала, усмехаясь:

— Ты всегда хотела, чтобы улица Князя Милана была переименована. Так и случилось.

— Я не хотела, чтобы ее назвали в честь хорвата! — возмущенно ответила Наталья. Затем сестры посмотрели друг другу в глаза, и Наталья захихикала, а к тому времени, когда Алексий, миновав высокие ажурные ворота их фамильного особняка, въехал в знакомый маленький двор, обе не смогли удержаться от громкого, счастливого смеха.

Следующие несколько дней были для всех радостными. Наталья и Катерина гуляли в Калемегданских садах, смеясь и болтая, как будто они снова вернулись в свою молодость.

Петр, Ксан, Макс и Джулиан до глубокой ночи разговаривали о политике и, несмотря на различие взглядов, сходились в одном. Если под руководством Тито хорваты и сербы — католики, православные и мусульмане — смогут жить в согласии, тогда они готовы смириться с его коммунистическими взглядами.

Тем временем шились подвенечные платья для Зорки и Ольги.

Как-то вечером, когда все сидели за ужином, Зорка с воодушевлением рассказала о жилище, которое они с Ксаном подыскали для себя.

— Он просто прелесть, тетя Трина, — сказала Зорка, в то время как Джулиан передавал Максу блюдо с едой, а Алексий доверху наполнял стакан Стефана сливовицей. — Домик в венгерском стиле, он находится в переулке за площадью Теразие. В саду много сирени, а стены увиты плетистыми розами...

Джулиан неловко поставил блюдо на стол.

— ...и самое удивительное — на одной из стен до сих пор висит портрет старого короля Петра.

Катерина поперхнулась вином.

— ...а два старинных турецких дивана обиты домотканой материей, — продолжала Зорка, наливая в стакан воду. — Я уверена, мы будем там безумно счастливы. Дядя Макс, вы хотите еще фасоли?

Наталья сразу же решила, что надеть на церемонию бракосочетания.

— Я отнесла свой голубой костюм лучшему портному, и он говорит, что может подогнать его под мой размер.

— Он был сшит по тебе, — заметила Катерина, добродушно усмехаясь. — Проблема только в том, что это было более тридцати лет назад!

Наталья запустила в нее подушкой и сказала:

— Мы ведь счастливы, не так ли? У нас будут две чудесные невестки. Ты сразу полюбила Зорку, как только ее увидела, и Ольга тоже изумительная девушка. Она выглядит такой тихой и мягкой, хотя на самом деле смелости ей не занимать.

— Да, — согласилась Катерина, подумав о Максе, о своем сыне и пасынке, — мы очень счастливы.

Они сидели вдвоем в итальянской гостиной, и Наталья, оглядев знакомую мебель, обитую желто-голубой тканью, и бледно-желтые стены комнаты, сказала с некоторым удивлением в голосе:

— Странно, раньше я считала своим домом только этот особняк в Белграде, а теперь пришла к выводу, что мой дом там, где находится Джулиан.

— Уверена, что Джулиан давно это понял, — мягко сказала Катерина. — Но ты должна сама сказать ему об этом. Он будет счастлив.

В пропахшем ладаном соборе Катерина сидела между Максом и Натальей. У алтаря, держась за руки, стояли две пары молодых. Петр и трое его друзей держали над их головами свадебные венцы, и когда началась служба при сотнях свечей и в сопровождении большого церковного хора, Катерина поняла, что именно о такой торжественной церемонии мечтала их мать, когда ее дочери выходили замуж.

Рука Катерины покоилась в руке Макса. Она посмотрела туда, где сидела Зита, и увидела, что на щеках матери блестят слезы.

— Вот уж не думал, что дождусь дня, когда стану свекром дочери Натальи, — тихо сказал ей Макс, когда чуть позже они вышли за двумя счастливыми парами на солнечный свет. — Слава Богу, что она, кажется, не такая горячая и импульсивная, как ее мать.

— Думаю, что ты слегка ошибаешься, — сказала Катерина, глядя на Ксана и Зорку, которые не отрывали друг от друга восхищенных глаз. — Но даже если это так, полагаю, Ксан ничего не имеет против.

Ксан обеспечил родственникам несколько армейских автомобилей, чтобы отвезти всех домой. Усаживаясь в один из них, Катерина сказала Максу:

— Как ты считаешь, мама поступила разумно, настояв на торжестве в семейном кругу? Она очень хочет устроить бал, как в прежние времена, правда, тогда приглашали пару сотен гостей, а сегодня будет только тридцать или около того. Боюсь, бальный зал покажется пустынным, и она будет разочарована.

— Пустяки, — сказал Макс, втискивая свое громоздкое тело в автомобиль. — Соберется наша большая семья, в которой переплелись все родственные ветви. — Его крупное лицо расплылось в улыбке. — Ты помнишь бал в 1914 году? Ты не хотела со мной танцевать, а когда все-таки пошла, почти не уделяла мне внимания.

— Сегодня будет иначе, — сказала она, ласково касаясь его руки. — Сегодня я буду танцевать с тобой весь вечер.

Катерина стояла в широко распахнутых дверях, глядя на огромный зал с мраморным полом, и чувствовала, что мать была права, решив оживить старые воспоминания и отметить в этой роскошной комнате свадьбы своих внуков.

Цыганский оркестр только что закончил играть свадебный танец, и Наталья все еще находилась в объятиях Джулиана, тяжело дыша и весело смеясь. Она выглядела слишком молодо для матери Стефана и Зорки. Ее глаза светились счастьем, а темные волосы, уложенные в высокую прическу, были украшены большой белой розой.

Отец Катерины, вступивший в хоровод уже на последних тактах, нежно улыбался ее матери. Сиси стояла рядом со своим мужем, слегка опираясь на его руку.

Когда оркестр вновь заиграл, Катерина увидела, как Петр подошел к одной из подружек Ольги и пригласил ее на танец. В материнском сердце затеплилась надежда. Может быть, вспыхнет еще одна любовь и Петр тоже вскоре женится.

Бальный зал наполнили ритмичные звуки «Голубого Дуная». Зорка и Ольга в роскошных платьях вышли вместе с мужьями на середину.

На глаза Катерины навернулись слезы. Хотя здесь не было титулованных особ, бал выглядел чудеснее, чем в далекое лето 1914 года. Почти каждая пара танцующих состояла из глубоко любящих друг друга людей. Ее мать и отец, Сиси с мужем, Ольга и Стефан, Ксан и Зорка, Наталья и Джулиан... И только одна пара, Петр и его партнерша, была исключением, хотя по виду молодых людей можно было сказать, что и они близки к тому, чтобы пополнить ряды влюбленных.

Позади нее раздался низкий голос:

— Я знаю, ты начнешь жаловаться, что я неуклюж, как медведь, но если я пообещаю не отдавить тебе ноги, ты пойдешь со мной танцевать?

Катерина повернулась к человеку, которого любила всем сердцем, он был ее крепостью, ее надежным тылом.

— Да, Макс, — сказала она и шагнула в его объятия, в то время как волшебные звуки вальса Штрауса наполняли зал. — Конечно, я буду с тобой танцевать. Только с тобой. Всегда.

Литературно-художественное издание

Пембертон Маргарет
Под южным солнцем

Редактор Л.И. Хомутова
Художественный редактор О.Н. Адаскина
Компьютерный дизайн: Е.Н. Волченко
Технический редактор О.В. Панкрашина
Младший редактор Е.А. Лазарева

Подписано в печать 24.02.2000. Формат 84×108[1]/[32].
Бумага газетная. Печать высокая. Усл. печ. л. 23,52.
Тираж 4000 экз. Заказ № 696.

Налоговая льгота — общероссийский классификатор продукции
ОК-00-93, том 2; 953000 — книги, брошюры

Гигиенический сертификат
№ 77.ЦС.01.952.П.01659.Т.98 от 01.09.98 г.

ООО «Фирма «Издательство АСТ»
ЛР № 066236 от 22.12.98.
366720, РФ, Республика Ингушетия,
г. Назрань, ул. Московская, 13а
Наши электронные адреса:
WWW.AST.RU
E-mail: astpub@aha.ru

Отпечатано с готовых диапозитивов
в ордена Трудового Красного Знамени
ГУПП «Детская книга» Роскомпечати.
127018, Москва, Сущевский вал, 49.